KU-456-195

Zu diesem Buch

«Mit der technischen Nutzbarmachung der Kernspaltung wurde der Sprung in eine ganz neue Dimension der Gewalt gewagt. Zuerst richtete sie sich nur gegen militärische Gegner. Heute gefährdet sie die eigenen Bürger. Denn ‹Atome für den Frieden› unterscheiden sich prinzipiell nicht von ‹Atomen für den Krieg›.»

So beginnt Robert Jungks letztes Buch, das er in «Angst und Zorn geschrieben» hat: «In Angst um den drohenden Verlust von Freiheit und Menschlichkeit. Im Zorn gegen jene, die bereit sind, die höchsten Güter für Gewinn und Konsum aufzugeben.»

Der sensationelle Erfolg dieses Buches erklärt sich genau aus dieser Haltung, die nicht zuläßt, «über diese Problematik ... ohne Emotionen» zu schreiben. Jungks Absicht ist es nicht, den vielen Streitschriften gegen die Nutzung der Kernenergie mit ihren Warnungen vor Strahlenschäden, atmosphärischen Veränderungen usw. noch eine weitere hinzuzufügen. Sein Thema ist die Deformierung des Menschen durch Einschränkung der persönlichen Freiheit, durch Repressionen, Ängste, gegenseitige Bespitzelung als Folge der staatlichen Überwachungsmaßnahmen zur Verhinderung von «Atomterrorismus». Unter Hinweis auf diese «notwendigen» Maßnahmen wird alles möglich sein, befürchtet Jungk, wird der Mensch, gelähmt von dem Gespenst der Arbeitslosigkeit durch fehlendes Energiewachstum, Bürgerrechte preisgeben, eine «Ohne mich»- und «Ich kann sowieso nichts ändern»-Haltung an den Tag legen, die ein menschenwürdiges Miteinander unmöglich macht.

Im Widerstand gegen die Kernenergie drückt sich das seit zehn Jahren ständig wachsende Unbehagen an der fortschrittsgläubigen Industriegesellschaft aus. Dieses Buch trägt dazu bei, daß sich dieses Unbehagen umsetzt in eine nicht mehr zu überhörende Kritik an dem sich zunehmend aller Kontrolle entziehenden Industrialismus, daß nach akzeptierbaren Alternativen gesucht und eine grundlegende Umkehr möglich wird.

Für die Taschenbuchausgabe nahm Robert Jungk eine Überarbeitung vor und fügte ein aktualisierendes Nachwort hinzu.

Robert Jungk, 1913 in Berlin geboren, arbeitete nach 1933 in Frankreich und im republikanischen Spanien an Dokumentarfilmen und schrieb von 1940 bis 1945 für die «Weltwoche» in Zürich. Das Thema, das er in «Die Zukunft hat schon begonnen» (rororo sachbuch 6653) anschlug, wurde später in «Heller als tausend Sonnen» (1956; rororo sachbuch 6629) und «Strahlen aus der Asche» (1959) vertieft, international berühmten Büchern, die eindringlich vor den Gefahren der entfesselten Atomkraft warnen. Robert Jungk hat seit 1968 einen Lehrauftrag für Zukunftsforschung an der TU Berlin und ist seit 1974 Vorsitzender der Gruppe «Mankind 2000» in London. Sein 1973 veröffentlichtes Buch «Der Jahrtausendmensch» (rororo sachbuch 6967) führte 1975 zur Gründung einer «Fondation pour l'invention sociale», die Ansätze zu einer humaneren Technologie und Gesellschaft koordinieren und fördern soll.

Robert Jungk

Der Atom-Staat

Vom Fortschritt in die Unmenschlichkeit

Rowohlt

1.–30. Tausend November 1979
31.–55. Tausend Januar 1980
56.–65. Tausend Dezember 1981

Veröffentlicht im Rowohlt Taschenbuch Verlag GmbH,
Reinbek bei Hamburg, November 1979

Umschlagentwurf Werner Rebhuhn
Satz Times (Linotron 404)
Gesamtherstellung Clausen & Bosse, Leck
Printed in Germany
580-ISBN 3 499 17288 7

Für Eugen Kogon

Inhalt

Vorwort

Der harte Weg

1

Mit der technischen Nutzbarmachung der Kernspaltung wurde der Sprung in eine ganz neue Dimension der Gewalt gewagt. Zuerst richtete sie sich nur gegen militärische Gegner. Heute gefährdet sie die eigenen Bürger. Denn «Atome für den Frieden» unterscheiden sich prinzipiell nicht von «Atomen für den Krieg». Die erklärte Absicht, sie nur zu konstruktiven Zwecken zu benutzen, ändert nichts an dem lebensfeindlichen Charakter der neuen Energie. Die Bemühungen, diese Risiken zu beherrschen, können die Gefährdungen nur zu einem Teil steuern. Selbst die Befürworter müssen zugeben, daß es niemals gelingen wird, sie ganz auszuschließen. Der je nach Einstellung als kleiner oder größer anzustehende Rest von Unsicherheit birgt unter Umständen solch immenses Unheil, daß jeder bis dahin vielleicht gewonnene Nutzen daneben verblassen muß.

Eine durch technisches Versagen, menschliche Unzulänglichkeit oder böswillige Einwirkung hervorgerufene Atomkatastrophe würde nicht nur unmittelbar größten Schaden stiften, sondern über Jahrzehnte, Jahrhunderte, unter Umständen sogar Jahrtausende weiterwirken. Dieser Griff in die Zukunft, die Angst vor den Folgeschäden der außer Kontrolle geratenen Kernkraft wird zur größten denkbaren Belastung der Menschheit: sei es als Giftspur, die unauslöschlich bleibt, sei es auch nur als Schatten einer Sorge, die niemals weichen wird.

Solch dunkle Möglichkeiten müssen auch den Befürwortern der Atomindustrie bekannt sein. Sie sind allerdings überzeugt, sich und ihre Mitbürger schützen zu können, indem sie Sicherheitsmaßnahmen einführen, wie sie es nie zuvor gab. Müßte dieser Schutz nur technischer Natur sein, dann wäre er vor allem ein Problem der Ingenieure und – wegen seiner besonders hohen Kosten – der Ökonomen. Aber diese Erfindung der Menschen muß ja zudem so streng wie keine andere vor den Menschen selbst bewahrt werden: vor ihren Irrtümern, ihren Schwächen, ihrem Ärger, ihrer List, ihrer Machtgier, ihrem Haß. Wollte man versuchen, die Kernkraftanlagen dagegen völlig immun zu machen, so wäre die unausweichliche Folge ein Leben voll von Verboten, Überprüfungen und Zwängen, die in der Größe der unbedingt zu vermeidenden Gefahren ihre Rechtfertigung suchen würden.

Diese Konsequenzen darzustellen und über sie nachzudenken ist für die Gesellschaft wie für den einzelnen dringlich, da die Beschäftigung mit den sozialen und politischen Wirkungen der Kernkraft bisher hinter dem Studium der biologischen und ökologischen Effekte zurückstand. Diese Schrift will dazu den Anstoß geben. Sie ist in Angst und Zorn geschrieben. In Angst um den drohenden Verlust von Freiheit und Menschlichkeit. In Zorn gegen jene, die bereit sind, diese höchsten Güter für Gewinn und Konsum aufzugeben. Man wird mit Sicherheit den Einwand erheben, über diese Problematik müsse ohne Emotionen geschrieben und gesprochen werden. Das ist die heutige Version der biedermeierlichen Beschwichtigung: «Ruhe ist die erste Bürgerpflicht.» Wer den Ungeheuerlichkeiten, die der Eintritt in die Plutoniumszukunft mit sich bringen muß, nur mit kühlem Verstand, ohne Mitgefühl, Furcht und Erregung begegnet, wirkt an ihrer Verharmlosung mit. Es gibt Situationen, in denen die Kraft der Gefühle mithelfen muß, einer Entwicklung zu steuern und das zu verhindern, was nüchterne, aber falsche Berechnung in Gang gesetzt hat.

Auf solch irriger Kalkulation beruhte die Vorstellung, daß die zerstörerische Wirkung der Atombombe – wenn überhaupt – nur in Auseinandersetzungen zwischen Staaten ins Spiel gebracht werden würde. Seit kurzem aber müssen wir auf Grund eingehender Untersuchungen annehmen, daß auch innergesellschaftliche Konflikte die gefürchtete «nukleare Schwelle» einmal überschreiten könnten: Atomsabotage und Atomterror können nicht mehr ausgeschlossen werden, sobald die Menge der bei der Kernkraftproduktion anfallenden Spaltstoffe immer größer wird. Und das wird schon sehr bald der Fall sein. Besonders erschreckend ist die Einsicht, daß Gangster, Putschisten oder Terroristen mit einer solchen Waffe, wenn sie einmal in ihre Hände geriete, vermutlich viel skrupelloser umgehen würden als Staatsmänner und Generalstäbler. Die radikale Atomabrüstung, die unmittelbar nach den Schreckensstunden von Hiroshima und Nagasaki verlangt wurde, müßte jetzt, da die Ausweitung der «friedlichen Kernkraft» das Risiko von Atom-Bürgerkriegen näherbringt, mit noch weitaus berechtigterer Sorge gefordert werden.

Nur wer sich Illusionen über die nukleare Zukunft hingibt, kann alle Gefahren des Mißbrauchs ausschließen. Die Vision von der perfekten inneren Sicherheit ist ein pures Wunschgebilde. Vielleicht wird es im Namen dieser unerreichbaren Vorstellung gelingen, die Atomindustrie-Staaten in Konzentrationslager zu verwandeln, aber Gewißheit gegen den Einsatz nuklearer Erpressung und Gewalt könnte auch dann niemand geben. Staaten dürfen ja in diesem Zusammenhang nicht nur Erpressungsversuche von außen, sondern müssen auch Putschversuche von innen ins Kalkül ziehen. In Garnisons-Gesellschaften ist die Chance innerer Auseinandersetzungen zwischen rivalisierenden Gruppen stets zu befürchten. Irgendwann einmal wird irgendeine mit dem nuklearen «Objektschutz» betraute Wachmannschaft mit dem «letzten Mittel» drohen. Wer kann solch mächtige Kontrolleure noch wirksam kontrollieren? In harten Regimes mit harten Machern an den Hebeln der Macht werden die Sicherheitsrisiken nur anfangs geringer, mit der Zeit aber erfahrungsgemäß größer. Der «harte Weg» der Tyrannen hat noch stets ins Unglück geführt. Diesmal könnte es eine nicht mehr gutzumachende Katastrophe sein.

2

Amory B. Lovins ist ein sensibler, intellektueller junger Amerikaner, der wie ein Bücherwurm aussieht, aber einen Teil des Jahres irgendwo in der Nordostecke der USA als Waldläufer lebt. Kein wohlbestallter Professor und noch nicht einmal dreißig Jahre alt, erreichte er es, daß die hochangesehene Zeitschrift *Foreign Affairs* im Herbst 1976 seinen Aufsatz über den Irrweg der Kernenergie veröffentlichte. Die Fachwelt nahm ihn von Anfang an sehr ernst. Seither reist dieses seriöse «Wunderkind» kreuz und quer durch die Welt, um führende Konzernmanager, hohe Regierungsbeamte – wie zum Beispiel US-Präsident Carter und Kaliforniens Gouverneur Brown – und wissenschaftliche Experten davon zu überzeugen, daß sie den «harten Weg» der ständig steigenden Energieraten verlassen sollten. Er versucht ihnen zu demonstrieren, daß die von diesen Instituten gebieterisch verkündeten Bedarfszahlen für elektrische Nutzungsenergie keiner echten Notwendigkeit entsprechen, sondern die zahlgewordenen Projektionen ihrer eigenen Wünsche, Hoffnungen und Ängste sind.

Falsche Prognosen, gestellt auf Grund falscher Berechnungen und Zielsetzungen, haben nach Lovins' Ansicht den «Atomrausch» der sechziger Jahre ausgelöst. Der wird, wie er meint, im Katzenjammer enden, weil die ehrgeizigen Energiepläne der Nuklearindustrie und ihrer Lobby aus wirtschaftlichen, technischen und politischen Gründen nicht in Erfüllung gehen können.

Aber Lovins sagt nicht nur «nein». Er zeichnet den allmählichen Übergang zu einem «sanften Weg», geht ein auf die wirklichen und so oft vernachlässigten menschlichen Bedürfnisse; plädiert für die bessere Ausnutzung konventioneller und die gleichzeitige Entwicklung unschädlicher, dezentralisierter «alternativer Energie». Durch die Abschaffung der Großzentralen könnte, wie er seinen Gesprächspartnern und Lesern vorrechnet, die Zahl der Arbeitsplätze bei gleichzeitigem Abbau der Rationalisierung vervielfacht werden. Kleine und mittlere Betriebe erhielten dann endlich wieder eine Chance gegenüber den Großkonzernen; es wäre möglich, das Lebensniveau der entwickelten und weniger entwickelten Länder einander anzunähern und den Bürgern in überschaubaren wirtschaftlichen und politischen Einrichtungen mehr Mitsprache zu sichern. All das könnte allerdings nur «gegen die Interessen einiger mächtiger Institutionen» geschehen.

Sieht man die industrielle und politische Entwicklung der letzten hundert Jahre im Licht des Gegensatzes zwischen einem «harten Weg», der von immer mehr Gesellschaftssystemen gewählt wurde, und einem «sanften Weg», der als rückständig in Verruf gerät, dann wird etwas sehr Gravierendes deutlich: Die Entscheidung für die Kernenergie war die logische Folge einer Technologiepolitik, die das Wachstum der Produktion rücksichtslos über alle anderen menschlichen Interessen stellte.

Am Kampf gegen die Kernkraft nehmen weltweit Menschen aller Schichten teil, die Stress, Naturzerstörung und Katastrophengefahren, wie sie von dem gesamten System einer eskalierenden technischen Gewalt ausgehen, nicht mehr hinnehmen wollen. Der «harte Weg» ist zugleich auf einem Höhepunkt und einer Bruchstelle angelangt.

Er hat – so erkennt man jetzt – zur Konzentration der Macht in den Händen weniger Personen geführt, zu einer wachsenden Kluft zwischen «Reichen», die ihres Reichtums nicht froh werden, und Armen, die verarmen, weil sie sich nicht einmal mehr selber helfen können. Es ist ein Weg, der immer tiefer in Entfremdung, Kälte, Isolation und Feindschaft hineinführt.

Jene, die diesen Kurs unbeirrt weiterverfolgen, wollen nicht hören, nicht sehen, nicht nachgeben. Ja, sie sind sogar noch stolz auf ihre Unnachgiebigkeit. Bei denen aber, die stürmisch danach drängen, sich Gehör zu verschaffen, und die oft mit Gewalt daran gehindert werden, gibt es immer mehr, die Härte mit Härte bekämpfen wollen. Nicht nur die Umwelt, auch das politische und gesellschaftliche Klima wird durch die Einführung der Kernenergie zunehmend vergiftet.

Daß die sogenannten «sozialistischen Länder» den sogenannten «kapitalistischen Ländern» auf dem «harten Weg» gefolgt sind, ist deshalb so besonders bedenklich, weil dort – abgesehen von wenigen Ausnahmen – nicht einmal Stimmen des Zweifels an der eingeschlagenen Richtung, die zu einer Kurskorrektur führen könnten, laut werden dürfen. Die Konvergenz der Systeme, von der im Westen soviel gesprochen wurde, wird sich vielleicht auf eine ganz andere Weise verwirklichen, als man angenommen hatte. Nämlich in der allmählichen Anpassung der seit der Einführung der Kernenergie immer mehr zum «harten Weg» tendierenden westlichen Staaten an Zwangsmethoden, wie sie im Osten seit langem praktiziert werden. Schon jetzt hört man aus dem Mund von westlichen Atombefürwortern Worte der Bewunderung für die «Disziplin dort drüben».

In der «freien Welt» ist bereits ein deutlicher Rückgang der Toleranz, die Zunahme von direkter oder indirekter Zensur, die Verketzerung von «Dissidenten», aber auch eine spürbare Verschärfung und Erweiterung der Überwachung in Beruf und Privatleben festzustellen. Viele meinen, das seien hoffentlich nur «vorübergehende Maßnahmen». Das ist ein falscher Trost. Denn ein Land, das seine Atomindustrie ausbaut, wählt damit den «starken Staat» in Permanenz.

Man muß die Frage stellen, ob die Entscheidung der Machteliten in den Industriestaaten für die Kernenergie nicht sogar vorwiegend von der Erwartung mitbestimmt wird, daß sie damit erst die materiellen Grundlagen für die Berechtigung ihrer «harten Politik», ihres «harten Weges» und ihren «harten Regierungsstil» schaffen: wer da dann nicht «mitzieht», ist schlechthin «subversiv».

Staat und Wirtschaft sollen immer mehr einer großen Maschine gleichen, und es kann nicht gestattet werden, daß man ihr Funktionieren stört. Das verlangt der «Sachzwang». Einzelne oder gar Gruppen, die sich widersetzen könnten, werden «gesiebt», «zermalmt», «ausgerottet», «auf den Abfallhaufen der Geschichte geworfen», als «rückständig» angeprangert oder – das Wort stammt von einem Professor der Informationstechnik – «amputiert». Hinzu kommt, daß der Export von Kernenergie in Länder der Dritten Welt bereits bestehende autoritäre Staatsformen noch verstärkt, die Hoffnungen auf eine allmähliche Demokratisierung zunichte macht und die Landflucht fördert. Da Kernenergie sich wirtschaftlich nur dann lohnt, wenn man sie in großen Zentralen produziert und von einem Mittelpunkt aus verteilt, wird das Wachstum der bereits heute allzu stark aufgeblähten Industriemetropolen in den Entwicklungsländern begünstigt. Denn dort sind viele «Kunden» auf einem Platz zusammen. Die Belieferung der Dörfer würde aber die Installation ausgedehnter und kostspieliger Verteilernetze bedeuten. Deshalb kommt zum Beispiel bisher nur ein Bruchteil des in den indischen Reaktoren erzeugten Stroms der Landbevölkerung zugute, die ihn doch am meisten braucht.

Andererseits begünstigen die Pläne der Atomindustrie, den gefährlichen und gefährdeten Brennstoffkreislauf künftig auf wenige «Nuklearparks» mit hoher Leistung zu konzentrieren, das Heranwachsen eines Kernkraft-Imperialismus: mehr und mehr heute noch unabhängige Staaten in Afrika, Asien und Lateinamerika sollen dann in der kommenden zweiten oder dritten Phase des Atomausbaus an die «Energiekette» genommen werden.

Dafür wird den Herrschenden in den Atomstaaten der Dritten Welt eine schreckliche Möglichkeit zugespielt, die der amerikanische Politologe Albert Wohlstetter kürzlich bei einem öffentlichen «Hearing» in England erwähnte. Er sagte, «Regierungen könnten (nukleare) Implosionswaffen von Kilotonnengröße oder größerer Stärke als verzweifelte letzte Drohung sogar gegen die Bevölkerung gebrauchen». Der «harte Weg» würde also möglicherweise schließlich bis zu dieser äußersten Konsequenz führen.

3

So schlimm ist es noch nicht? In der Tat: Wäre die Entwicklung schon überall so weit gediehen, könnten diese Zeilen nicht mehr veröffentlicht werden. Aber die Anfänge sind bereits sichtbar: Die totalitäre Technokraten-«Zukunft hat schon begonnen». Noch gibt es hier und dort die Chance, ihre Durchsetzung zu verhindern. Doch die Zeit dafür ist knapp bemessen.

Eine Besonderheit der Atomentwicklung besteht darin, daß sie anfänglich zwar nur schwer, aber von einem gewissen Augenblick ab unmöglich rückgängig gemacht werden kann. Dieses Phänomen der «Irreversibilität» ist eine ganz neue historische Erscheinung. Ist ein Reaktor einmal «angefahren», dann werden damit Prozesse in Gang gesetzt, die man auf lange Zeiten hin nicht mehr aus der Welt schaffen kann. Generationenlang andauernde radioaktive Zerfallsvorgänge mit ihren Strahlengefahren für alles Lebendige müssen von da an sorgfältigst und in Permanenz kontrolliert werden. Jahrzehnte-, jahrhunderte-, jahrtausendelang. Überschreitet die Zahl zu bewachender Installationen und Entsorgungslager einen bestimmten Punkt, so muß strenge «Überwachung» und «Kontrolle» über einen sehr langen Zeitraum hinweg das politische Klima prägen.

Darum ist die Entscheidung, vor der wir heute stehen, von so weitreichender Bedeutung wie keine andere zuvor. Sie kann nicht, wie das bisher mit allen früheren Taten der Geschichte immer noch möglich war, revidiert oder gar vergessen werden. Sie legt den weiteren Verlauf unseres Schicksals verhängnisvoll und unumkehrbar fest.

Wenn mehr und mehr Menschen den «harten Weg» in eine Zukunft, die späteren Generationen durch Entscheidungen der heute Lebenden aufgezwungen wird, gar nicht oder nur sehr zögernd gehen wollen, dann deshalb, weil sie Verantwortung empfinden. Die Gegner ahnen, daß kein materieller Vorteil, den der Ausbau der Kernenergie für kurze Zeit bringen könnte – und diese Hoffnung ist ohnehin mehr als zweifelhaft –, die langfristig belastenden Folgen für Umwelt, Gesellschaft und Zukunft je aufwiegen würde.

Dieser Widerstand ist als «Glaubenskrieg» verketzert worden, so als hätten die Atomgegner einfach unkritisch ein rückschrittliches Dogma akzeptiert. Für viele von ihnen trifft aber eher zu, daß mehr Nachdenken, mehr Phantasie und mehr Gewissenhaftigkeit sie dazu gebracht haben, den von Obrigkeit und Mehrheit gewählten Unheilskurs abzulehnen. Noch scheint der andere Weg möglich. Aber nicht mehr lange.

Erstes Kapitel

Das Strahlenfutter

1

«Wenn einer länger in der ‹heißen Zone› herumtut, als ich ihm vorgeschrieben habe, schneid ich ihm einfach den Sauerstoff ab», erzählt Fleury. «Was soll er dann schon anders machen als aufhören, wenn ich den Stecker rauszieh, mit dem er an der Ventilation hängt. Den Schutzhelm runterreißen, um Luft schnappen zu können – das traut er sich nicht. Er weiß: Da drinnen in der Zelle ist alles verstrahlt. Also kommt er ganz schnell raus.»

Patrice Fleury, Ende Zwanzig, hellwach, intelligent und, wenn er nicht zu müde zum Nachdenken ist, auch selbstkritisch, findet es eigentlich scheußlich, daß er sich so oft wie ein *sale flic*, wie ein «schmutziger Bulle» benehmen muß. Aber als «Strahlenschützer» und Mitarbeiter der Abteilung SPR (Section de Protection contre les Radiations) im Wiederaufarbeitungszentrum La Hague hat er darauf zu achten, daß die Beschäftigten des «Centre» nicht zu hohe Dosen an gesundheitsgefährdender Radioaktivität abbekommen. Es ist nun einmal seine Pflicht, unaufhörlich zu wachen, zu warnen, zurechtzuweisen. Nicht nur eine undankbare, sondern eine eigentlich sogar unerfüllbare Aufgabe in diesem gefährlichsten Betrieb des nuklearen Brennstoff-Kreislaufs. Denn überall in diesem «kaputten Laden» (*«cette boite pourrie!»*) sickert die radioaktive Giftluft aus immer neuen Ritzen, um sofort in Berührung zu kommen mit Haaren (die bedeckt sein müßten), mit Haut (die von Stoff oder Kunststoff verhüllt sein sollte), mit Augen (die hinter dicken Brillen zu verstecken wären) oder mit Atemwegen (die ein Mundfilter zu schützen hätte).

Dabei steht eigentlich fest, daß der ganze Durchlauf in einer Wiederaufarbeitungsanlage so gut wie automatisch und fast ohne direktes menschliches Eingreifen erfolgen muß:

- Entladung der Brennstäbe aus den Speziallastwagen,
- Lagerung zum Abklingen der Radioaktivität in Wasserbecken,
- Entfernung der Schutzhüllen von den Stäben mit Hilfe ferngesteuerter Greifer (in La Hague als «Dégainage», das heißt «Handschuhausziehen», bezeichnet),
- Zerkleinerung des Inhalts durch große Scheren (*cisaillage*)

- chemische Auflösung der hochaktiven «Bruchstücke» in kochender Salpetersäure,
- chemische Scheidung des aufbereiteten Urans, des Plutoniums und anderer Elemente in verschiedenen technischen Schritten,
- Herstellung des Plutoniumoxids,
- Konzentration des Urans,
- Nachbehandlung der verbleibenden Abfälle,
- Vorbereitung für die Lagerung der flüssigen und festen Abfälle,
- getrennte «Beerdigung» der Abfälle entsprechend ihrem Grad an Radioaktivität.
- Ableitung der schwach radioaktiven flüssigen Abfälle ins Meer.

Aber dieses auf dem Papier glatte Schema hat sich in der Praxis zum Hindernisrennen mit zahllosen Fallen verwandelt. Viel früher als man angenommen hatte, zeigten sich schon die ersten Abnutzungserscheinungen: Werkstoffe, die auch den schärfsten Säuren und beträchtlichen Hitzegraden standgehalten hatten, gaben nach, verformten sich; Röhren platzten, Ventile leckten. Bis heute ist noch nicht einwandfrei geklärt, weshalb in La Hague – ebenso wie auch in allen anderen Atomanlagen – so ungewöhnlich viele Materialbrüche auftreten. Würde hier wirklich alles so funktionieren, wie die Planer es sich gedacht hatten, dann wäre die Arbeit der Strahlenpolizei ein Kinderspiel. Doch die Wirklichkeit der Kernkraftindustrie ist, wie der schwedische Physiker Hannes Alfvén zutreffend erkannt hat, eben nicht das «technologische Paradies», das ihre Befürworter der Öffentlichkeit vorgaukeln, sondern eher eine «technologische Hölle», in der fast nichts läuft, wie es laufen sollte. Denn weder Maschinen noch Menschen vermögen so perfekt zu arbeiten, wie es die Technokraten in ihren Plänen voraussetzen.

Daß der ermüdbare, ungenaue, vergeßliche, nachlässige, zum Träumen neigende Mensch – gemessen an den präzisen, unmenschlichen Anforderungen, die ihm die immer gefährlichere und lebensfeindlichere Technik auferlegt – «eine Fehlkonstruktion» ist, wird einem Beobachter selten so deutlich wie hier an der Nordspitze der nebligen normannischen Halbinsel Cotentin. Dort hat die französische Atombehörde CEA (Commissariat à l'Energie Atomique) die bisher größte industrielle Wiederaufarbeitungsanlage der Welt für Kernbrennstoffe errichtet. Ihre Hauptaufgabe besteht darin, aus bereits einmal in einem Atomreaktor verwendeten (aber dort nur zu einem Bruchteil ihrer Energiemöglichkeiten genutzten) Brennstäben die in diesem Spaltvorgang entstandenen Mengen des kostbaren künstlichen Elements Plutonium (Pu 239) zu gewinnen.

Dieses Plutonium wird später für Bomben oder für die «Reaktoren der nächsten Generation», die «Schnellen Brüter», verwendet.

Nirgendwo auf der Welt haben solche Anlagen bisher technisch einwandfrei funktioniert. Immer wieder gab es Pannen. Immer wieder kam es zu vorübergehenden Stillegungen, die in manchen Fällen – wie in West Valley (USA) – zur endgültigen Schließung führten. Obwohl selbst Experten zugeben, daß diese Technik noch nicht «produktionsreif» ist, hat man in Windscale (England) und in La Hague Großanlagen in Betrieb genommen, die Reaktorbrennstoffe nicht nur in Kilomengen wie beim Laboratoriumsbetrieb, sondern gleich in Tonnen verarbeiten sollen. In Hunderten von Tonnen. Aus Deutschland, Italien, Holland, Schweden und Spanien rollen Tag und Nacht polizeilich bewachte Riesenlaster mit bleiernen Sicherheitstanks – die Franzosen nennen sie *chateaux* (Schlösser) – über die immer noch ländlich anmutenden Straßen der Halbinsel, um hier, an der westlichen Spitze des europäischen Festlandes, ihre verfluchte Last abzuladen, die jedes Land loswerden will.

Unbeirrt durch fast tägliche Havarien und Unfälle, unbekümmert um Streiks und die wachsende Unruhe der Bevölkerung, die man dem Ausland zu verheimlichen sucht, reisen die Vertreter der COGEMA (Compagnie Générale de Matières Nucléaires) in der Welt herum und holen immer neue Riesenverträge herein. Der zur Zeit letzte und fetteste kommt aus Japan, denn seit West Valley schließen mußte und die englische Anlage keine neuen Aufträge mehr annehmen kann, hat Frankreich das Monopol auf diesem mehr schlecht als recht funktionierenden Gebiet der Wiederaufarbeitung, ohne das die Atomindustrie in aller Welt ins Stocken geraten würde.

Lange Zeit ließ sich das Versagen von La Hague bemänteln. Politiker, Geschäftsleute, Landräte und von der Atomindustrie ihres Landes vorher sorgfältig ausgesuchte Journalisten wurden zu Besichtigungsreisen eingeladen. Man zeigte ihnen imposante Fabrikgebäude, die von einem mehr als hundert Meter hohen Schornstein überragt werden, führte sie aber nur durch die Hallen und Räume, wo im Augenblick gerade gearbeitet wurde. An jenen Teilen der Anlage, die wieder einmal wegen Reparaturen gesperrt werden mußten, lotste man sie schnell vorbei. Die Gäste wurden nicht nur mit schwerer normannischer Küche und reichlichen Mengen von Apfelschnaps bewirtet, sondern von Direktor Delange auch mit Sätzen wie: «Kein Protest der nicht gerade zahlreichen Bewohner des Kaps wurde je gehört» (*Frankfurter Rundschau*, 21. Juli 1977) abgespeist. Dabei hätte ihnen schon ein Blick in die Lokalzeitungen verraten können, wie unruhig die Bevölkerung geworden ist.

Bernard Laponche, Physiker, Mitarbeiter der französischen Atombehörde und führender Funktionär des vorwiegend sozialdemokratisch und christlich orientierten Gewerkschaftsbundes CFDT (Conféderation Française de Travail), dem die große Mehrheit der organisierten Arbeitnehmer von La Hague angehört, hat mehrfach – unter anderem auch schon im Februar 1977 in einem Interview mit Reinhard Spilker vom Westdeutschen Rundfunk – öffentlich erklärt: «Alle Welt behauptet, daß La Hague gut funktioniert. Das ist eine Lüge!» Aber man wollte ihn nicht hören – selbst dann noch nicht, als er Anfang Oktober 1977 in mehreren französischen Städten auf Pressekonferenzen den «Bluff von La Hague» aufgedeckt hatte. Denn wenn die Wahrheit über La Hague allgemein bekannt würde, könnten die Betreiber der Kernkraftindustrie in den verschiedenen Ländern nicht länger bei Bewilligungsverfahren behaupten, die Wiederaufarbeitung und Ablagerung ihres Atommülls stelle kein ernstliches Problem dar: sie sei zunächst einmal durch Verträge mit Frankreich gesichert.

Laponche verdanke ich es, daß ich mich nicht von den Public Relations-Leuten der COGEMA irreführen lassen mußte, sondern mit denjenigen in Verbindung treten konnte, die im «Centre La Hague», das sie das «Goul' Hague» nennen, täglich ihre Haut – und nicht nur die – zu Markte tragen. Ihnen kann nicht daran liegen, auswärtigen Besuchern ein Potemkinsches Atomdorf zu zeigen. Sie wollen, daß alle Welt erfährt, wie es dort wirklich aussieht: Schon im Sommer 1977 waren die Auffangbecken überfüllt und radioaktiv zu stark verseucht, weil die dort schon viel zu lange gelagerten und auf weitere Verarbeitung wartenden Brennstäbe schadhaft geworden waren. Denn der Produktionsprozeß stockt, und die geplante Tagesleistung von vier Tonnen ist noch nie erreicht worden. Nicht einmal die Aufarbeitung der aus französischen Reaktoren stammenden Materialien wurde bisher termingerecht erledigt. Von den aus dem Ausland angelieferten Mengen ganz zu schweigen, denn die 1976 eröffnete neue Anlage, die das zehnmal aktivere Material aus den Atombrennöfen der auswärtigen Kunden verarbeiten soll, liegt die meiste Zeit über still, weil selbst mehrjährige Erfahrung kein störungsfreies Funktionieren erreichen konnte.

Dank der kritischen Gewerkschafter von La Hague habe ich Einblick in eine Arbeitswelt bekommen, wie es sie beängstigender nie zuvor gegeben hat. Hier büßen die Menschen nicht nur ihre Gesundheit ein, sondern auch ihre Sprache und ihr Recht auf Selbstbestimmung. Von sich selbst sprechen sie – den Begriff «Kanonenfutter» auf ihre Verhältnisse übertragend – als «Strahlenfutter». Sie alle befürchten, daß sie nach einigen Arbeitsjahren einmal als «Abfall» auf der Arbeitslosenhalde enden. Oder schlimmer noch: im Krankenhaus. Auch glauben sie nicht, daß sie mit einer Entschädigung rechnen können, wenn sich Jahre nach ihrer Entlassung die Spätfolgen zu hoher Strahlenbelastung einstellen. Zumindest sprechen die bisherigen Erfahrungen nicht dafür. Ähnlich wie die Amerikaner, die nichts für die unter den Spätfolgen ihres Atomangriffs leidenden Strahlenkranken von Hiroshima und Nagasaki tun wollten, zeigen auch die Herren von La Hague bisher keine Bereitschaft, heute schon für die zu erwartenden Frühinvaliden und Krebskranken unter ihren ehemaligen Arbeitern langfristig die Verantwortung zu übernehmen. Nach zehn oder zwanzig Jahren, wenn solche Leiden dann in ein akutes Stadium treten, wird niemand mer «dafür zuständig» sein wollen.

2

Wenn Daniel Cauchon sich nach Schichtende in den Werkbus fallen läßt, der ihn über das umzäunte Gelände des «Centre» zum Parkplatz fährt, wo sein kleiner Wagen auf ihn wartet, sackt er zusammen, schläft auf der Stelle ein und wacht meist erst wieder auf, wenn der Bus schon den bewachten Eingang passiert hat. Seit Jahren schuftet er in der Abteilung «Intervention Mécanique», der die Aufgabe zufällt, überall dort einzugreifen, wo die radiologische Schutztruppe einen Defekt festgestellt hat.

Den Planern und Konstrukteuren zufolge dürfte technisches Versagen nur ausnahmsweise vorkommen. In der Alltagspraxis vergeht jedoch kaum eine Stunde, ohne daß nicht eine kleinere oder größere Reparatur notwendig wäre. 1967, als die Hauptanlage UP 2 (Usine Plutonium 2) in Betrieb genommen wurde, fielen die üblichen Kinderkrankheiten an. Kaum hatte man diese überwunden, begann schon das Greisenalter. Die Erbauer und Ausrüster der Fabrik waren bestrebt gewesen, alles möglichst schnell – zu schnell – auf die karge grüne Wiese zu stellen. Daß ein solch unfallträchtiger Betrieb mit einem Höchstmaß an Sorgfalt und Genauigkeit erstellt werden muß, haben sie dabei nicht bedacht.

«Erst einmal stimmte nichts mit nichts überein, paßte kein Stück zum anderen», erzählen die Veteranen von La Hague. «Es war zum Verzweifeln. Damals hofften wir noch, daß es einmal besser würde, doch darauf warten wir heute noch. Nur glaubt niemand mehr dran.

Noch schlimmer war es fast, als 1976 die neue Anlage für die Brennstäbe aus den Leichtwasser-Reaktoren der ‹amerikanischen Linie›, das ‹Atelier HAO› (Hautes Activités Oxydes), zu arbeiten begann. Schon nach ein paar Wochen mußte das Ding geschlossen werden, und seither läuft es nicht mehr.»

Tatsächlich, wenn in einer solchen Anlage ein Schaden auftritt, dann ist das ungleich schwerwiegender und zeitraubender zu beheben als bei bisher üblichen technischen Systemen. Denn hier hat man es ja mit hochgiftigen Strahlenquellen zu tun, die erst einmal unter unsäglich umständlichen Bedingungen zu isolieren sind. So muß nicht nur ohne Unterlaß ein Leck nach dem anderen gestopft, Verzogenes geradegebogen, Zerbrochenes ausgetauscht werden, sondern es gilt gleichzeitig, ganze Werkhallen für Stunden oder Tage abzuschirmen. Komplizierte Apparaturen sind oftmals, wenn die Arbeit umständlich ist, gar nicht an Ort und Stelle zu reparieren, sondern müssen unter größten Vorsichtsmaßregeln erst einmal entgiftet, dann Stück um Stück auseinandergenommen und wieder zusammengesetzt werden, ehe man sie erneut montieren kann. Der atomare Sysiphus hat es ungleich schwerer als sein mythischer Vorfahre. Seine Lasten sind nicht nur schwer, sie sind zudem noch giftig. Die niemals endende Anstrengung, die ihm abverlangt wird, strapaziert sowohl seine körperlichen Kräfte wie seine seelische Widerstandsfähigkeit. Die Angst vor den unsichtbaren Strahlen, die ihn treffen könnten, macht ihm ebenso zu schaffen wie die Isolation im Schutzpanzer, den er bei solchen Arbeiten tragen muß.

3

«Shaddok» nennen die Arbeiter in La Hague ihre moderne Ritterrüstung. Sie ist aus weißem Kunststoff und soll ihre Träger vor den Folgen radioaktiver Einwirkung schützen. Anfangs hatten die Franzosen diesen Modellen der nuklearen Haute Couture die Namen «Hiroshima» und «Nagasaki» gegeben, aber das erweckte wohl doch zu dunkle Erinnerungen. So mußte statt dessen eine durch Comic strips und Fernsehsendungen bekannte Phantasiefigur für den Namen herhalten. Die «Shaddoks» sind vogelähnliche, Schabernack treibende Fabelwesen, deren lange Schnäbel an die spitzen Gasfilter der zum Schutz getragenen Gesichtsmaske erinnern. Deshalb kamen diese heiteren Märchenwesen nun in der humorlosen Horrorwelt der Atomlaboratorien zu neuen Ehren.

Es dauert etwa eine halbe Stunde, bis der «Plutoniumritter» fertig angezogen ist. Sorgfältig legt er unter Aufsicht des Strahlenschützers nacheinander die weiße Unterkleidung, ein Trikot mit rotem Brustband, ein Vinylgewand, drei Paar Socken und Überschuhe, dreifache Handschuhe und das über die Nase bis zum Augenrand reichende Atemgerät an, ehe man ihm schließlich den «Shaddok» selbst überstülpt. Noch ein letztes Paar Handschuhe, der Anschluß an die Sauerstoffleitung, die er wie eine Nabelschnur hinter sich herzieht, und der Atomritter ist fertig für seinen Einsatz.

Bevor er nun durch eine Luftschleuse ins «heiße» Gebiet eindringt, wo die Inspektion oder Reparatur auszuführen ist, erhält er noch einmal genaue Instruktionen, wie lange er sich dort aufhalten darf. Je nach Intensität der Strahlung können es Stunden oder auch nur Minuten sein. Entscheidend hängt die Dauer seines Einsatzes davon ab, wie seine persönliche Strahlenbilanz im Augenblick aussieht. Hat er im Laufe der letzten Monate schon den größten Teil der zulässigen jährlichen Maximaldosis abbekommen (die übrigens laut Gesetz für Atomarbeiter zehnmal höher sein darf als für den Durchschnitt der Bevölkerung), dann wird man ihn nicht lange in der heißen Zone lassen. Gehört er gar zu den unentbehrlichen Fachleuten, setzt man ihn nur ganz kurz zur Überprüfung und Aufsicht oder bei besonders schwierigen Montagen ein, damit er über das ganze Jahr verteilt möglichst oft zur Verfügung stehen kann. Da gewisse Reparaturen sich aber nicht in ein paar Minuten erledigen lassen, sondern Stunden dauern, müssen oft drei, fünf, zehn Leute einander ablösen, um nur einen einzigen Schaden zu beheben. Jeder kann also nicht mehr als einen Bruchteil der Aufgabe erledigen. Für manche ist das nur schwer erträglich, für einige sogar unerträglich. Sie müssen sich daran gewöhnen, daß sie nie eine Arbeit zu Ende führen dürfen, sondern immer nur ein Stückchen davon erledigen. Weder den Anfang noch das Schlußresultat ihrer Anstrengungen kennen sie, jede Arbeitsbefriedigung bleibt ihnen versagt.

Als 1969 in dem französischen Kernkraftwerk Saint-Laurent-des-Eaux durch einen Bedienungsfehler ein Behälter beschädigt wurde, brauchte man vierzehn Stunden, um ihn instand zu setzen. Nicht weniger als 105 Menschen lösten sich bei dieser Arbeit ab. Und trotzdem bekam jeder von ihnen eine beträchtliche Dosis ab. In den USA, wo man in den Gründerjahren der Atomindustrie noch sehr vorsichtig mit dem «Strahlenfutter» umging, wurden bei einer Reparatur am Kraftwerk Indian Point II (das New York City versorgt und im Juli 1977 durch Blitzschlag ausfiel) einmal sogar 1800 Arbeiter eingesetzt, um eine einzige defekte Leitung an den Dampferzeugern zu ersetzen.

In La Hague hat man nun – wie auch in anderen Atombetrieben – eine höchst bedenkliche «Lösung» gefunden, um eine radioaktive Überbelastung von hochqualifiziertem (und hochversichertem) Personal zu vermeiden. In den Ortschaften rund um das «Centre» wie Jobourg und Beaumont sind zahlreiche kleine Unternehmen aus dem Boden geschossen, deren einzige Tätigkeit darin besteht, Arbeitskräfte zu beschaffen, die dann für Stunden oder Tage an «die Fabrik» vermittelt werden. Für die Strahlenbilanz dieser sogenannten *interimaires* ist nicht das Werk, sondern der private «Sklavenhändler» verantwortlich. Ob solche Zeitarbeiter vielleicht vorher schon in anderen Kernkraftwerken beschäftigt und dort Strahlen ausgesetzt waren, wird nicht gefragt. Man setzt einfach voraus, daß sie unbelastet seien. Und so gibt man ihnen meist auch gleich die «schmutzigste», das heißt gesundheitsgefährdendste Arbeit. Stets werden sie als erste in die verseuchten Zonen geschickt, um dort die notwendigen Vorarbeiten für die Fachleute zu leisten. Sie müssen zum Beispiel ein Leck abschirmen und davor Eingangsschleusen erstellen, oder sie haben die verseuchte Wäsche und die radioaktiven Abfälle in Plastiksäcken zu verstauen. Dabei soll möglichst der Atem angehalten werden, damit kein aktives Stäubchen aufgewirbelt wird.

Sie sind die Söldner, die Lumpenproletarier der Atomindustrie, denen man alles zumuten darf. Innerhalb weniger Tage bekommen sie so viel Strahlung ab wie ein regulärer Arbeitnehmer im ganzen Jahr. Nicht selten sogar noch viel mehr, denn die Gelegenheitsfirmen, die sie angeheuert haben, «vergessen» oft einfach die von den Gesundheitsbehörden vorgeschriebene Einsendung von Kontrollfilmen, an denen die jeweilige Tagesdosis abgelesen werden kann. Auf solche Weise wird die tatsächliche Strahlenbelastung vertuscht.

Nur zu oft müssen die *interimaires* schon am Nachmittag ihres ersten Arbeitstages die ärztliche Ambulanz aufsuchen, weil sie mit radioaktiver Substanz in Berührung gekommen sind oder sich verletzt haben. Denn im Gegensatz zu den Arbeitern und Angestellten des «Centre» werden diese Hilfskräfte kaum oder gar nicht für ihre Tätigkeit geschult. In den Ferien lassen sich oft Studenten anheuern, die zwar eine schnelle Auffassungsgabe haben, aber manuell ungeschickt sind; meist jedoch fängt man Arbeitslose ein, denen vorher nur gesagt wurde, daß sie gut bezahlt würden. Wie gefährlich und verantwortungsvoll aber ihre Tätigkeit in La Hague sein würde, hat man ihnen verschwiegen.

Um diese Praktiken weiß im «Centre» fast jedermann. Und doch drücken die Verantwortlichen beide Augen zu, hören weg, wenn die Gewerkschaften die Einführung eines «Strahlenpasses» und die

Gleichstellung der *interimaires* verlangen. Denn wie könnte dieser Betrieb, der seit 1967 mit jedem Jahr einen höheren Grad von Verseuchung aufweist, überhaupt noch aufrechterhalten werden, wenn es nicht Menschen gäbe, die uninformiert, unvorsichtig oder verzweifelt genug sind, unter Umgehung der Sicherheitsvorschriften, ihre Schilddrüse, ihre Lungen, ihre Keimzellen zu gefährden. Anfangs bekommen sie in der Tat kaum etwas von den Folgen ihres Leichtsinns zu spüren – die treten erfahrungsgemäß erst viel später auf. Zukunftsblind kassieren sie einen Stundenlohn, der sie Lebensjahre kosten wird.

4

Nicht nur die *interimaires*, auch die regulären Arbeiter werden, je länger sie in der Plutoniumfabrik von La Hague arbeiten, zunehmend unbekümmerter und sorgloser. Vielleicht ist das ständige Leben mit der Strahlengefahr wirklich nur so zu ertragen. Man drückt sich darum, die Schutzkleidung anzulegen, wenn «nur ein kleiner Handgriff» in einer verseuchten *cellule* zu erledigen ist. Weshalb denn immer gleich die gesamte Rüstung mit ihren vielen Einzelteilen an- und ebenso umständlich wieder ausziehen? Das ist einfach zu beschwerlich und zu zeitraubend. Die Arbeit im «Shaddok» ist ohnehin verhaßt: die Hände beginnen schon bald zu zittern, das Herz schlägt bis zum Hals, an der Haut klebt ständig Schweiß, der nicht trocknen kann, die ovale Sehscheibe des Taucherhelms beschlägt sich. Man sieht schlecht, hört nichts, kann sich mit den anderen Arbeitern nur durch Zeichen verständigen, fühlt sich isoliert. Dazu die Furcht, in dieser schwerfälligen Gewandung irgendwo anzustoßen, an irgendeiner vorstehenden Schraube hängenzubleiben und die Schutzkleidung zu zerreißen.

Und wenn dann wirklich irgend so etwas passiert, bedeutet das: überstürzter Rückzug in eine «saubere Zone», Ausziehen in panischer Hast. Und in Eile dann die unvermeidlichen falschen Handgriffe, die nun erst recht zur radioaktiven Verseuchung führen. Es folgen Stunden, Tage und Wochen voll peinlicher, umständlicher Untersuchungen in den Laboratorien der «Section Médicale». Alles wird analysiert: Blut, Speichel, Rotz, Urin. «Wieviel habe ich abbekommen? Ist das schlimm, Herr Doktor? Ich bin seither so müde. So gereizt. Meine Frau zetert, es sei mit mir nicht mehr auszuhalten. Und auch sonst klappt's plötzlich nicht so wie vorher.»

Man lernt mit der Zeit, wie man die «Strahlenschutzmänner» überlistet und raucht, wo man nicht rauchen sollte, oder ein paar Schluck aus der eingeschmuggelten Bierflasche auch dort riskiert, wo es ausdrücklich verboten ist, zu trinken oder zu essen. Und wie die Kontrollstellen zu umgehen sind, die beim Verlassen des Betriebs Stichproben machen sollen, und wie das kleine Meßgerät von der Form eines Füllfederhalters, das jeder bei sich tragen muß, manipuliert werden kann, damit niemand die «Überdosis» bemerkt, all das bekommt man bald heraus.

Solche und andere kleine, aber folgenschwere Verstöße sind nicht allein durch Gleichgültigkeit zu erklären. Sie sind ein im Endeffekt selbtmörderisches Aufmucken gegen unaufhörliche Bevormundung, ständiges Auf-der-Hut-Sein, bedrückende Abhängigkeit, die einfach unerträglich wird. Dieser ganze Zirkus – so beginnt mancher zu argwöhnen – sei vielleicht überhaupt nur Schikane, die von «denen da oben», den kalten, fernen Managern, den hochmütigen Ingenieuren und den eigensinnigen SPR-Leuten mutwillig ausgeheckt worden ist.

Dabei – so gestand mir Patrice Fleury – sind auch die Gesundheitsaufpasser längst ihrer unabdingbaren Pedanterie müde geworden. Sie sind viel zu wenige, um die Vorschriften wirklich durchsetzen zu können. Täte man das konsequent, dann käme der ganze Betrieb bald zum Stillstand. Also wird weggeschaut, wenn zum Beispiel in der Nachtschicht ein paar Leute der Abteilung «Dégainage» nicht die Reparatur der ferngesteuerten Zangen abwarten, sondern ein eigenes Greifinstrument basteln, mit dem sie im Lagerbecken nach lekken Brennstäben zu fischen beginnen. Es genügt dann schon, daß einmal eine Zangenbacke des improvisierten Geräts nicht greift: sofort rutscht der Stab ab, platscht auf die radioaktiv verseuchte Wasseroberfläche, giftige Tropfen sprühen in die Luft, und schon ist wieder einmal ein «Zwischenfall» da, der vielleicht zu tagelanger Stillegung dieses Teils der Anlagen führen wird.

«Perfekte Sicherheit, die gibt's nur auf dem Papier. Davon hört man nur auf wissenschaftlichen Konferenzen und in den Beteuerungen der Industriewerbung», resigniert Patrice Fleury. «Auf Improvisationen verzichten, hieße noch viel weniger leisten. Wenigstens können die Leute bei solchen Gelegenheiten zeigen, daß sie Ideen haben, daß sie etwas Eigenes fertigbringen und mehr sind als nur Maschinenteile aus Fleisch und Knochen. In den farbigen Broschüren der COGEMA sieht man so großartige Apparaturen, aber unser wichtigstes Hilfsmittel kriegt man dort nie zu sehen: das bescheidene Klebeband *la tarlatane*, mit dem wir alles mögliche zusammenflicken.»

Die Folgen solcher sich immer mehr häufenden Verstöße gegen den Strahlenschutz sind sogar in den frisierten offiziellen Statistiken von La Hague nicht ganz zu verschleiern. Allein in den Jahren von 1973 bis 1975 stieg die Zahl der zugegebenen *contaminations* (Verseuchungen) von 280 auf 572. Und sie hat seither noch weiter zugenommen, doch werden die Angaben, wie Mitarbeiter versichern, jetzt nicht mehr veröffentlicht.

Nur in einem Fall mußte man mit der ganzen Wahrheit heraus. Ausgerechnet während eines Besuchs von drei Kontrolleuren der Euratom kam es im «Atelier Plutonium» zu einem Entweichen starker radioaktiver Dosen. Die Meßgeräte zeigten bei diesem Zwischenfall das Dreißigfache des Höchstwertes an. Daraufhin verlangten die Gewerkschaften im Sommer 1976, das «Centre La Hague» müsse endlich gründlich gesäubert, repariert und modernisiert werden. Doch diese Forderungen stießen auf den hinhaltenden Widerstand der Verwaltung. Als zudem noch bekannt wurde, La Hague werde wie alle anderen, bisher staatlichen Betriebe der französischen Atomindustrie in die Hände der Privatwirtschaft übergehen, steigerte sich die Unruhe der Arbeiter und Angestellten noch mehr. Sie befürchteten, die auf höhere Rentabilität bedachte Privatwirtschaft könnte das Arbeitstempo erhöhen und würde, um Ausgaben zu vermeiden, die längst notwendigen Verbesserungen des Strahlenschutzes nicht durchführen. Auch rechnete man damit, daß die verhältnismäßig hohen Löhne, die die staatliche Atombehörde gezahlt hatte, nun denen der Privatindustrie angepaßt und zudem auch noch die sozialen Leistungen abgebaut werden würden. So kam es am 16. September zum Streik in La Hague.

5

«Die erste Besetzung einer Atomanlage in der Geschichte» – hieß es in den Nachrichten am Tage nach Beginn des Streiks. Die Mehrzahl der Beschäftigten hatte dem Aufruf zur Niederlegung der Arbeit Folge geleistet und sich geweigert, das Werkgelände zu verlassen. Dieses Sit-in dauerte allerdings nur vierundzwanzig Stunden. Die Werksleitung erwirkte in Cherbourg einen Gerichtsbeschluß, der die Besetzung des Geländes als «Angriff auf private Besitzrechte» verurteilte und eine sofortige Räumung verlangte. Doch der Streik ging weiter. Er zog sich fast drei Monate lang hin und verschaffte der Belegschaft die Möglichkeit, einer breiten Öffentlichkeit endlich einmal mitzuteilen, unter welch gefährlichen Bedingungen sie zu arbeiten hatte. Selbst nahe Verwandte und Nachbarn des «Strahlenfutters» erfuhren nun zum erstenmal, was eigentlich hinter den Zäunen und Mauern des geheimnisvollen «Centre» vor sich ging. Demonstrationen im «Shaddok» flimmerten wie Geisterparaden über die Fernsehschirme Frankreichs. Aber auf eine bisher ungeklärte Weise gelang es der COGEMA zu verhindern, daß diese Berichte ins Ausland drangen.

Die Streikenden organisierten Konzerte, Solidaritäts-Picknicks und einen mehrtägigen Kongreß «Les assises du nucléaire». Auf dem Titelblatt ihrer satirischen Werkzeitung *HAG' INFO* prangte im Oktober eine Karikatur Adolf Hitlers, der aus dem Jenseits verkündete: «Wenn ich noch auf dieser Welt wäre,würde ich der asozialen COGEMA angehören und wäre von ihr zum ‹Führer› gewählt worden.» Die Zeichnung ähnelte wohl nicht nur zufällig dem Fabrikdirektor.

«Dieser Streik bedeutete für uns alle aber eigentlich noch viel mehr als irgendein gewöhnlicher Arbeitskonflikt», erinnert sich Daniel Cauchon, der eine führende Rolle bei allen Aktionen spielte. «Er war ein einziges großes Fest. Wir krochen aus der Dunkelheit ans Licht. Zum erstenmal lernten wir die Kollegen kennen, merkten, daß sie nicht nur stumme Werkzeuge, sondern Kameraden und Freunde waren. Vorher im Betrieb hatten wir stets nur das Notwendigste miteinander gesprochen – da waren wir viel zu nervös, zu müde, zu stumpf oder zu angespannt. Hinzu kam noch die Konkurrenz der verschiedenen Abteilungen, die ständig gegeneinander intrigierten und sich gegenseitig das Leben schwermachten. Sogar die *cadres* (Verwaltungspersonal) haben jetzt zum Teil mit uns sympathisiert. Wir alle hatten ja doch zwei gemeinsame Ziele: ‹Schluß mit den unwürdigen Arbeitsbedingungen› und: ‹Keine Übernahme des Werks in die Privatindustrie›.»

Nach außen hin erschien diese Einmütigkeit wochenlang unerschütterlich, von innen her begann sie nach einiger Zeit zu zerbröckeln. Das Management bot jedem einzelnen Arbeiter gesondert einen neuen Vertrag an und setzte Fristen, bis wann er unterschrieben sein müsse. Rivalitäten zwischen den vier am Streik beteiligten Gewerkschaften machten sich störend bemerkbar. Als erste stieg die kommunistisch gelenkte CGT aus – mit der Begründung, sie sei zwar im Prinzip dagegen, daß La Hague der Privatindustrie vom Staat geschenkt werde, aber man könne die Rechte der Beschäftigten nur erfolgreich wahrnehmen, wenn man sich «auf den Boden der Wirklichkeit» begebe. Diese Dinge allein hätten den Arbeitskampf noch nicht wirklich torpediert, wenn nicht die Episode mit den *vidanges* (Leerungen) hinzugekommen wäre. Sie ist über den Einzelfall hinaus von grundsätzlicher Bedeutung.

Es ging dabei um folgendes: Nach mehreren Wochen Streik war das Wasser der Kühlbecken, in denen die hochaktiven Brennstäbe lagerten, so «giftig» geworden, daß eine Verseuchung der ganzen Abteilung zu befürchten war, ja daß vielleicht sogar Gase entstehen konnten, die sich dann – wie es schon einmal 1973 geschehen war – explosiv entladen würden. Um solchen *flashes* zuvorzukommen, muß im Normalbetrieb die Flüssigkeit dieser *pools* ständig erneuert werden. Das ist eine schwierige, umständliche und nicht ungefährliche Operation, besonders wenn der Innenbelag der Becken schon Risse aufweist.

Die Betriebsleitung verlangte daher nach einigen Streikwochen, die für diese Tätigkeit zuständigen Leute sollten ihren Ausstand vorübergehend beenden und die aus technischen und Sicherheitsgründen notwendigen Instandhaltungsarbeiten sofort vornehmen. Nun hatte sich aber gerade in dieser Phase die Auseinandersetzung besonders zugespitzt. Empört darüber, daß die Zentrale der COGEMA in Paris keinerlei Zugeständnisse machen wollte, waren manche Streikenden zur «Gewalt gegen Sachen» übergegangen und hatten einige Lastautos beschädigt. Ein unbegrenzter Hungerstreik, den Cauchon, der für gewaltlose Aktionen eintrat, zusammen mit einem Kollegen in der Kirche Pierre et Paul von Octeville begonnen hatte, trug weiter zur Verschärfung der Spannung bei. In dieser gespannten Situation weigerten sich die Streikenden, die verseuchten Lagerbecken zu leeren. Damit war der Konflikt auf einem gefährlichen Höhepunkt angelangt. Es stand Streikrecht gegen technischen Sachzwang.

Dieses «Nein» der Arbeiterschaft war nicht lange aufrechtzuerhalten. Die Streikleitung war machtlos, als einige der Kollegen unter Berufung auf Ausnahmegesetze zwangsverpflichtet wurden. Sie hatte sich einer von den Fachleuten als solche definierten Zwangslage zu beugen, weil sonst mit einer kaum mehr wiedergutzumachenden «Verstrahlung» von Teilen des ganzen Betriebs zu rechnen war. Erst in den bitteren Debatten, die diesem erzwungenen Einlenken folgten, gestand man sich ein, daß dieser Arbeitsausstand eigentlich von Beginn an nie ein kompletter Streik alten Stils gewesen war. Immer hatte ein Teil der Belegschaft weitergearbeitet, um die Sicherheit der Anlagen zu gewährleisten.

Und wirklich handelt es sich hier um eine neuartige soziale Situation. In einer Atomanlage kann man nicht einfach die Arbeit niederlegen wie in einem gewöhnlichen Betrieb. Denn dort sind chemische und physikalische Prozesse in Gang gesetzt worden, die nicht von einer Stunde auf die andere gestoppt werden dürfen, ohne daß großes Unheil geschieht. Werden zum Beispiel Kühlaggregate abgeschaltet oder gewisse Apparaturen nur mit verringerter Kapazität betrieben, dann können hochgiftige Elemente frei werden, die den ganzen Betrieb, möglicherweise sogar die Umgebung gefährden.

Vom Verlauf einer anderen Streikaktion in einem Kernkraftwerk bei Chinon an der Loire erzählte mir die französische Soziologin Christiane Barrier-Lynn. Einer der Betriebsräte sei damals ganz niedergeschlagen von einer Besprechung mit der Geschäftsleitung zurückgekommen und habe seinen Genossen berichtet: «Das war verdammt schwierig. Der Chef hat uns seinen ‹Xenon-Effekt› an den Kopf geworfen und erklärt, wir riskierten, die ganze Region zu vergiften, wenn wir mit der Leistung zu stark runtergehen.» Also mußte die Zentrale in Chinon trotz Streik mit nur geringfügig verminderter Leistung «weitergefahren» werden. Ein junger Genosse, der noch nicht lange dort beschäftigt war, protestierte: «Laßt doch das Ding einfach stehen. Und wenn die Gegend wirklich vergiftet werden sollte, merken die Leute endlich mal, wie sehr man uns braucht.» Er mußte von seinen ebenso besonnenen wie resignierten Kollegen beruhigt werden. Sie erklärten ihm, die einst bewährte Parole der Arbeiterschaft: «Alle Räder stehen still, wenn dein starker Arm es will», gelte in der Atomindustrie nicht mehr. Radioaktive Spaltungsprozesse stehen niemals still. Man muß sie über Jahre, Jahrzehnte, Jahrtausende hinweg überwachen.

6

Der Streik von La Hague endete im Dezember 1976 mit einem halben Erfolg. Die Privatisierung war zwar nicht aufgehalten worden, aber die Verbesserungsforderungen wurden an eine aus Vertretern des Managements und der Gewerkschaften zusammengesetzte Kommission weitergegeben, die in einem vertraulichen Bericht nicht weniger als siebenundvierzig dringende Maßnahmen zur Sicherung der Gesundheit und zur Verbesserung der Produktionsbedingungen verlangte. Der Hauptvertreter des «Service de sûreté nucléaire» bestand unter dem Eindruck dieser Enthüllungen darauf, daß die neue Anlage, die als einzige die Brennstoffe aus den ausländischen Leichtwasserreaktoren verarbeiten kann, so lange nicht in Betrieb genommen werden dürfe, wie die Sicherheit des Personals und der Umwelt nicht garantiert sei. Die alte UP2-Anlage quälte sich inzwischen immer noch weiter von Panne zu Panne. Die Fabrikleitung versuchte mit aller Gewalt, den durch mehrmonatigen Streikausfall verursachten Produktionsrückstand aufzuholen. Die Folge: noch mehr Pannen, noch mehr Zwischenfälle.

Besonders in der Zone 817, wo das wertvollste Endprodukt des chemischen Trennungsprozesses, das Plutoniumoxid, bearbeitet und gewogen wird, häuften sich Versagen und Fehlleistungen. In den vier Wochen vom 23. Januar bis zum 21. Februar 1977 gab es nur einen einzigen unfallfreien Tag. Nicht weniger als zweiundvierzigmal wurde Alarm geschlagen. In einer einzigen Woche müssen die Räume fünfmal völlig geräumt werden, weil die «Verseuchung des Fußbodens bis zu 10000 Schocks pro Sekunde» beträgt.

Es geht dort zu wie in einem schlechten Traum. Die Entgiftungsmannschaften scheuern und schrubben in Tag- und Nachtschichten und werden dennoch mit ihrer Arbeit niemals fertig. Die Zahl derer, die sich im *bâtiment médical* behandeln lassen müssen, weil sie zu hohe Dosen abbekommen haben, nimmt sprunghaft zu. Auch in der Entleerungsanlage 44 gibt es immer wieder Schwierigkeiten. Trotzdem wird eines Tages nach 17 Uhr – es ist gerade kein Mitarbeiter der Strahlungsüberwachung anwesend, der das verhindern könnte – die Anordnung gegeben weiterzuarbeiten. Plutoniumhaltiges Wasser mit hohen Konzentrationen von 0,8 bis 3,3 mg pro Liter überschwemmt bald die Kanalisation und breitet sich auf dem rauhen Betonboden aus, der besonders schwer zu entgiften ist. Jetzt wird die ganze Zone in Panik geräumt und abgeriegelt. Erst elf Tage später kann sie wieder freigegeben werden. Solche internen Vorgänge, die früher entweder nicht bekannt oder nicht beachtet wurden, steigern auch das Unbehagen der nun aufmerksam gewordenen Bevölkerung der Halbinsel.

«Sie haben uns angelogen. Immer wieder angelogen. Jetzt glauben wir ihnen gar nicht mehr.» Das ist die Meinung der Bauern und Fischer, die am Kap La Hague wohnen, wenn das Gespräch auf das «Goul' Hague» und die Werksleitung kommt. Seinerzeit, als man ihnen das Land auf dem windigen Hochplateau abschwatzte, wo jetzt die Anlagen des Wiederaufarbeitungswerks stehen, hatten sie geglaubt, das Geschäft ihres Lebens zu machen. Denn der mit spärlichem Gras bewachsene Boden ist hier nicht besonders ertragreich und blieb seit langem fast unbestellt. Es hieß, man werde nun dort eine Fabrik für Fernsehapparate bauen. Andere Aufkäufer sprachen von einem Unternehmen, das Waschmaschinen, Eisschränke, Küchenmixer und andere elektrische Haushaltsgeräte herstellen werde.

Diese Nachrichten wurden von den Einheimischen freudig begrüßt, denn Landwirtschaft und Fischerei – neben dem ertragreichen Schmuggel aus dem nahegelegenen England seit Jahrhunderten die Haupteinnahmequellen der Region – haben es schwer im Zeitalter der großen Landwirtschaftskombinate und des technisierten Massenfischfangs. Nun endlich würde es Arbeitsplätze für die Jungen geben. Wie immer warnten die Alten. Mißtrausch gegenüber allen *horsains* – wie sie jeden nennen, dessen Familie nicht seit Generationen auf der Halbinsel Cotentin lebt – erinnerten sie an die Weissagungen der Druiden, deren hohe Mahnsteine, die *menhirs*, hier und da noch in den Wiesen stehen. Die hatten in grauer Vorzeit nicht nur die erfolgreiche Invasion der Wikinger vom Meer aus richtig prophezeit, sondern auch über einen künftigen Angriff vom Land her orakelt.

Als es sich herumzusprechen begann, auf dem 220 Hektar großen Gelände solle etwas gebaut werden, das irgendwie mit «Atomen» zu tun habe, erkundigte man sich bei der Unterpräfektur. Die Auskunft war beruhigend: Gerüchte, nichts als Gerüchte! Doch dann kamen die Bautrupps und nach den Bautrupps die Installateure und nach den Installateuren die Ingenieure und die ersten Facharbeiter aus der südfranzösischen Atomzentrale Marcoule, wo die Armee schon seit langem Plutonium für Frankreichs Nuklearstreitmacht herstellt. Nun konnten die Verantwortlichen die Wahrheit zwar nicht mehr länger verdrehen oder verschweigen, aber sie konnten sie immer noch verharmlosen. Es drohe der Bevölkerung keinerlei Gefahr, hieß es. Die neue Fabrik sei ruhig und sauber. Der hohe Schornstein? Der werde niemals rauchen. Er solle nur verbrauchte Luft ablassen. Die langen Leitungen, die zum Meer hinuntergelegt wurden? In ihnen sollten nur unschädliche Abwässer fließen, die übrigens von einer an dieser Stelle der Küste besonders starken Strömung, der «Raz Blanchard» sofort auf den weiten Ozean hinausgetragen würden.

Tatsächlich hat die Bevölkerung des auf drei Seiten vom Atlantik umspülten Kaps ihren unheimlichen neuen Gast vor allem diesem maritimen Phänomen zu «verdanken», das schon oft genug Unheil angerichtet hat. Seit Jahrhunderten hat die «Raz Blanchard» Fischerboote und Schiffe in ihren Wirbel gezogen. Nun soll sie dafür sorgen, daß das Gift möglichst schnell vom französischen Ufer weggespült wird. Aber für die Standortsucher der französischen Atombehörde, die sich Ende der fünfziger Jahre für La Hague entschieden, spielten auch noch andere Faktoren eine Rolle: die besonders starke Windgeschwindigkeit, die alle radioaktiven Gase schnell verwehen würde, die Beschaffenheit des Bodens, der sich ihrer Ansicht nach zumindest für die mittelfristige Lagerung von Atommüll eignet, und die zwar offiziell nicht zugegebene, aber doch durchgesickerte Überlegung, daß eine vom Meer umspülte Halbinsel im Katastrophenfall leichter vom Rest des Festlandes abzuriegeln wäre als ein im Landesinneren gelegener Katastrophenort.

Die Leitung des «Centre» gibt zu, daß sie beträchtliche Mengen an gasförmigen und flüssigen radioaktiven Stoffen, die beim Wiederaufarbeitungsvorgang frei werden, in den Himmel bläst und ins Meer pumpt. Durch den schlanken Schornstein, der mit seinem freundlichen Ziegelmuster wie ein Modell aus dem Kinderbaukasten wirkt, werden ständig biologisch gefährliche Substanzen in die Umwelt geschleust. 1974 waren es zum Beispiel neben kleineren Mengen von Mercurium 203 und Jod 131 beträchtliche Mengen von Tritium und bedenklich große Mengen von Krypton 85. Über die Wasserleitungen gelangten allein im Jahre 1975 11000 Curies Tritium, 23000 Curies Ruthenium 106, je 1000 Curies Cäsium 134 und 137, vor allem aber substantielle Mengen von Strontium 89 und 90, das Knochenkrebs hervorruft, sowie etwas Plutonium in die Umgebung der Fabrikanlagen.

Erfahrungen, die in den USA mit einer unweit von Denver gelegenen «Plutoniumfabrik» gemacht wurden, haben gezeigt, daß solche Mengen bereits ausreichen, langfristig eine nicht unerhebliche Steigerung der Krebsrate zu bewirken. In La Hague kommt erschwerend hinzu, daß die Leitungen, in denen diese radioaktiven Abwässer zum Meer fließen, zugegebenermaßen schon über dreißigmal leck waren. Oft vergingen Tage, ehe man den Schaden bemerkte. Inzwischen war die giftige Flüssigkeit in den Boden eingedrungen und in einigen Fällen sogar bis zum Grundwasser durchgesickert. Schon heute ist das Meer in einem Umkreis von hundert Kilometern um La Hague überdurchschnittlich hoch radioaktiv verseucht. Messungen, die vom «Commissariat à l'Energie Atomique» entlang der atlantischen Küste durchgeführt wurden, haben in der Bucht von Ecalgrain, in die sich der Atomunrat von La Hague ergießt, für die Meeresfauna Werte ergeben, die um mehr als ein Fünffaches höher liegen als für das hundert Kilometer weit entfernte Kap Frehel. Sedimente, Algen, Korallen, Muscheln, Austern, Krabben, Fische sind bereits hochgradig kontaminiert. Die Fischer erzählen von warzenartigen Flecken auf der Haut von Barschen, Butten und Neunaugen. Bei anderen Arten war das Fleisch schwarz verfärbt, und es wird geflüstert, man habe in den Netzen kleine Seemonster mit mehreren Köpfen oder Schwänzen gefunden, ein unsinniges Gerücht, Folge der Geheimnistuerei der COGEMA.

All das spricht sich schnell herum und wird durch immer neue, immer abenteuerlichere Vermutungen angereichert. Die früher begehrten Krabben von La Hague will nun niemand mehr kaufen. Die bekannte «Beurre de la Hague» wurde in «Beurre du Val de Saire» umgetauft, weil sich viele Leute nicht mehr trauten, damit zu kochen. Am 2. Oktober 1968 sah sich die Fabrik sogar gezwungen, alle Milch der benachbarten Bauern aufzukaufen, weil überdurchschnittliche Mengen des für die Schilddrüse gefährlichen Jod 131 in die Atmosphäre entwichen waren.

Immer öfter werden solche kleinen und mittleren Unfälle bekannt. Da wird durch eine zufällige Stichprobe auf dem Lastauto des größten Lebensmittelhändlers von Cherbourg radioaktive Verseuchung festgestellt. Der Wagen war am Tage zuvor zum Transport von schlecht verschlossenen Behältern ausgeliehen worden, in denen sich radioaktive Strahlenquellen für Forschungszwecke befanden. Oder man findet in einer Garage des benachbarten Ortes Valognes plutoniumverseuchten Schrott. Er muß irgendwie aus dem «Centre» herausgeschmuggelt worden sein, denn er trägt das offizielle Warnsymbol: Drei violette Dreiecke auf gelbem Grund. Katzen, Vögel, Maulwürfe, die ungehindert zwischen Atomzentrum und umliegendem Gelände hin- und herwechseln, tragen Spuren von Gift weiter. Kinder pflücken Blaubeeren und werden schwer krank. Ist Radioaktivität die Ursache? Messungen zeigen, daß «irgendwie» – man weiß nicht, ob vielleicht durch unterirdische Quellen – das ganze Gelände rund um das Zentrum, alle Pilze, Moose, Gräser, Farne stark verseucht worden sind. Die Einheimischen müssen lernen, ihre normannische Naturidylle zu fürchten. In jedem Blatt, jedem Grashalm, in jedem Insekt, jedem Luftzug könnte ja Gift sein.

Allmählich beginnt sich in der politisch mehrheitlich konservativen Bevölkerung des Kaps Widerstand zu rühren. Es wird ein «Komitee gegen die Atomverschmutzung in La Hague» gegründet. Unterstützt von einer Gruppe kritischer Pariser Wissenschaftler, die Messungen in der Umgebung des «Centre» anstellen, konstatiert das Komitee, die Strahlenmenge überschreite an vielen Stellen zehn-, fünfzehn-, zwanzigfach die gesetzlich zulässige Höchstgrenze. Solche Ergebnisse werden wie üblich von Sprechern der Atombehörde zunächst einmal bestritten. Eine Wiederholung der Messungen im Beisein eines Notars bestätigt jedoch die Resultate. An Mauern und Masten taucht überall ein grellgelbes Plakat auf:

Offizielle Statistiken für drei Jahre (1972–1975)
Canton de Beaumont (in unmittelbarer Nachbarschaft der Aufarbeitungsanlage): 203 Krebstote auf je 1000 Tote
Arrondissement de Cherbourg: 185 Krebstote auf je 1000 Tote
Arrondissement de St-Lo: 163 Krebstote auf je 1000 Tote
Arrondissement de Coutances: 155 Krebstote auf je 1000 Tote
WARUM?

Auch die menschlichen Beziehungen auf der Halbinsel beginnen sich zu vergiften. Unmittelbarer Anlaß ist der neuerliche Bruch eines Versprechens: Entgegen allen Zusagen der Präfektur soll eine weitere große Atomanlage unweit von La Hague gebaut werden. Die wegen ihrer pittoresken Lage berühmte und von Malern der Region oft als Motiv gewählte Bucht von Flamanville mit ihren berühmten Klippen ist für die Errichtung eines großen Komplexes von sechs Reaktoren ausersehen.

Wiederum wurde die Bevölkerung zunächst nicht gefragt. Man hat sich in aller Heimlichkeit mit den Notabeln ins Benehmen gesetzt, den Bürgermeister und die meisten der Gemeindevertreter in vertraulichen Gesprächen auf seine Seite gezogen und eine Abstimmung im «Conseil Municipal» vorbereitet, bei der dann auch nur eine einzige Stimme gegen das Vorhaben abgegeben wird. Bei einer lokalen Volksabstimmung, die knapp vier Monate später stattfindet, stimmen aber immerhin schon 248 Wahlberechtigte gegen die geplante Zentrale. 425 sind immer noch dafür. Mit Versprechungen, man werde die durch Stillegung einer Erzmine arbeitslos Gewordenen bei Bauarbeiten und später im Werk beschäftigen, ist es gelungen, diese Mehrheit zu erreichen. Besonders aktiv hat sich der einzige Cafétier des Ortes für den Bau eingesetzt. Bei ihm, dem ortsbekannten Geizkragen, der plötzlich sehr freigebig geworden ist und Gratislagen von Bier, Apéritifs und Apfelschnaps ausgibt (wer zahlt?), treffen sich die Befürworter der Kernkraftwerke, die *pronucléaires*. Sie machen von nun an denen, die warnen und protestieren, das Leben sauer. Keine Gelegenheit lassen sie aus, um die Atomgegner ihren Haß spüren zu lassen. «Mir, meiner Frau und den Kindern rufen sie *pollués* (Verseuchte) oder *crachons* (Verdreckte) nach», berichtete mir Didier Anger, ein freundlicher, couragierter Volksschullehrer, der zum Mittelpunkt des Widerstands geworden ist. «Man spricht nicht mehr miteinander, es wird geflucht und geschlagen. Im Dunkeln überfallen junge arbeitslose Burschen – wir nennen sie die *loulous* – jene Bauern, die sich bisher geweigert haben, ihr Land als Bauplatz an die Elektrizitätsgesellschaft, die ‹Electricité de France›, zu verkaufen. Wir vermuten, daß sie dafür bezahlt werden: das Kernkraftwerk schafft Arbeit.»

Ohne gesetzlich legitimiert zu sein – denn die Zentrale ist noch nicht für «öffentlich nützlich» erklärt worden –, werden schon Maschinen auf das künftige Baugelände geschafft, um den Granitboden zu testen. Zweihundert Bauern marschieren auf, um zu protestieren.

Als die Gendarmen drei von ihnen abführen, besetzen sie das Terrain, errichten Barrikaden aus Felsblöcken und graben Straßenfallen. Fast einen Monat lang halten sie ihre «Festung». Dann fahren im Morgengrauen des 8. März 1977 Lastwagen mit nicht weniger als 250 schwerbewaffneten «Gardes Mobiles» vor und vertreiben in einer regelrechten militärischen Operation die Besetzer. Von nun an patrouillieren die Ordnungshüter Tag und Nacht auf allen Feldern und Klippen. Die Bevölkerung – sogar viele von denen, die seinerzeit für den Bau des Kernkraftwerks gestimmt haben – ist empört: «Das ist ja schlimmer als bei der Besetzung im Krieg. Die deutschen Soldaten von damals haben wir nun gegen die deutschen Schäferhunde eingetauscht. Die sind verflucht scharf, genau auf den Mann dressiert. Ihr verdammtes Gebell liegt einem immerzu in den Ohren.»

Nicht einmal mehr ihre eigenen Felder können die Einheimischen ohne Ausweis betreten. Viktor, der Ziegenhirt und Spaßmacher, will sich das nicht gefallen lassen. Er legt sich offen mit den Wächtern an. «Habt ihr überhaupt einen Befehl, der euch das gestattet?» will er wissen. Sie antworten ihm mit dem Gewehrkolben. Eigensinnig verlangt er von den Behörden amtliche Bestätigung für diese «Maßnahmen zur Aufrechterhaltung der Ordnung» und dringt mit seinem Protest schließlich bis zum stellvertretenden Präfekten in Cherbourg vor. Aber alles, was er dabei erreicht, ist, daß man ihm einen orangefarbenen Passierschein aushändigt. In der ersten Wut zerreißt er ihn, aber dann rennt er den vom Wind verwehten Fetzen nach, sammelt sie ein und klebt sie zusammen. Jetzt darf er also das «Baugelände –, das ja legal noch gar nicht als solches existiert, durchqueren. «Ich werde auswandern», kündigt er an. «Wer will denn so noch leben?»

Vorübergehend zieht sich die Polizei wieder zurück. Es bleiben die Sprengkommandos, die sechs Millionen Kubikmeter Fels in die Luft jagen und ins Meer schütten sollen, um auf diese Weise Bauterrain für die Zentrale zu gewinnen. Die Bauern haben sich zusammengeschlossen, um gegen den Ankauf ihrer Grundstücke durch die Agenten der «Electricité de France» gemeinsam Widerstand zu leisten. Denn außer den 22 Hektar, die die Gemeinde zur Verfügung stellt, müssen die Betreiber der Atomanlage noch 40 Hektar von Privatbesitzern dazuerwerben. Einige Bauern können den hohen Angeboten nicht widerstehen und verkaufen schließlich doch. Von einem hört man, er habe vor Scham geweint, als er seiner Familie von seinem «Unfall» erzählte. Es heißt, die neuen «Résistants» des «Groupement Foncier Agricole» – sie haben bald 25 Hektar unter ihren Schutz gebracht, die sie nicht hergeben wollen – sollen vom Staat enteignet werden.

Die Bauern bereiten sich auf diesen Notfall vor. Zu ihrer Unterstützung strömen immer wieder Demonstranten aus allen Regionen Frankreichs nach Flamanville. Sie veranstalten Volksfeste und Debatten. Anschließend reinigen sie die Küsten von angeschwemmtem Unrat. Aber niemals unterlassen sie es, sich stumm vor den inzwischen errichteten hohen Stacheldrahtzäunen des Baugeländes aufzustellen. Wortlos starren Hunderte von Augen die blauuniformierten Männer des Werkschutzes an, die haßerfüllt und ebenso stumm zurückstarren. Gelegentlich wird diese Spannung zu groß. Dann kommt es zu Beschimpfungen und Reibereien. Einmal, als ein Abgeordneter gesichtet wird, der sich besonders eifrig für die «Nuklearisierung» der Halbinsel Cotentin eingesetzt hat, packen ihn die «Ökologisten» und malen ihn grün an. Die Folge: verschärftes Polizeiaufgebot und ab sofort Zerstreuung aller Ansammlungen. Ein paarmal werden sogar die Hunde von der Leine gelassen. Im benachbarten Siouville – bisher ein verschlafener Familienbadeort – baut man an einem mehrstöckigen Gebäude mit achtzig Zimmern und schöner Aussicht aufs Meer. Es ist aber kein Hotel, das da entsteht, sondern eine Polizeikaserne.

8

Manchmal schreckt Madame Lemonnier mitten in der Nacht auf und lauscht. Wenn sie dann das Sirren hört, diesen leisen, schneidenden, gleichmäßigen Ton, den der Wind von der Atomfabrik nach Jobourg herüberträgt, legt sie sich beruhigt zurück. Seit dieser Ton am 27. Mai 1977 plötzlich einmal aussetzte, lebt sie in ständiger Angst um ihren Mann und seine Kollegen, die im Zentrum La Hague arbeiten. Damals mußte die ganze Belegschaft in größter Eile die Gebäude verlassen. Eine Panne hatte die Ventilation stillgelegt, und das konnte Schlimmes bedeuten: Verpestung bisher sauberer Zonen durch Versagen der Luftschleusen, Erhitzungsprozesse in den hochaktiven Mischkesseln durch Ausfallen der Kühlanlagen, vielleicht sogar Explosion im nuklearen Material. Als Folge: viele Verseuchte und sofortige Evakuierung der ganzen Nachbarschaft. Damals im Mai konnte die Stromunterbrechung schon nach sechs Minuten behoben werden. Aber seither leben in und um La Hague viele in der Angst, beim nächstenmal würde das nicht so harmlos abgehen.

Ihre größte Sorge gilt dem «Fossé Nord Ouest», dem Gelände, auf dem etwa sechshundert Meter abseits von allen übrigen Anlagen die gefährlichsten und langlebigsten Spaltstoffe abgelagert werden. Hinter den hohen, mehrfach gesicherten Zäunen erblickt man aus einiger Entfernung einen massigen, viereckigen Bau mit riesigen Toren, die breit genug sind, um Transportlaster mit ihrer gefährlichen Ladung passieren zu lassen.

Wie in ein normannisches «Plumpsklo» fallen die hochaktiven Ausscheidungen des Werks bis in eine Tiefe von über hundert Metern. Dort sollen sie in Behältern aus Inoxstahl auf lange Zeit gelagert bleiben. Das weit hörbare Surren und Brummen der Klimaanlagen verrät, daß ständige Kühlung und Durchmischung notwendig sind, um einer zu starken Erhitzung der «heißen Stoffe», deren Temperatur auf 700 bis 800 Grad Celsius ansteigen kann, entgegenzuwirken. Denn nur so ist zu verhindern, daß die Spaltmaterialien irgendwann einmal ihre stählernen Kerker zerschmelzen, frei werden und sich eine Großkatastrophe anbahnt – vergleichbar jenem bis heute noch nicht voll geklärten Unglück im Südural, das sich 1957 vermutlich in einem radioaktiven Mülldepot der Roten Armee ereignete. Damals wurde nach den Schätzungen des sowjetischen Wissenschaftlers Z. Medwedew ein Gebiet von Hunderten von Quadratkilometern schwer kontaminiert. Lev Tumerman, der 1972 nach Israel ausgewanderte ehemalige Leiter des Laboratoriums für Biophysik am Moskauer molekularbiologischen Institut besuchte in offizieller Mission diese zwischen den Tscheljabinsk und Swerdlowsk gelegene Region. Er sah dort verlassene Dörfer und zerstörte Siedlungen, von den Behörden niedergewalzt, um die Bewohner an der Rückkehr in ihre Heimat zu hindern. Wälder, Wiesen, Seen wurden damals mit langlebigen Nukleiden wie Cäsium 137 und Strontium 90 so stark und nachhaltig vergiftet, daß die Quarantäne über das ganze Gebiet vermutlich für Generationen aufrechterhalten werden muß.

«Selbstverständlich» wurde die Weltöffentlichkeit über diese Ereignisse im unklaren gelassen. Nicht einmal die Nuklearexperten im eigenen Land wissen bis heute offiziell darüber Bescheid. Oder sie tun zumindest so. Zum Beispiel antwortete mir Professor Emiljanow, den ich um Details bat: «Ich wohne doch im selben Haus mit Petrosjant (Chef des sowjetischen Atomministeriums), und der hat mir *nie* etwas davon erzählt.» Weshalb sollte er auch? Emiljanow müßte ja viel genauer informiert sein als sein Nachbar: er war nämlich zur Zeit des Unglücks Chef jener Behörde, der man später sträfliche Nachlässigkeit bei der Sicherung der «durchgegangenen» Wiederaufarbeitungsanlage vorwarf.

Bei diesem Anlaß wurde deutlich, wie hervorragend ein totalitärer Staat für einen von Protesten und Warnungen ungestörten Betrieb einer Kernkraftindustrie geeignet ist. Denn die Informationszensur um das Tscheljabinsk-Unglück war fast total. Doch in einem Punkt versagte sie. In wissenschaftlichen Fachzeitschriften erschienen nämlich in den Jahren nach 1958 zahlreiche Arbeiten zum Thema der radioaktiven Verseuchung von Pflanzen, Tieren, Boden und Atmosphäre. Sie ließen präzise Rückschlüsse auf die Region zu, in der es zu diesen ungewöhnlich starken Kontaminationsphänomenen kam. So gibt es für diese Katastrophe wenigstens einen indirekten Nachweis.

9

Als ich das Kap La Hague besuchte, waren gerade Agenturberichte über Medwedews zweiten ausführlichen Aufsatz in der englischen Zeitschrift *New Scientist* durch Radio, Fernsehen und Zeitungen bekanntgeworden. Natürlich fragte sich jeder in der Region: «Kann so etwas auch bei uns geschehen? Wäre es möglich, daß dann die ganze Halbinsel geräumt werden müßte? Daß sie sich in einen riesigen Atomfriedhof verwandeln würde?»

Und einmal mehr wunderten sich die Bewohner von Beaumont, Beauborg, Auderville, weshalb man wohl auf den Dächern ihrer Mairie kürzlich Alarmsirenen installiert hatte? Und was sie eigentlich tun sollten, wenn die einmal losheulen würden? Einmal mehr verlangten sie, man möge sie doch endlich über den Evakuierungsplan «Orsec Rad» informieren, der von den Behörden für den Fall einer Atomkatastrophe erstellt worden ist, vor der Bevölkerung aber geheimgehalten wird. Die Antwort war – wie stets – Schweigen.

An einem jener nebelverhangenen Tage, die so typisch sind für diesen Teil der Normandie, bin ich ganz nahe bis an die «Atom-Friedhöfe» herangekommen, in denen die meisten strahlungsaktiven Müllreste begraben liegen. Auf einer Geländewunde von gelber, lehmiger Erde, die da im Grün der Wiesen und Hecken schwelt, lagern zu rechteckigen Riesenhügeln aufgeschichtet Hunderte und aber Hunderte grauer Betonfässer. Sie sind nur durch einen leicht übersteigbaren Drahtzaun geschützt. Kleine, schlanke, an Metallstäben befestigte Dosimeter, die die ausströmende Radioaktivität messen sollen, sind das einzige äußere Anzeichen dafür, daß es sich hier um besondere Stoffe handelt. Tief im Boden versenkt, tiefer noch als die keltischen Nekropolen, die man ausgraben wollte und nun nie mehr ausgraben kann, weil sie zu stark verseucht sind, ruhen unterirdische Tanks, in denen Millionen Liter radioaktiver Flüssigkeit gelagert wurden. Diese Behälter können nur eine beschränkte Zeit der Korrosion standhalten. Sie müssen ständig kontrolliert und in regelmäßigen Zeitabständen geleert werden. Eine außerordentlich schwierige, umständliche, kostspielige und gefährliche Operation. Aber sie ist notwendig, weil sonst eine Vergiftung des Grundwassers droht.

Professor Emiljanow, der in diesem Punkt gesprächiger war als bei der Frage nach der verheimlichten Katastrophe im Südural, gab mir gegenüber zu, daß auch seine Landsleute noch nicht wüßten, wie das Problem des Atommülls zu lösen sei. Als Beleg führte er an: Sowjetische Geologen glaubten im Ural kürzlich ein reiches neues Uranlager gefunden zu haben. Bei den Grabungen kam jedoch nicht das erwartete kostbare Erz zum Vorschein, sondern nur ganz gewöhnliches Gestein. Und das, obwohl die Geigerzähler auch weiterhin eindeutig eine starke Radioaktivität anzeigten. Später stellte sich dann freilich heraus, daß sich in etwa vierzig Kilometer Entfernung eine geheime atomare Mülldeponie befand, die undicht geworden war. So weit hatte das Gift bereits durch die unterirdischen Kanäle der Natur weiterwandern können.

Es gibt neuere Verfahren, flüssige radioaktive Abfallstoffe in Glas einzuschmelzen. Auch in La Hague soll eine solche Verglasungsfabrik gebaut werden. Aber wie lange diese Glasblöcke den immer noch lebendigen radioaktiven Elementen Widerstand zu leisten vermögen, ob sie schon nach zehn, nach fünfzig, nach hundert oder erst nach Tausenden von Jahren brüchig werden, das ist von niemandem mit Sicherheit vorauszusagen. Ebensowenig wie die geologische Bewegung in den Erdschichten, in die man diese Giftdepots versenken will.

«Man hat uns versprochen, daß die vergrabenen oder in Stahlsärgen gelagerten Abfälle nur vorübergehend hierbleiben und bestimmt wieder abgeholt werden sollen. Doch daran kann ich nicht recht glauben. Es wäre viel zu gefährlich, viel zu schwierig. Vorläufig zahlen ja die Ausländer, die ihre *merde* an uns losgeworden sind, noch ganz schöne Lagermieten. Ob sie das aber jahrzehntelang oder gar jahrhundertelang tun werden? Oder gar das ganze Zeug wieder zu sich zurückschaffen? Das sehe ich alles noch nicht vor mir», sagte der junge Ingenieur, der mich auf Schleichwegen zu den Atomfriedhöfen von La Hague führte.

Er sah die Entwicklung ganz anders, und er trug seine Vision längst nicht so glatt vor, wie ich sie hier wiedergeben werde, sondern zögernd, sich oft selbst unterbrechend, leise, ganz unpathetisch. Er hängt an diesem Stück Erde. Er ist dort aufgewachsen und arbeitet im verhaßten «Goul' Hague» nur deshalb weiter, weil es eben doch ein Stück Heimat bleibt.

«Aber wie lange werden hier noch Menschen leben können?» fragte er. «Die neue HAO-Anlage, die 1976 nur ein paar Wochen lang lief, soll, wenn sie endlich einmal funktioniert, allein schon 800 Tonnen Brennstoff pro Jahr verarbeiten. 1980 kommt dann die MAO-Anlage (Moyenne Activité Oxyde) dazu, 1983 soll die UP 3 A zu laufen anfangen, 1987 die UP 3 B. Das heißt, wir müssen um 1990 herum vielleicht schon 3000 Tonnen verarbeiten. Und dann sollen ja etwa 1995 auch schon die Anlagen für die Abfälle aus den ‹Schnellen Brütern› fertig werden. All das Zeug ist viel, viel giftiger als das, was wir bisher in der UP 2 behandelt haben, denn das stammt noch aus unsern Gas-Graphitreaktoren. Stellen Sie sich einmal vor, wie viele *fuites* (Ausweichen von Radioaktivität) all das mit sich bringen muß? Und wie viel wir dann erst in die Umwelt hineinblasen und in den armen Ärmelkanal schütten? Ziemlich bald sollen ja auch die sechs Öfen bei Flamanville brodeln. Und ein bißchen weiter südlich will Pechiney-Kuhlmann eine Uran-Anreicherungsanlage hinstellen, damit dann alles, der ganze verdammte Brennkreislauf, schön dicht beieinander liegt. Da ist es doch gar nicht zu vermeiden, daß wir bald der giftigste Fleck auf Gottes Erde sein werden. Wenn wir's nicht sogar schon heute sind! Bald hängt unser Himmel voller Drähte. Haben Sie die Pläne für die Hochspannungsleitungen von Flamanville nach Cherbourg und Paris gesehen? Zwei, drei Linien nebeneinander. Metallpylonen von über 40 Meter Höhe. Riesige Schneisen durch die Landschaft. Für uns ist all der Strom gar nicht nötig. Der fließt nach Paris. Die brauchen eben viel Saft in der ‹Ville Lumiere›.»

«Ich kenne das Problem von innen her und glaube nicht, daß die Werkstoffprobleme der Kernenergie-Industrie jemals befriedigend gelöst werden können – unvermeidlich, daß eine Anlage nach der anderen so defekt wird, daß man sie schließen und einmauern muß: strahlende Denkmäler unserer fortschrittlichen Epoche. Es muß nicht einmal eine Explosionskatastrophe kommen – diese Region wird auch so allmählich zur Atomwüste. So verseucht, daß man in ein paar Jahrzehnten die ganze Halbinsel hermetisch abriegeln und als verloren abschreiben muß.»

«Dann werden die letzten Menschen das Kap Goul' Hague verlassen. Wie ein Pestherd wird es noch weiter Jahrzehnte und Jahrhunderte bewacht werden müssen. Von Menschen, die nicht mehr begreifen können, weshalb wir das zuließen. Von Menschen, die uns hassen werden.»

Zweites Kapitel

Die Spieler

1

Dachten die Menschen früherer Zeiten an gefahr- und todbringende Ereignisse, dann waren es Kriege, Seuchen, Hungersnöte und die von Zeit zu Zeit in Aufruhr geratende Natur. Zu diesen vier Reitern der Apokalypse hat sich inzwischen ein fünfter hinzugesellt: die industrielle Katastrophe. Sie kann heute Ausmaße annehmen, die den Folgen von Erdbeben und Pest nicht nachstehen, ja diese in einer Hinsicht sogar übertreffen.

Alle aus der Geschichte bekannten großen Unglücke, die man früher als «höhere Gewalt» anzusehen pflegte, waren nach einer gewissen Zeit vergessen. Die geschlagenen Wunden heilten im Verlauf der Jahre. Das trifft nun für die Gewalttaten des Menschen nicht mehr zu. Denn Pannen und Unfälle in einer chemischen Fabrik, in einem biologischen Laboratorium oder in einem Atomkraftwerk richten unter Umständen mehr als nur augenblicklichen Schaden an. Ihre Folgen haben möglicherweise noch spätere Generationen zu erleiden. Solche Katastrophen zerstören nicht nur die Gegenwart, sondern auch die Zukunft. Deshalb reichen auch die Ängste und Befürchtungen, die derartige von Menschen verursachte Desaster auslösen, so viel tiefer, als man gedacht hatte.

Dieses Phänomen begegnete mir das erste Mal im Jahre 1967 bei einem Besuch in Hiroshima. «Hibakushas» – so nennt man jene Menschen, welche die erste massive Freisetzung lebenzerstörender Strahlung beim amerikanischen Atombombenabwurf überlebt haben – erklärten mir, daß sie im Grunde weniger um ihr eigenes, so schwer geschädigtes Leben trauerten, als um das Leben, das nach ihnen kommen würde und dann vielleicht immer noch vom Unheil «jenes Tages» belastet sein könnte. An nichts trugen sie so schwer, wie an der düsteren Zukunft ihrer Ur- und Ururenkel.

Seit damals bin ich überzeugt, daß die Beeinträchtigung der Hoffnung auf die Existenz der Nachkommen und die damit verbundene Schuld eine ernsthafte seelische Belastung, ja eine tiefgreifende Veränderung des Lebensgefühls darstellen, die erst durch die Dimension der Atomspaltung in die Welt kam. Viele Jahre fand ich niemanden, der diese Auffassung teilte, bis ich 1965 in Paris den an der Yale University arbeitenden amerikanischen Psychiater Robert Jay Lifton kennenlernte. Er war etwas später als ich in Hiroshima gewesen, hatte dort mit den gleichen Menschen Freundschaft geschlossen und mit fünfundsiebzig Überlebenden der Atomkatastrophe tiefenpsychologische Interviews geführt. Sie ergaben, daß diese Menschen nicht nur physisch, sondern auch psychisch tief verletzt worden waren. Die Bombe hatte ihren Glauben an die Unsterblichkeit, nämlich die Erwartung, in ihren Nachfahren weiterzuleben, zutiefst erschüttert.

Abermals mußte fast ein Jahrzehnt vergehen, ehe ich endlich auf eine wissenschaftliche Untersuchung stieß, die sich mit den Auswirkungen der zivilen Kernenergie auf die Psyche beschäftigte. Der Autor Philip D. Phaner – gleichfalls ein Amerikaner – hatte seine Arbeit ‹*A Psychological Perspective of the Nuclear Energy Controversy*› im Rahmen eines gemeinsames Projekts der Internationalen Atombehörde (Wien) und des Internationalen Instituts für angewandte Systemforschung (Laxenburg bei Wien) verfaßt. Die Ergebnisse dieser Untersuchung stehen im krassen Gegensatz zu der von den Befürwortern der Kernenergie propagierten Ansicht, daß die Ängste der Bevölkerung vor der Kernenergie sachlich nicht ernsthaft zu begründen seien. In Fortführung der Gedanken Liftons (dessen Buch über die «Hibakushas» von Hiroshima inzwischen als klassisches Werk der Psychohistorie gilt) erklärt Pahner: «Ich versuche hier deutlich zu machen, daß Atomkraftwerke als eine unmittelbare und symbolische Todesdrohung in einem Ausmaß und einer Art empfunden werden, wie wir sie bisher weder kennen noch uns vorzustellen vermögen. Das unterwirft die Vorstellungen, die ein Individuum von seinem Leben, dem Sinn seiner Existenz und seiner Zukunft hat, einer erheblichen Belastung. Durch die Auswirkung eines solchen seelischen Stresses könnten sowohl die kreativen Kräfte des einzelnen wie der Gesellschaft insgesamt untergraben werden.»

2

Diesen Mann wollte ich unbedingt persönlich kennenlernen, um Genaueres über seine Erfahrungen zu hören. Aber er hatte seinen Posten in Wien plötzlich verlassen. Niemand konnte mir sagen, wo er sich aufhielt. Einer seiner Mitarbeiter, Dr. H. J. Otway, mit dem er gemeinsam eine Arbeit auf dem Gebiet der Risikoforschung veröffentlicht hatte, verriet mir, nicht einmal seine engsten Freunde wüßten, was aus Pahner geworden sei. Man habe zwar die Adresse seiner Mutter in Kalifornien, aber die könne oder wolle keine Auskunft über den Aufenthalt ihres Sohnes geben. Ein anderer Mitarbeiter des Verschollenen gab eine plausible Erklärung: «Alles, was Philip in seiner Untersuchung nachweist, paßte so ganz und gar nicht in das Konzept derjenigen, die ihm diese Studie in Auftrag gegeben hatten. Sie waren wohl davon ausgegangen, er würde die seelischen Belastungen der Bürger als unerheblich oder unbegründet, als die alte abergläubische Furcht vor allem technischen Fortschritt abtun. Pahners Arbeit mahnte aber zu Nachdenken und Zweifel. Sie zeigte, daß man die Einführung der Kernkraft nicht einfach mit der Einführung der Eisenbahn vergleichen kann, daß hier tiefere und berechtigtere Widerstände beachtet werden müssen. Gegen alle Gewohnheit wurde sein Vertrag nicht erneuert. Das hat er sich sehr zu Herzen genommen. Besonders verstörte ihn, daß seine begründete Auffassung allem Anschein nach nur deshalb nicht toleriert wurde, weil sie kritisch war.»*

Pahners Erkenntnisse müssen vor allem von Professor Dr. Wolf Häfele (IIASA, Laxenburg) als lästige Einwände gegen die von ihm propagierte, überwiegend nukleare Energiezukunft empfunden worden sein. Sowohl in Fachkreisen wie auch in einer zunehmend skeptischer werdenden Öffentlichkeit ist Häfele, der zunächst zwölf Jahre am Kernforschungszentrum Karlsruhe tätig war, als unermüdlicher «Trommler» für die Einführung des interessantesten, aber auch gefährlichsten Reaktortyps, des «Schnellen Brüters», bekannt geworden. Dabei hat er sich einige böse Fehlprognosen geleistet. So vertrat er 1969 vor den zögernden deutschen Bundesbehörden die Auffassung, der von ihm mit Nachdruck geförderte SNR 300-«Brüter» bei Kalkar könne schon sehr bald in Betrieb genommen werden – was aber in Wirklichkeit kaum vor 1983 der Fall sein kann.

Als es Anfang der sechziger Jahre galt, die staatlichen Stellen für die Finanzierung des Vorhabens zu gewinnen, schätzte Häfele die Kosten auf «nur» 165 Millionen Mark. Am Ende des gleichen Jahrzehnts setzte er sie bereits auf 500 Millionen an. Sie werden inzwischen nochmals auf das Vier- bis Sechsfache geschätzt, nämlich auf mindestens zwei bis drei Milliarden Mark. Diese eklatanten Fehlberechnungen veranlaßten einen der führenden deutschen Wissenschaftsberichterstatter, K. Rudzinski, in der *Frankfurter Allgemeinen Zeitung* das Verhalten der Promotoren des Natriumbrüters als «Vabanquespiel» anzuprangern.

* Ich habe Philip Pahner nach Abfassung meines Manuskripts aufspüren können. Er arbeitet heute in einer Klinik für seelisch geschädigte Kinder an der Universität von Kalifornien in Los Angeles.

Dieses vernichtende Urteil hat Häfele, obwohl er gerade als Prognostiker so offensichtlich versagt hatte, aber nicht daran gehindert, in Laxenburg (wo man davon wenig wußte oder es ignorierte) kühne und immer kühnere Zukunftsvisionen zu entwickeln. Der schwäbische Pfarrersohn und bevorzugte Jünger seines Lehrers, C. F. von Weizsäcker, ist erwähnenswert, weil er den neuen Typ der unbekümmerten, aber einflußreichen Anreger und Befürworter technischer Großobjekte besonders deutlich verkörpert. Das sind nicht mehr die geduldigen, bescheidenen, verantwortungsvollen Forscher von einst, denen die Naturwissenschaften ihre Geltung verdanken, sondern Unternehmer und Manager in Sachen Wissenschaft, die es verstehen, den Staat und die Wirtschaft für ihre abenteuerlichen Vorhaben einzufangen. Daher wohl auch ihre Affinität zu «dynamischen Führungskräften» in Staat und Wirtschaft, denen sie im gemeinsamen Machtstreben verbunden sind und deren forsches, autoritäres Auftreten sie nachahmen.

Wenn Häfele spricht und seine «globalen Strategien» entwickelt, dann haben seine Mitarbeiter mit erkennbaren Zeichen der Begeisterung zuzuhören. Widerrede wird nicht geduldet – ob der Chef nun propagiert, man solle «Schnelle Brüter» am Rande österreichischer Alpengletscher bauen, oder ob er seine Träume von einem zentral geführten Weltstaat vorträgt, in dem »eine neue Technologie und eine neue soziale Struktur eine Symbiose eingehen».

3

In dieser glorreichen Zukunft, die dann ihren Energieüberfluß nicht mehr nur in Kilo- oder Megawatt, sondern in Gigawatt und Terawatt messen kann, fällt dem gefährlichsten aller Reaktortypen, dem «Schnellen Brüter» – gefährlich vor allem, weil er Plutonium in Massen herstellt und die Gefahr eines explosiven «Durchgehens» groß ist – eine zentrale Rolle zu. Wie kein anderer europäischer Atomphysiker hat Häfele daran gearbeitet, den Alptraum jener «Plutoniumwelt» vorzubereiten, angesichts deren Perspektiven selbst eingeschworene Anhänger der Kernenergie, wie den Engländer Sir Brian Flowers und Edward Teller, den «Vater der Wasserstoffbombe», Zweifel befallen. Dem Fanatismus, der Energie, den Beziehungen und nicht zuletzt der Fähigkeit dieses Mannes, andere zu begeistern, ist es gelungen, zusammen mit den Franzosen, Italienern, Holländern und Belgiern die kontinentaleuropäische Entscheidung für die riskanteste aller Reaktortypen durchzusetzen.

Häfeles Lieblingsvergleich zwischen den Kernkraftkonstrukteuren und den Erbauern der großen Kathedralen, seine tönende Überzeugung, daß sich in dieser riskanten Großtechnik das Genie unserer Zeit offenbare, das hat – wie einer, der diese Tiraden mehr als einmal anhören mußte, mir anvertraute – «unsere Wissenschaftler regelrecht besoffen gemacht. Wenn heute ein neuer Führer Karriere machen wollte, müßte er wohl so ähnlich sprechen: Technischer Fortschritt plus mythischem Sendungsbewußtsein.» Und Häfele weiß auch um sein Charisma. Von einer Rede zur 800-Jahrfeier des Klosters Loccum zurückgekehrt, bei der ihm die Spitzen des protestantischen Klerus zugehört hatten, brüstete er sich: «Die haben vor Begeisterung auf dem Bauch gelegen!»

Zwar kann auch Häfele nicht leugnen, daß die Brütertechnologie, ihre technische Unausgereiftheit und ihre möglichen gesellschaftlichen Folgen selbst bei denen Bedenken ausgelöst haben, die prinzipiell für die Kernkraftentwicklung eintreten, aber solchen Zauderern gegenüber vertritt er markig die Ansicht, man müsse nun einmal gefährlich leben. Mit dieser und ähnlichen Sentenzen verteidigt er zum Beispiel den bedenklichen Verzicht auf die bisher übliche Methode, eine neue technische Anlage vor ihrer Inbetriebnahme erst einmal im Probelauf auf ihre Zuverlässigkeit zu prüfen. Technische Großsysteme – wie zum Beispiel «Schnelle Brüter» – könnten nun einmal nicht als Ganzes experimentell erprobt werden, belehrt er Laien. Nur ihre Einzelteile vermöge man zu testen.

Mit diesem Abgehen von einer ungeschriebenen Grundregel technischer Innovation steht Häfele leider nicht allein da. Bisher war es die Regel, daß keine Apparatur eine Entwicklungsabteilung verlassen durfte, die nicht sorgsam von der Außenwelt abgeschirmt zuvor in ihrer Gesamtheit auf mögliches Versagen geprüft worden war. Heute aber riskiert man es, neue Reaktoren mitten in besiedelten Gebieten in Betrieb zu nehmen, ohne das unvorhersehbare Zusammenwirken tausender Bestandteile in einem solchen komplexen Großsystem erprobt zu haben. Die bewohnte Umwelt ist somit zum Experimentierfeld der bisher gefährlichsten Technologie geworden.

Als Ersatz für reale Probeläufe ganzer Reaktorsysteme verwendet man Computer-Simulationen. In den eingespeicherten Programmen werden dabei die einzelnen Teile der Kernanlage durch mathematische Symbole dargestellt, deren Zusammenspiel von angenommenen Unfällen behindert wird. Auf diese Weise hofft man, genauere Vorstellungen vom möglichen Verlauf tatsächlicher Störfälle zu erhalten. Der an der Universität von Kalifornien in Berkeley lehrende Mathematiker Keith Miller, der bei derartigen Tests der Atombehörde mitwirkte, hat sich allerdings auf Grund seiner Erfahrungen äußerst skeptisch über die Zuverlässigkeit dieser Methode geäußert. Am 12. Mai 1976 erklärte er in einem Interview mit der Rundfunkanstalt CBS, die von der «Nuclear Regulatory Commission» verwendeten Computer-Programme «entsprächen der Komplexheit der Probleme in keiner Weise». Ihre Ergebnisse seien «ungefähr so zuverlässig wie die Wettervorhersagen für morgen. Ich aber würde auf Grund einer Wetterprognose für den nächsten Tag kein Leben riskieren wollen», fügte er hinzu.*

Wolf Häfele jedoch läßt sich durch derartige Bedenken nicht anfechten. Er ist bereit, solche Wagnisse als «eine Art von notwendigen Kosten» in Kauf zu nehmen. Gewiß, es bleibe stets ein «Restrisiko», aber das sei gerechtfertigt durch den «ungewöhnlich hohen Nutzen», den die Kernenergie mit sich bringe, verkündete er.

Diese ungeheuerliche Risikophilosophie trägt Häfele jedoch sehr selbstsicher vor. Er brachte es sogar fertig, daß die Herren des Weltkirchenrats, die der Kernkraftentwicklung und insbesondere dem «Schnellen Brüter» ansonsten skeptisch gegenüberstehen, sein keckes Bekenntnis zum Hasardieren mit dem Leben und der Gesundheit der anderen in ihren Diskussionsband ‹*Facing up to Nuclear Power*› (Die Atomkraft meistern) aufnahmen. Dort verkündet Häfele, wir müßten uns klar darüber sein, daß die Menschheit eine Stufe der Zivilisation erreicht habe, in der sie ihre zukunftsgerichteten Entscheidungen weitgehend nur auf Hypothesen gründen könne, die zwar einen hohen Grad von Wahrscheinlichkeit besäßen, aber nicht im vorhinein schlüssig zu beweisen seien. Er betont wiederholt und mit allem Nachdruck, daß der Nuklearindustrie bei diesem Schritt ins Unbekannte eine Pionierrolle zufalle.

4

Das Aufstellen und Ausspinnen von Vermutungen, die zunächst bloß schwach abgestützt sind und dann nachträglich erst experimentell bestätigt werden, ist durchaus typisch für die moderne Forschung. Auch ist nicht zu bestreiten, daß diese «heuristische Methode» oft fündig wurde: ihr sind zahlreiche Erkenntnisse und Erfindungen der

* 1979 mußte die NRC fünf Kernkraftwerke schließen lassen, weil es sich herausstellte, daß die Computer-Simulationen künftiger Belastungen fehlerhaft waren.

Moderne zu verdanken. Nur ging es dabei noch nie um so riskante und folgenreiche Unternehmungen wie die Kernenergie. Aber die Erfolge der letzten Jahrzehnte, die ihnen häufig durch derartige, kecke Vorausgriffe zufielen, haben das Selbstvertrauen mancher Forscher und Techniker so übersteigert, daß sie Kühnheit nun oft mit Tollkühnheit verwechseln und bereit sind, Risiken einzugehen, die katastrophale Folgen haben könnten.

Dieser verwegene spekulative Forschungsstil ist in den Rüstungslaboratorien des Zweiten Weltkriegs geboren und erstmals an militärischen Großobjekten erprobt worden. Die *think factories* (Denkfabriken) der amerikanischen Streitkräfte machten während des Kalten Krieges das «Denken des Undenkbaren» (so hat Herman Kahn es formuliert) zuerst alltäglich und dann sogar «annehmbar», selbst wenn es dabei um moralisch und ethisch so Undenkbares ging wie einen Atomkrieg mit Hunderten von Millionen Opfern.

Forscher und Fachleute, die solche Computerspiele veranstalteten, erprobten Strategien, die die Auslöschung ganzer Völker und Verwüstung ganzer Erdteile «in Rechnung stellten». Sie haben das Aufkommen einer neuen Generation wissenschaftlich ausgebildeter Hasardeure vorbereitet, die oft selber kaum mehr merken, wie unmenschlich ihre Zukunftssimulationen sind. Diese Männer, die mit der Existenz zahlloser Menschen spielen, sehen sich gern als «nüchterne Rechner», die das alles nur tun, um das Schlimmste zu verhindern. Sie sitzen aber nicht mehr nur in den Generalstäben des Militärs, sondern sind längst schon in die zivilen Planungsabteilungen des Staates wie der Industrie als «Entscheidungsvorbereiter» eingedrungen.

Ihre Studien, Entwürfe und Empfehlungen kommen auch im zivilen Bereich ohne die Mitwirkung der davon meist Betroffenen zustande – denn die werden zunächst einmal genausowenig gefragt wie Soldaten im Krieg. Wagen sie – meist viel zu spät –, den Visionen und den Projekten der Planer-Elite zu widersprechen, so werden sie als «unaufgeklärt», als «Spielverderber», wenn nicht sogar als eine Art von Fahnenflüchtigen hingestellt, deren Mangel an Mut und Bürgersinn die so schön geplante Zukunft auf keinen Fall «gefährden» dürfe.

Und die politischen Vertreter der Verplanten? Wenn die Parlamentarier sich nicht von Anfang an dem «höheren Sachverstand» der zivilen Strategen beugen, werden sie durch Gutachten regierungs- und industrietreuer Sachverständiger als Ignoranten hingestellt. Auf diesem Umweg ist es dann den «Machern» an der Macht erlaubt, über die Einwände kritischer Parlamentarier als «völlig ungerechtfertigt» hinwegzugehen und höchstens kleine Verbesserungen an der «großen Vision» anzubringen.

Wolf Häfele hat sich ausdrücklich zur zivilen Anwendung der Methoden des *war gaming* und der daraus entstandenen Techniken für weitgreifende Planung bekannt. Hier mag der Einfluß seines Lehrers Carl Friedrich von Weizsäcker eine Rolle gespielt haben. Ich erinnere mich noch gut, daß Weizsäcker, als ich ihn Mitte der fünfziger Jahre in Göttingen kennenlernte, mir sofort von seiner Freizeitbeschäftigung, von seinen «Kriegsspielen», erzählte. In seinem Wohnzimmer breitete er damals die großen, mit roten, blauen, grünen Symbolen versehenen Generalstabskarten vor mir aus, auf denen er Phantasieschlachten schlug und Phantasiesiege feierte.

Sogar ein eigenes Wortungetüm hat Häfele erfunden und in Umlauf gebracht, um diesem Stil des Vorgehens auf schwankendem Boden einen Anschein von Wissenschaftlichkeit zu verleihen. Dieses Wort heißt *hypothecality* (Hypothizität). Es soll wohl das Spiel mit riskanten Vermutungen gegenüber Zweifeln absichern und als vernünftiges Kalkül erscheinen lassen.

In einem Vortrag, den er im März 1976 vor Vertretern der japanischen Atomindustrie hielt, fragte Häfele: «Wie soll man mit dem Unbekannten umgehen?» Seine Antwort: Restrisiken müßten eingebettet werden in einen Zusammenhang mit anderen, bereits bekannten, natürlichen oder vom Menschen verursachen Risiken.

Was bedeutet dieses «Einbetten»? Nichts anderes als den Versuch, die mit nichts vergleichbaren Folgeschäden der Atomindustrie mit bekannten und schon vertrauten Risiken zu vergleichen, um sie dadurch als normal, wenn nicht sogar als unerheblich erscheinen zu lassen.

Nun kann aber ein atomarer Unfall wie das Durchgehen eines Reaktors kaum mit der Explosion eines Gasometers oder dem Bruch eines Dammes verglichen werden. Bisher wuchs über alle Schäden, die die Technik verursacht hatte, nach absehbarer Zeit Gras. Die Wunden des Unheils, selbst wenn sie tief waren, schlossen sich und vernarbten. Das wird nach einer atomaren Großkatastrophe nicht der Fall sein. Es ist daher unverantwortlich und eine Irreführung der öffentlichen Meinung, wenn immer wieder vergessen oder unterschlagen wird, daß die Folgen der aus Kernkraftwerken entweichenden Strahlung für Mensch und Umwelt über lange Zeiten hinweg auf verheerende Weise weiter spürbar bleiben. Diese Beeinträchtigung, ja Beschädigung der «Dimension Zukunft» ist für eine objektive Beurteilung der Kernkraft und ihrer möglichen Schäden entscheidend. Sie soll aber durch die Annäherung dieser Gewalttechnik, deren Folgen alle bisherigen Vorstellungen übersteigen, an das Gewohnte verwischt werden. Ein fast unbegrenztes Risiko wird dabei fälschlich einem begrenzten angenähert und damit auf unzulässige Weise verharmlost.

Solche Irreführungen werden zudem getarnt durch die Art und Weise, wie man sie in der Öffentlichkeit präsentiert. Die komplexen, weitreichenden Folgen lebensgefährlicher Strahlung vereinfacht man durch ein Aufgebot von Zahlen, Kurven, mathematischen Formeln auf ganz unzulässige Weise. Bloße Annahmen werden dabei nur zu oft als solide und präzise wissenschaftliche Erkenntnisse ausgegeben.

Ein Beispiel für solche gelehrt daherkommende Verharmlosung haben die internationalen Gremien für Strahlenschutz geliefert, als sie Grenzwerte dafür festsetzten, wieviel Radioaktivität von den Kernkraftwerken in die Umwelt abgelassen werden dürfe. Was sie aber der Öffentlichkeit wohlweislich verschwiegen: Bei den von ihnen festgesetzten «Grenzwerten» handelte es sich keineswegs um eine eindeutig als unschädlich erkannte Strahlenmenge, sondern um einen vorläufigen Kompromiß zwischen Gefährdung und Nützlichkeit, der jedoch immer öfter von Forschern (wie Morgan, Stewart und Teufel) kritisiert wird.

5

Aber das Musterbeispiel einer solchen sich objektiv gebenden, in Wahrheit jedoch wesentlich von den Werten, Vorurteilen und Abhängigkeiten seiner Verfasser bestimmten Untersuchung ist die im Auftrag der amerikanischen Atomenergiekommission angefertigte ‹*Reactor Safety Study*› (RSS), die unter dem Namen ihres Projektleiters, Professor Norman Rasmussen vom «Massachusetts Institute of Technology», bekannt geworden ist. Sie wird, da sie die Häufigkeit und die Wirkungen möglicher Reaktorunfälle verhältnismäßig niedrig einschätzt, von den Atomgläubigen seit ihrem Erscheinen als Standardwerk angepriesen, auf dessen Berechnungen man sicher bauen könne. Auch Professor Häfele führt sie als Paradebeispiel einer «normativen Unfallstudie» an.

In der Fachwelt ist die ‹*Rasmussen-Studie*› jedoch scharf kritisiert worden. So hat zum Beispiel der Fachverband amerikanischer Physiker, die «American Physical Society», dieser vor allem an Umfang und Kosten beachtlichen Arbeit eine Fülle von Fehleinschätzungen und Fehlberechnungen nachgewiesen.

Verfolgt man die Entstehungsgeschichte des Berichts zurück, so entdeckt man, daß er in Wahrheit das Kernstück einer großangelegten Beschwichtigungskampagne ist. Sie mußte von der «Atomic Energy Commission» unternommen werden, als die öffentliche Meinung und der Kongreß sich Ende der sechziger Jahre zu fragen begonnen hatten, ob die geplante Fortsetzung und massive Erweiterung des amerikanischen Atomenergie-Programms nicht zu riskant für die Bürger sei. Die Diskussion darüber entzündete sich an einer Untersuchung des staatlichen Laboratoriums Brookhaven, in der mögliche Reaktorkatastrophen durchgespielt würden und deren Prognosen über die zu erwartende Zahl der Toten und radioaktiv Verseuchten recht düster waren.

In den folgenden Jahren versuchten Atombehörden und Atomindustrie unermüdlich, diese Ergebnisse zu verharmlosen, und versprachen eine neue, gründliche Untersuchung. Die in aller Heimlichkeit durchgeführten Vorarbeiten aber zeigten bereits, daß die Brookhaven-Studie nicht so einfach zu widerlegen war. Im Gegenteil, die neuen Prognosen fielen eher noch negativer aus. Deshalb wurde auf Anfragen zunächst geleugnet, daß überhaupt an einer neuen Studie gearbeitet werde – eine glatte Lüge, die nach einigen Jahren entlarvt wurde.

In den siebziger Jahren geriet die «Atomic Energy Commission» erneut in ein zwiespältiges Licht. Man fand nämlich heraus, daß sie alles daran gesetzt hatte, auch eine andere wichtige Unfallstudie, die sich mit dem möglichen Versagen der Notkühlungssysteme von Reaktoren befaßte, in ihrem Sinne zu steuern. So waren auf ihr Betreiben bei einem parlamentarischen Hearing Kritiker ferngehalten und nur «freundliche Zeugen» eingeladen worden – Zeugen, denen man vorher genaue Instruktionen erteilte, wie sie auf die Fragen der Politiker zu antworten hätten. Punkt zehn dieses später publik gewordenen «Marschbefehls» lautete: «Widersprechen Sie auf keinen Fall der offiziellen Politik.»

Um allen Bedenken den Wind von vornherein aus den Segeln zu nehmen, hieß es nun diesmal vor Beginn der neuen Untersuchung, man werde eine völlig «unabhängige Studie» erstellen lassen. Daß dies in Wahrheit jedoch nie geplant war, haben die Ermittlungen der «Union of Concerned Scientists» ergeben. Diese Gruppe kritischer Wissenschaftler nutzte ein seit Anfang der siebziger Jahre bestehendes Gesetz – «The Freedom of Information Act», das «Gesetz zur Informationsfreiheit» –, das es jedem amerikanischen Bürger gestattet, behördliche Akten, soweit es sich nicht um Staatsgeheimnisse handelt, einzusehen. So verschafften sie sich ein genaues Bild über das Zustandekommen der Studie. Sie stießen zum Beispiel in der Korrespondenz der Atombehörde auf die ausdrückliche Weisung an die Bearbeiter, «Fakten, die unsere vorher festgelegten Konklusionen nicht stützen», sollen gar nicht erst gefunden werden. Oder: Auf Untersuchungen, wie zum Beispiel die Überprüfung der Sicherheitsvorschriften bei der Herstellung von Reaktoren, solle lieber verzichtet werden, weil man «nicht im vorhinein wissen könne, ob die Resultate geeignet seien, Vertrauen zu wecken».

Schon die Wahl von Professor Rasmussen zum Leiter der Studie hätte eigentlich jedermann klarmachen müssen, daß von den Auftraggebern gar keine objektive Untersuchung angestrebt worden war. Denn dieser Forscher – obwohl auf dem Spezialgebiet der Reaktorforschung wenig bewandert – hatte sich der Atomkommission vermutlich deshalb empfohlen, weil er vor Jahren als gutbezahlter Gutachter auf einem anderen Sektor der Kernkraftindustrie tätig gewesen war – eine Tatsache, die in den an die Presse weitergegebenen biographischen Daten über Rasmussen bezeichnenderweise von Anfang an weggelassen wurde.

Das Faktenmaterial, auf das sich Rasmussen und seine Mitarbeiter stützten, konnte gar nicht objektiv sein. Die Forscher waren nämlich – wie sie zugeben mußten – fast ausschließlich auf die Angaben der Privatfirmen angewiesen, von denen die Reaktoren gebaut und betrieben wurden. Und so entsprachen die Daten, die man dem Rasmussen-Team lieferte – wie es in einem die Studie vorbereitenden Briefwechsel heißt – natürlich durchweg «dem Interesse der Atomindustrie».

6

Die Erkenntnis, daß Wissenschaftler nicht unabhängig und unbeeinflußbar sind, ist heute schon fast Allgemeingut. Dennoch versuchen die Befürworter der Kernkraftindustrie immer noch, die Legende vom «objektiven Experten», der sich nur seinem Gewissen verpflichtet fühlt, zu propagieren. Damit wollen sie bezwecken, daß ihre äußerst riskanten Vorhaben den betroffenen Laien als genauestens durchdacht und vom Geist höchster Verantwortung getragen erscheinen. An die Stelle des Gottesgnadentums, aus dem frühere Herrscher die Legitimation für ihre Taten und Untaten ableiteten, ist das Expertengnadentum der Machthaber unserer Epoche getreten.

Eines der ernsthaftesten Risiken für eine verantwortungsvolle Beurteilung der Gefahren, die eine weitere Entwicklung der Atomenergie mit sich bringen könnte, stellen aber gerade oft diejenigen dar, die sich anmaßen, Unsicheres als sicher auszugeben, weil sie es so wollen oder sollen. Sie müssen dabei durchaus nicht immer nur durch finanzielle Vorteile oder institutionelle Abhängigkeiten geleitet werden. Besonders in der Atomforschung und -technik spielen da häufig auch persönliche Momente mit, die aus der Geschichte dieses Forschungszweigs erklärbar sind. Nur so ist es zu verstehen, daß sich auch integre und wohlmeinende Persönlichkeiten zu Advokaten einer Entwicklung machen, die sie gelegentlich selber als verhängnisvoll erkennen und dennoch «hoffend gegen alle Hoffnung» auch weiterhin fördern.

Ich kenne persönlich seit langem drei bedeutende Forscher, die ich dieser Kategorie zurechnen würde: Hans Bethe, Alvin W. Weinberg und Victor F. Weiskopf. Sie haben ihre besten Jahre und besten Ideen jener Forschung gewidmet, die zur Atombombe und zur Atomkraft führte. Gerade weil sie schwerer als die meisten anderen ihrer Kollegen daran tragen, daß sie an der Herstellung der furchtbaren Vernichtungswaffen mitgearbeitet haben, hoffen sie nun um so sehnsüchtiger, vor sich und der Welt durch die zu erwartenden Wohltaten der Kernenergie gerechtfertigt zu werden. Es trifft daher nicht zu, wie oft von den Befürwortern behauptet wird, daß von dieser Seite eine «objektive Beurteilung» des Problems Kernkraftnutzung zu erwarten sei. Die Arbeit eines ganzen Lebens, die Selbstachtung und die Hoffnungen hängen ja für diese in eine tragische Situation geratenen großen Wissenschaftler an einem letzten Endes guten Ausgang der «nuklearen Wette».

Das wurde mir besonders klar an den Äußerungen von Weinberg. Als langjähriger Leiter des nuklearen Pionierlaboratoriums Oak Ridge hat er seit Kriegsende wie kein anderer die schnelle Entwicklung der «friedlichen Kernenergie» propagiert. Dabei sah er früher als die meisten seiner Kollegen voraus, daß der Sprung von «Atom der Laboratorien» zum «Atom der Großindustrie» mit vielen noch ungelösten Problemen belastet sein würde. So sprach er als erster vom «faustischen Pakt», den die Atomforscher der Menschheit angeboten hätten. Als Preis für eine schwer risikobelastete, aber «fast unerschöpfliche Energiequelle» müßten sie aber von dieser Generation und den kommenden eine bisher nie erreichte, über Jahrtausende anhaltende Stabilität der gesellschaftlichen Institutionen verlangen. Denn nur so sei die notwendige Sicherung dieses gefährlichen «Geschenks» zu gewährleisten.

Weinberg sieht sich also in diesem Vergleich als Mephisto, als teuflischen Versucher. Auf die Dauer scheint er sich aber in dieser Rolle nicht ganz wohl zu fühlen. Denn 1973 meinte er anläßlich einer Diskussion in Laxenburg, er kenne eine Version des Dramas, bei der Faust sein Geschäft nicht mit dem Teufel, sondern mit Gott abschließe.

Vielleicht war das nur scherzhaft gemeint, aber es verrät etwas sehr Bezeichnendes über die Mentalität wissenschaftlicher Spitzenexperten. Mehr oder weniger sind sie fast alle – auch wenn sie es selbst niemals eingestehen würden – von der Vorstellung besessen, Gott spielen zu können (oder zu müssen!).

Stanley Ulam, ein brillanter polnischer Mathematiker, mit dem ich mich einmal ausführlich darüber unterhalten konnte – er leistete in der Laboratoriumsstadt Los Alamos nach dem Krieg durch seine originelle Anwendung der «Monte-Carlo-Theorie» den entscheidenden theoretischen Beitrag zur Machbarkeit der Wasserstoffbombe –, hat in seiner Autobiographie die Wirkung dieses gottgleichen Machtgefühls der Atomforscher zu beschreiben versucht. Er vertritt die Auffassung, den mit der Erfindung und dem Bau totaler Vernichtungswaffen Beschäftigten sei die Erkenntnis, daß ihre Arbeit weltweite historische Bedeutung haben könne, «einfach zu Kopf gestiegen».

Der von wissenschaftlichen und technischen Eliteteams erstmals im Zweiten Weltkrieg beim Bau der Atombombe und der V2-Raketen in großem Stil durchgeführte Versuch einer Großforschung, die nicht länger Erkenntnisse um ihrer selbst willen sucht, sondern von genau definierten Produktionszielen bestimmt wird, hat über solche persönliche Charakterdeformationen hinaus auch den Charakter des ganzen Wissenschaftsbetriebs verändert. Es ist fast nur noch in Ausnahmefällen möglich, daß ein einzelner Forscher (oder auch eine Forschergruppe) erst in dem Moment mit einem Projekt an die Öffentlichkeit tritt, wenn Resultate vorzuweisen sind. Wer heute forschen will, braucht meist beträchtliche Geldmittel und teure technische Apparaturen, die nicht ihm, sondern irgendeiner Institution gehören. Daher muß er einem Gremium möglichst glaubhaft nachweisen, daß sein Vorhaben sinnvoll ist und Erfolgschancen hat. Schon im Stadium der Planung hat er Resultate zu rechtfertigen, die eigentlich noch gar nicht absehbar sind. Wird sein Vorschlag angenommen, so steht er fortan unter ständigem Erfolgszwang. Jetzt noch einen Irrtum zuzugeben, ist sehr schwer, ja unter Umständen unmöglich. So entstand ein neuer Typ des Wissenschaftlers, nicht mehr dem Zweifel als wichtigster Eigenschaft alles Forschens verpflichtet, sondern der Spekulation und ihrer Bestätigung. Um sich die andauernde Unterstützung von Managern, Ministerialbeamten und der Öffentlichkeit zu sichern, muß er Optimismus und Tatkraft ausstrahlen, vor allem aber hartnäckiges Festhalten an seinen – vielleicht ganz irrigen – ersten Vorstellungen demonstrieren. Wernher von Braun war ein Meister in dieser Kunst des sogenannten *project swinging*. Er hatte allerdings Glück, denn seine visionären Projekte wurden schließlich vom Erfolg gekrönt.

«In der Kernforschung blüht die Praxis der Projektitis besonders üppig», verriet mir ein guter Kenner dieses Milieus. Er klagte, nur zu oft seien Millionenprojekte auf Grund von schwach abgestützten, aber den Geldgebern gut «verkauften» Vermutungen begonnen worden, die sich nachträglich erst, bei genauerer Beschäftigung mit dem Gegenstand, als unhaltbar erwiesen hätten.

«Aber glauben Sie, einer der Beteiligten würde das zugeben?» fuhr er fort. «Niemals. Damit könnte er ja den Geldstrom zum Versiegen bringen. Außerdem gilt solche Selbstkritik bei den Mitarbeitern als ‹Nestbeschmutzung›. Also wird wacker weiter an etwas gearbeitet, von dem man oft schon weiß, daß es gar nicht funktionieren kann und auch nicht funktionieren wird. Ergebnis: Bald gibt es eine ‹Projektleiche› mehr. Wieder mal eine große Idee, die dann leider, leider nicht hielt, was man sich ursprünglich von ihr versprochen hatte.»

«Können Sie mir einen konkreten Fall nennen?» hakte ich ein.

«Gewiß. Das deutsche Projekt des ‹Schnellen Brüters› in Kalkar zum Beispiel. Ein Faß ohne Boden. Es ist schon Dutzende Male ‹verbessert› worden. Inzwischen paßt da wohl kein Teilstück mehr zum anderen.»

«Und wie bewerten Sie das Sicherheitsrisiko der Anlage?» «Darüber sage ich lieber nichts», war die Antwort. «Aber wissen Sie, in dieser Branche geht es fast schon so verrückt zu wie im Filmgeschäft oder im Drogenhandel. Der Vergleich stammt übrigens nicht von mir, sondern von Marchetti.»

«Wer ist denn Marchetti?»

«Das ist der engste Mitarbeiter Häfeles in Laxenburg.»

7

Kein Zweifel: an Phantasie kann es der aus Pisa stammende Physiker Cesare Marchetti, Mitglied des wissenschaftlichen Stabs für Energieprobleme in Laxenburg, mit jedem Drehbuchschreiber aufnehmen.

Beredtes Beispiel dafür ist seine Projektidee, die Risikoprobleme der Kernkraftindustrie dadurch zum «Verschwinden» bringen, daß man sie außer Sichtweite schafft.

Sein Atom-Ei des Kolumbus: Verbannung aller «Schnellen Brüter», Wiederaufarbeitungsanlagen und nuklearen Mülldeponien aus der «Soziosphäre», das heißt aus allen von der menschlichen Gesellschaft besiedelten Gebieten, in die Weiten der Weltmeere. Auch den Ort für ein solches erstes globales Energiezentrum hat er schon gefunden: Um das Jahr 2000 soll es auf der Pazifikinsel Canton am 171. westlichen Längengrad, etwas südlich des Äquators, entstehen. In der Lagune werden dann gleichzeitig bis zu fünf riesige Transportkähne von 250 Meter Länge und 40 Meter Breite ankern, auf denen die in einem der Industrieländer hergestellten und auf dem Seeweg herangebrachten «Brüter» sowie eine Wiederaufarbeitungsanlage installiert sind. In die unter dem grünblauen Wasser schimmernden Sand- und Korallenriffe will man kilometertief in den Basalt- und Granituntergrund hineinreichende Löcher bohren, durch die Kapseln mit in Glaskugeln eingeschmolzenen radioaktiven Restbeständen hinuntergelassen werden können. Von etwa zweieinhalb Kilometer Tiefe an, meint Marchetti, würden diese sich bis auf fast tausend Grad Celsius erhitzenden *container* selber ihren Weg bis hinab in fünftausend Meter Tiefe bahnen. Nach ihrer Passage, so vermutet der Autor dieses Gedankenexperiments, werde sich der Fels dann wieder härten und die Abfälle für alle Ewigkeit «einsiedeln».

Die Energie, die von hier aus in alle Welt geschickt werden soll, wird nicht Atomstrom sein, sondern flüssiger Wasserstoff, der auf Canton Island in einem heute noch nicht gebrauchsreifen, aber bis dahin zu entwickelnden Prozeß – durch Hydrolyse des Meerwassers – erzeugt wird. Den so gewonnenen Energieträger will man in riesigen Spezialtankern von mindestens 300000 Tonnen Fassungsvermögen an die Küsten der Industriestaaten schaffen, von wo er über spezielle Pumpstationen und Rohrleitungen weitertransportiert wird. Das Ganze sei, so hat Marchettis Chef Häfele einmal geäußert, mit einem Ölfeld zu vergleichen, das niemals versiegt.

Diese Idee, mehrere Kernkraftanlagen in «nuklearen Parks» zu konzentrieren, um die schwierigen Transportprobleme zu lösen und die Abschirmung zu vereinfachen, beschäftigt die *nuclear community* in der Tat in zunehmendem Maße, seit es immer schwieriger wird, Standorterlaubnisse für Kernkraftanlagen zu erhalten. Die Möglichkeit, solche gewaltigen Zentren auf echten oder künstlichen Inseln unterzubringen, wird auch als Patentlösung zur besseren Absicherung der nuklearen Brennstoffe gegen mögliche Unfälle oder Überfälle beim Transport von einer Anlage zur anderen angepriesen. Der gesamte Brennstoffkreislauf, von der Urananreicherung über die Nutzung bis zur Wiederaufbereitung, neuerlichen Nutzung und Entsorgung, würde dann innerhalb solcher gewaltiger Atomfestungen vor sich gehen. Wie könnte sich aber dann die Hitzeabstrahlung an diesen Punkten der Erde auf das Klima auswirken? Was würde geschehen, wenn sich auf einer solchen Atominsel ein Unfall ereignet? Muß er nicht noch ungeheuerlichere Ausmaße annehmen als eine Katastrophe in einer einzelnen Kernkraftanlage? Würde man genügend Personal (etwa tausend Mann pro Insel) für eine so gefährliche und isolierte Arbeit finden? Könnte die starke Isolation der Besatzung nicht möglicherweise dazu führen, daß einzelne oder sogar alle durchdrehen? Welche politischen Konsequenzen würden sich aus der Tatsache ergeben, daß der überwiegende Teil des Energiebedarfs der Welt dann auf fünf bis zehn solcher Inselzentralen erzeugt wird? Würden multinationale Firmen (wie Marchetti andeutet) oder internationale Organisationen sie kontrollieren? Und was geschieht, wenn die Partner miteinander in Streit geraten?

Das sind nicht etwa Fragen, die sich ein Science-fiction-Schreiber ausgedacht hätte, sondern Probleme und «Szenarios», die in den *think tanks* von Laxenburg, Palo Alto, Erlangen und Moskau heute schon ganz ernsthaft diskutiert werden. Dabei finden in reichlichem Maße alle jene kleinen, unscheinbaren Worte Verwendung, die den Unterschied zwischen «gewiß» und «ungewiß» ausmachen – wie «bald», «fast», «in Vorbereitung», «beinahe», «kaum wahrscheinlich», «bis auf einen kleinen Prozentsatz», «voraussichtlich». So viele «Wenn», die auf so vielen «Aber» balancieren. Schiefe Türme von wackligen, im Wind der Zeitläufe schwankenden Hypothesen.

8

Immerhin gibt es in der Zunft der Atomforscher, die so mutig mit der Zukunft Roulette spielen, vor allem einen, der immer wieder daran erinnert, daß es ja letztlich nicht nur um interessante Gleichungen und um aufregende, neue technische Konstruktionen geht, sondern auch um Menschen, Völker und geschichtliche Entscheidungen. Es ist wiederum Alvin Weinberg, ehemaliger Chef des Pionierlaboratoriums Oak Ridge und mit über siebzig Jahren nunmehr Leiter eines Instituts, das sich mit der Projektierung einer «erträglichen nuklearen Zukunft» befaßt. Selten habe ich eine Zuhörerschaft so betroffen gesehen wie nach dem Festvortrag, den er im Mai 1977 zum zwanzigsten Jubiläum der Internationalen Atombehörde vor seinen versammelten Kollegen gehalten hat. Denn die Zuhörer, die wohl in der Erwartung gekommen waren, sie könnten sich an Visionen einer künftigen, von der Kernkraft beherrschten Welt berauschen, hatten soeben aus dem Mund eines der ihren Prognosen gehört, die sie äußerst besorgt stimmen mußten.

Weinberg hielt ihnen zunächst vor, sie unterschätzten den bisherigen Erfolg und die rapide Entwicklung ihrer Industrie, sie sähen immer noch «die Kernkraft als ein isoliertes kleines Ding». In Wahrheit werde sie aber «fast sicher die wichtigste Kraftquelle werden». Im Jahre 2050 würden, so meinte Weinberg voraussagen zu können, bereits Dreiviertel aller Energie auf der Welt durch «Schnelle Brüter» erzeugt werden. Vermutlich gäbe es zu diesem Zeitpunkt eine Gesamtzahl von 5000 Reaktoren zu je 5000 Megawatt, die das Neunfache der heutigen Energiemenge produzieren könnten.

Doch dann kam das große «Aber». Lege man die Unfallraten des Rasmussen-Berichts zugrunde, der die Wahrscheinlichkeit des größten Unfalls (Schmelzen des Reaktorkerns) auf einmal in 20000 Jahren pro Reaktor geschätzt habe, dann bedeute das demnach bei 5000 Reaktoren solch «einen Unfall alle vier Jahre».

Bei diesen düsteren Prognosen ging ein deutlich hörbares Raunen durch den Saal. Weinberg versuchte daraufhin, die Wirkung seiner Worte abzuschwächen. Er fügte beruhigend hinzu, «die Mehrheit dieser *melt downs* (Kernschmelzen) würde außerhalb der Werksanlage vermutlich wenig Schaden anrichten». Es sei außerdem «fair» anzunehmen, daß sich bis dahin die Unfallwahrscheinlichkeit gesenkt haben werde. Und schließlich wagte er noch eine recht äußerst zynische Voraussage: «Das Publikum wird radioaktive Strahlung als Teil der üblichen Lebensrisiken akzeptieren, statt sie als etwas Geheimnisvolles und Besonderes anzusehen.»

Wer sich die Mühe macht, die Entwicklung der Diskussion über Risiko und Betriebssicherheit der nuklearen Anlagen zu verfolgen, kann die Bemühungen Weinbergs um nachträgliche Abschwächung seiner Alarmrufe zwar verstehen – wer will es sich schon mit seinen jahrelangen Mitstreitern ganz verderben? –, wird ihnen aber nicht zuviel Glauben schenken. Denn in Wirklichkeit hat die Überzeugung, man könne die Anlagen der Kernkraftindustrie mit der Zeit immer sicherer machen, bei wachsender Erfahrung eher ab- als zugenommen. Kein Wunder, wenn man bedenkt, daß der Übergang von kleinen Versuchsmodellen zu ausgewachsenen technischen Anlagen fast immer eine Häufung von Pannen mit sich bringt. Trotzdem ist die steigende Zahl von «Störfällen», die man nicht vorausgesehen hatte, ungewöhnlich. Einen der Gründe dafür haben die Werkstoff-Physiker Cawthorne und Fulton schon 1966 entdeckt. Sie konnten nachweisen, daß sich die in den Reaktorgefäßen und -leitungen verwendeten Metalle unter dem Bombardement der schnellen Neutronen, die im Spaltungsprozeß frei werden, verändern. Es bilden sich in den verwendeten Werkstoffen Leerstellen, winzige kristallförmige Hohlräume, die zu Dehnungen, Lockerungen, Rissen führen. Was zum Beispiel in einer Rohrleitung Veränderungen von 10 bis 15 Prozent an den Schweißstellen bedeuten, läßt sich leicht ausmalen. Man versucht dem vorzubeugen, indem man über diese gefährdeten Stellen zur weiteren Absicherung vorsorglich «Manschetten» zieht. Aber solche Flickschusterei ist doch wohl kaum das Kennzeichen einer «ausgereiften Technologie».

Einblicke in den wirklichen «Gesundheitszustand» der Kernkrafttechnologie ermöglichen – vorläufig noch – Fachgespräche, wie zum Beispiel Diskussionen bei der internationalen Konferenz über die Technik der «Schnellen Brüter», die 1976 in der ersten Oktoberwoche in Chicago stattfanden. Von den über zweihundert vorgelegten Arbeiten waren damals mehr als Dreiviertel dem Problem der Unfälle gewidmet! Nach der Jahrestagung 1975 des Instituts für Reaktorsicherheit in Köln las ich in der Zeitschrift *Atomwirtschaft* unter anderem: «Die größte Störanfälligkeit zeigten konventionelle Komponenten, vor allem Turbinen, Umwälzpumpen und Dampferzeuger. Beachtenswert sind aber auch die Schäden an Einbauten im Reaktordruckbehälter, an Steuerstabstutzen und Steuerstabantrieben sowie an der Reaktorinstrumentierung . . . Eine zweite Kategorie von Schäden kann durch das Stichwort ‹Brände› charakterisiert werden. In der westlichen Welt sind in den letzten zehn Jahren in einer Reihe von Anlagen Brände aufgetreten, die zu längeren Stillständen geführt haben.»

In der ersten Version des Rasmussen-Berichts war nun gerade ausgeschlossen worden, daß Kabelbrände, die bei der deutschen Tagung als bedeutsam erkannt wurden, einen wesentlichen Beitrag zum Unfallrisiko in einem Reaktor darstellen. Kurz nach dem Erscheinen dieser vorläufigen Fassung brach im Kabelverteiler des amerikanischen Kernkraftwerkes Browns Ferry ein Feuer aus, das durch die – in keiner Risikostudie je vorgesehene – Kerze eines mit Reparaturen beschäftigten Monteurs entstanden war. Wegen dieses unvorhergesehenen Ereignisses mußte die Rasmussen-Studie abgeändert werden: das errechnete Gesamtrisiko für ein maximales Unglück erhöhte sich nun nach der Erfahrung von Browns Ferry zusätzlich um ein Fünftel. Doch auch diese Korrektur enthielt schwerwiegende Fehler. Sie war immer noch viel zu optimistisch. So kam Grupp (Universität Grenoble) zu der Feststellung, daß das Unfallrisiko für Reaktoren des von Rasmussen untersuchten Typs allein durch derartige Kabelbrände «drei- bis achtmal größer sei als das von der Rasmussen-Studie berechnete Gesamtrisiko».

Selbstverständlich weiß Alvin Weinberg um solche bisher nicht an die Öffentlichkeit gelangten «Schwachstellen» im Nuklearsystem. Deshalb warnte er in seiner «schockanten Jubiläumsrede»: «Es scheint, daß die Zukunft unserer Unternehmungen davon abhängt, ob wir irgendwie ein Nuklearsystem entwerfen, das sich mit diesen schwierigen Bedingungen – Kernschmelze und Proliferation (Verbreitung von Bombenmaterial) – voll und konzessionslos auseinandersetzt.»

Vor allem warf Weinberg die Frage auf, welche technischen und institutionellen *fixes* (Behelfe) notwendig seien, um die Kernenergie in der Zukunft akzeptabel zu machen. Sein spezieller Beitrag zum Thema der Unfallverhütung durch gesellschaftliche Maßnahmen besteht in seinem berühmt gewordenen Vorschlag, eine Art nuklearer «Priesterschaft» heranzuziehen, deren sorgfältig ausgewählte Mitglieder über Jahrhunderte und Jahrtausende die Verantwortung für diese gefährlichste aller Techniken tragen sollten. Beispielhafte Elitemannschaften müßten darüber wachen, daß alle Sicherheitsvorschriften stets genauestens eingehalten werden. Diese «Kader» oder «Order» könnten angesichts der schicksalhaften Zukunftsbedeutung atomarer Sicherheit eine hohe Autorität für sich beanspruchen.

9

Von allen Risiken, die die Atombefürworter einzugehen bereit sind, um ihr großes Vabanquespiel am Ende doch noch zu gewinnen, ist wohl keines so groß wie dieser von Alvin Weinberg vorgeschlagene «institutionelle Behelf» einer neuen Elite. Er beinhaltet nicht nur, daß die nuklearen Hasardspieler und ihre Helfer bereit sind, die Demokratie zugunsten einer neuen hierarchischen Ordnung zu opfern, und daß sie die bestehenden ungerechten Machtverhältnisse aus Sicherheitsmotiven verewigen wollen, sondern hinter diesen Vorstellungen steht auch der Gedanke, es könnte gelingen, einen «Menschentyp» zu schaffen, der so «sicher» ist, wie seine gefährlichen Apparaturen es verlangen, so gefühllos, so wachsam, so zuverlässig, so unermüdlich, so verfügbar wie sonst nur ein willenlos funktionierendes Maschinenteil.*

Ganz neu sind solche Vorstellungen allerdings nicht. Im Denken mancher Wissenschaftler finden wir sie schon seit einiger Zeit angelegt. Nachdem die Forschung die nichtmenschliche Natur in einem früher unvorstellbaren Maße durchdrungen und verfügbar gemacht hat, versuchen sie und ihre Anwender nun auch, das innerste Wesen des Menschen und seiner Gesellschaft zu erkennen und zu beherrschen. War die Produktionstechnik, die sich die materielle Welt nutzbar machte, die Frucht der Naturwissenschaften, so werden nun Psychotechniken und Soziotechniken als Früchte der Humanwissenschaften für menschenformende Machtmöglichkeiten eingesetzt.

In dem Versuch, die Energieversorgung der Menschheit überwiegend von Kernkraft abhängig zu machen, könnten diese beiden Strömungen von Natur- und Menschenbeherrschung nunmehr zusammenfließen. Die Ingenieure und Manager der Atomindustrie haben erst einen Bruchteil der technischen Probleme, die ihnen aufgegeben sind, bewältigt. Sie vertrauen aber darauf, daß ihnen schließlich die fast perfekte Beherrschung der zahlreichen technischen Schwierigkeiten gelingen wird. Schon heute arbeitet an diesem Problem eine eigene Sicherheitsforschung. Sie verursacht allerdings so stark steigende Ausgaben, daß die Industrie dagegen zu rebellieren beginnt.

Doch selbst wenn eines Tages alle (oder fast alle) Apparaturen endlich einwandfrei (oder fast einwandfrei) funktionieren sollten, bleibt im Spiel der nuklearen Prognostiker und Planer immer noch eine letzte unberechenbare Unsicherheit: der «Faktor Mensch». Ihn können sie wohl auch künftig nicht ganz «in den Griff bekommen» – es sei denn, sie schaffen es, einen Dressurakt durchzusetzen und den schöpferischen, sich stets nach Freiheit und Mitbestimmung sehnenden Menschen schließlich zum völlig voraussehbaren, total kontrollierbaren und sicher verfügbaren *homo atomicus* zu drillen.

Angesichts dieser furchtbaren Perspektive ahne ich, weshalb der Psychologe Philip D. Pahner sich bei seinen früheren Kollegen nicht

* Häfele verlangte in einem im Frühjahr 1979 dem Schwedischen Fernsehen gegebenen Interview ausdrücklich Gehorsam und Disziplin der Bürger als Voraussetzung weiterer Entwicklung.

mehr sehen läßt. Er möchte wohl an solchem Mißbrauch seiner Wissenschaft nicht mitschuldig werden. Dafür rächen sich nun die Spieler: Sie sehen ihn nicht nur als Spielverderber, sondern ließen durchblicken – wie zum Beispiel Alvin Weinberg auf Befragen mir gegenüber – «er sei nicht ganz richtig». Welch Kompliment aus diesem Mund!

Drittes Kapitel

Homo atomicus

1

Eingelötet in Zinksärgen wurden am 25. November 1975 in der bayerischen Ortschaft Lauingen die Schlossermeister Otto Huber und Josef Ziegelmüller begraben. An ihrer Beerdigung nahmen nicht nur Verwandte teil, sondern auch Personen in städtischer Kleidung, wie man sie nur selten auf einem ländlichen Friedhof sieht. Außer Reportern handelte es sich daher um Beamte des Bayerischen Ministeriums für Landesentwicklung und Umweltfragen sowie um Mitarbeiter des Kernkraftwerks Gundremmingen. Sie waren gekommen, um den ersten Unfallopfern einer bundesdeutschen Atomanlage das letzte Geleit zu geben.

Sechs Tage zuvor, am 19. November, hatten der vierunddreißigjährige Huber und sein elf Jahre älterer Kollege, der schon seit einem Jahrzehnt im KKW Gundremmingen beschäftigt war, kurz vor zehn Uhr vormittags die Schleuse zum Reaktorgebäude passiert. Sie sollten am Schieber W 6, bei dem ein Leck festgestellt worden war, eine sogenannte «Stopfbuchse» reparieren. Durch eine Dachluke stiegen sie über eine Steigleiter in den ziemlich kleinen und niedrigen Pumpenraum Nummer 1, wo sich die defekte Absperrarmatur befand. Die beiden wurden vom Strahlenschutzmann Otto begleitet, der vorsichtshalber mit seinem Zählergerät alle Rohrleitungen auf eine möglicherweise erhöhte Strahlendosis hin überprüfte.

Um 10 Uhr 30, unmittelbar vor dem Einstieg, hatte Huber sich noch einmal telefonisch im Kontrollraum gemeldet. Es war ihm versichert worden, W 6 sei geschlossen, solle aber vor Ort noch von Hand nachgezogen werden.

Um 10 Uhr 42 hörte der Strahlenschutzmann einen dumpfen Schlag. Der Einstiegluke entströmte eine heiße Dampfwolke. Einige Sekunden später tauchte der Kopf von Josef Ziegelmüller in der Öffnung auf. Seine gestammelten Worte überlagerte das Zischen der Dampffontäne. Schwerverletzt wurde er ins Krankenhaus Lauingen gebracht und unmittelbar weiter per Hubschrauber in eine Spezialklinik für Brandverletzte nach Ludwigshafen geflogen. Dort ist er am folgenden Morgen seinen schweren Verletzungen erlegen. Sein Kollege Huber war durch den 285 Grad Celsius heißen und zudem auch noch schwach radioaktiven Dampf auf der Stelle getötet worden.

Die beiden Toten wurden unter besonderen Vorsichtsmaßnahmen in eine Spezialabteilung des Schwabinger Krankenhauses in München überführt, denn man mußte damit rechnen, daß sie strahlenverseucht waren. Dort wurden sie unter Aufsicht eines Strahlenschutzsachverständigen des Landesamts für Umweltschutz dekontaminiert und obduziert. Laut Bericht dieses Fachmanns ergaben die Messungen «am Körper des ersten Toten (Huber) vor der Dekontamination etwa 5 bis 20 MR/h, am Hals 120 MR/h . . . Die Kontaminationen am Körper des Herrn Ziegelmüller waren wesentlich geringer.» Ein vom zuständigen Ministerialdirigenten Wochinger gezeichneter Bericht fügt hinzu: «Auf Grund der geringen Radioaktivität konnte die erste Leiche am 21. 11., die zweite Leiche am 22. 11. 1975 durch das Bayerische Landesamt für Umweltschutz zur Erdbestattung freigegeben werden.»

Man spürt durch die dürre amtliche Sprache des Berichts (Aktenzeichen 6341 a“ – VI/2 – 37494ii) hindurch das Aufatmen der Verantwortlichen, daß die innerhalb des Sicherheitsbehälters unmittelbar nach dem Unfall um das etwa Fünfzigfache angestiegene Jod- und Aerosolaktivität nicht noch viel höher gewesen war und daß die Sicherheitseinrichtungen, die die folgenschwere Ausweitung von Unfällen verhindern sollen, einwandfrei funktioniert hatten.

Dennoch deckte das Ereignis bedenkliche Betriebsschwächen auf, die genaue Untersuchungen des Vorfalls und mehrere Debatten auf parlamentarischer Ebene nach sich zogen. Denn nach Ansicht von Staatssekretär Dr. Hartkopf vom Bundesministerium des Inneren wäre «bei Beachtung der Sicherheitsbestimmungen der Unfall vermeidbar gewesen».

In der Tat hatten die Schlosser – entgegen der Anweisung ihres unmittelbaren Vorgesetzten Stenzel – «die Brille der Stopfbuchse vollständig gelöst, statt sie nur zu lockern». Auch eine zweite Instruktion Stenzels war von ihnen nicht beachtet worden, nämlich «am Schauglas der Stopfbuchsenentwässerungsleitung zu kontrollieren, ob noch Wasser austritt, und vor Beginn der Arbeiten noch einmal die Schicht zu verständigen».

Dieses Schauglas war aber nicht in dem Raum installiert, wo die Reparatur durchgeführt werden mußte, sondern einen Stock tiefer. Anscheinend fanden die Monteure diesen zusätzlichen Weg zu mühsam oder überflüssig. Aber auch der Strahlenschutzmann Otto hatte etwas versäumt: Er hätte unbedingt auf diesem unbequemen Kontrollgang bestehen müssen. Und schließlich stellte sich auch die Frage, weshalb das ganze System, das zur Zeit des Unfalls immer noch unter einem Druck von 66 atü stand, so spät, nämlich erst am gleichen Morgen, für die Reparaturarbeiten gedrosselt worden war. Hätte man das früher getan, wären sicher nicht 500 bis 800 Liter radioaktiven Wasserdampfs, sondern viel weniger ausgeströmt. Dieses Versäumnis wurde auch später von einem leitenden Beamten des bayerischen Umweltministeriums bemängelt, der entschuldigend darauf hinwies, «es daure Tage, bis der Druck abgebaut sei».

2

Durchschnittlich fünfundzwanzig bis fünfzig Störfälle bei jedem einzelnen Reaktor erwartet N. Hoffmeister vom Institut für Reaktorsicherheit in Köln pro Jahr. Bei Anlagen, die gerade erst in Betrieb genommen worden sind, könnte, so meint er, diese Zahl ohne weiteres noch überschritten werden.

Dazu bemerken Berg und Fechner vom Bundesministerium des Inneren in Bonn: «Die bisher vorgekommenen Störfälle waren häufig auf ‹menschliches Versagen› zurückzuführen.» Und in einer Studie des Instituts für Reaktorsicherheit (September 1976) liest man: «Nicht zuletzt stellen auch Fehlhandlungen des Betriebspersonals potentielle *commonmode* (das heißt systembedingte) Ausfallursachen dar. Hier sind zu nennen: Fehlkalibrierung, Fehladjustierung, fehlerhafte Reparaturen, unzureichende Wartung, unvollständige Tests usw.» «Irren ist menschlich» – dieses selbstverständliche Eingeständnis der Schwäche kann in einer Industrie, deren Gefahrenpotential so hoch ist wie bei den Kernkraftwerken, nicht länger hingenommen werden.

Garrett Hardin, Professor für Humanökologie an der Universität von Kalifornien, hat auf den *fallibility factor* (Fehlbarkeitsfaktor) als die entscheidende Größe bei der Beurteilung aller industriellen Risiken, speziell aber derjenigen in der Atomindustrie, aufmerksam gemacht.

Denn es gibt keinen Teil des Kernbrennstoffkreislaufs, an dem nicht «fehlbare» Menschen beteiligt sind:

Menschen holen die radioaktiven Erze aus dem Boden.
Menschen transportieren sie zur Urananreicherungsanlage.
Menschen verarbeiten sie.
Menschen transportieren die dabei gewonnenen radioaktiven Konzentrate in die Brennstabfabrik.
Menschen stellen daraus radioaktive Reaktorelemente her.
Menschen transportieren diese Elemente zum Reaktor.
Menschen bedienen und kontrollieren die Reaktoren.

Menschen entfernen die benutzten Brennelemente.
Menschen transportieren sie zu Wiederaufarbeitungsanlagen.
Menschen besorgen die Wiederaufarbeitung.
Menschen bringen wiedergewonnene Brennstoffe zur neuen Verarbeitung.
Menschen besorgen die readioaktiven Abfälle.
Menschen «entsorgen», das heißt vergraben oder versenken Abfälle.
Menschen wachen für lange Zeit über diese Abfälle.

Bei jedem der sechzehn Hauptschritte sind Personen beteiligt, die alle Fehler machen können und wie die Erfahrung zeigt – zu einem gewissen Prozentsatz auch machen werden. Selbst die von Alvin Weinberg als Musterbeispiel für die von ihm geforderte «technische Elite» genannten Piloten der großen Fluggesellschaften versagen gelegentlich. Das hat beim Zusammenstoß zweier Jumbos auf Teneriffa fast sechshundert Menschenleben gekostet. Bei atomaren Unfällen könnte die Zahl der Opfer aber in die Tausende gehen und die Langzeitwirkung Jahrhunderte andauern.

Die Atomindustrie muß daher mit allen ihr zur Verfügung stehenden Mitteln versuchen, die erschreckend hohe Zahl der Betriebsfehler, die durch Müdigkeit, Gleichgültigkeit, Nachlässigkeit oder einfach Verwirrung in einer unbekannten Situation entstehen müssen, so weit wie möglich zu senken und möglichst sogar ganz auszuschalten.

Die amerikanische Raumfahrtbehörde NASA hat ein Programm zur Bekämpfung menschlicher Fehlleistungen entwickelt, das in seiner Gründlichkeit bei Sicherheitsexperten lange Zeit als vorbildlich galt und von den Kernkraftbefürwortern oft als hoffnungsvolles Beispiel zitiert wird. Dennoch hätte der Apollo 13-Flug fast mit einer Katastrophe geendet, weil vor dem Abflug bei Überprüfungen am Boden durch einen oder mehrere Kontrolleure ein schwerer Unterlassungsfehler begangen worden war. Verhängnisvoller endete der Brand der Apollo-Kapsel 204, bei dem während einer Übung in Cape Kennedy drei Astronauten umkamen. Die großangelegte öffentliche Untersuchung, die dem Desaster folgte, stellte folgende Ursachen für das Unglück fest: Irrtümer bei der Konstruktion der Kapsel, gefährliche Auskleidung der Kabine mit einem leichtentzündbaren Kunststoff, nachlässige Verkabelung sowie mehr als ein Dutzend weitere Fehler oder Nachlässigkeiten.

Obwohl die Personalien aller Mitarbeiter an den Raumfahrtprojekten vor der Einstellung genauestens überprüft worden waren, spürte die Untersuchungskommission des amerikanischen Repräsentantenhauses zahlreiche Unterlassungssünden auf. Von der Planung angefangen über die Ausführung der technischen Pläne bis hin zur Abhaltung der Bodentests wurden in fast allen Phasen des Projekts menschliche Fehlleistungen ermittelt. Sie waren entweder dem zu großen Stress der Beteiligten oder einfach der Nichtbeachtung von Vorschriften zuzuschreiben. Erschwerend kam hinzu, daß man im Bemühen um besonders hohe Sicherheit die Aufgaben in zahlreiche Spezialsektoren aufgeteilt hatte, deren Betreuer sich oft genug untereinander nicht verständigen konnten oder durften.

Trotz solcher und tausend anderer bedenkenerregender «Fallgeschichten», die von den Arbeitswissenschaftlern verschiedener Nationen über die unablässig steigende Zahl von Industrieunfällen zusammengetragen worden sind, hoffen Optimisten in der Kernkraftindustrie – sogar nach dem mehrfachen menschlichen Versagen in Harrisburg – immer noch, Spezialkader unfehlbarer Facharbeiter würden entweder selten oder gar nicht versagen.

Sie hoffen, die Perfektion der *liveware* – so nennen sie die unentbehrlichen Menschen im technischen System und gleichen sie damit sprachlich den Apparaturen (der *hardware*) und den Bedienungsprogrammen (der *software*) an – vor allem durch bessere Auslese zu steigern. In einer deutschen Studie, die den Titel ‹*Ermittlung und Analyse menschlicher Funktionen beim Betrieb von Kernkraftwerken*› trägt, wurde untersucht, «ob und welche objektiven und charakterlichen Eignungskriterien für Schichtpersonal in Kernkraftwerken aufgestellt werden könnten». Als Resultat werden «eindeutige Eignungsprofile» und «aussagekräftige, eindeutige, objektive Eignungsprüfungen» angestrebt. So hofft man doch noch, eine Elite zu schaffen, die nicht nur fachlich gut ausgebildet ist, sondern auch «in der richtigen körperlichen, insbesondere psychischen Verfassung sein wird, um ihr Fachwissen richtig nutzen zu können». Besonders komme es darauf an, «daß das Personal bei Störfällen nicht den Kopf verliert»; ein frommer Wunsch, wie die Ereignisse beim Versagen von TMI 2 (Three Mile Island 2) bewiesen haben.

3

Welche der zahlreichen Testmethoden nun tatsächlich von den Personalabteilungen der Kernkraftindustrie in aller Welt verwendet werden, ist eines ihrer am sorgfältigsten gehüteten Geheimnisse. Durch eigene Aussagen belegt ist bisher lediglich die in einigen Ländern geleugnete Tatsache, daß in dieser Branche vor nahezu jeder Neueinstellung regelmäßig die Polizei eingeschaltet wird. O. Berners, Angestellter der Firma Kraftanlagen AG in Heidelberg, die Reparaturarbeiten in Kernkraftwerken durchführt, machte zum Beispiel 1975 in einem Fachgespräch des «Instituts für Reaktorsicherheit» auf folgende Entwicklung aufmerksam: «Für die Kernkraftwerksbetreiber bahnen sich für die Zukunft Personalbeschaffungsprobleme an, zumal die vorhandene Personalkapazität in Zukunft noch weiter reduziert wird, da aus Sicherheitsgründen das eingesetzte Personal polizeilich oder durch den Verfassungsschutz überprüft werden muß. Der Überprüfungszeitraum soll bei fünf bis zehn Jahren liegen. Das Ausländerpersonal wird damit wesentlich abgebaut werden müssen, da die meisten ausländischen Arbeitskräfte noch nicht so lange in der Bundesrepublik sind.»

Interessant ist an dieser Aussage nicht nur, daß die Einschaltung staatlicher Überwachungsorgane für die Personalauslese in der Kernkraftindustrie unbestritten akzeptiert wird, sondern auch die Tatsache, daß diese Problematik bereits die Zulieferbetriebe dieser Industrie zu beschäftigen beginnt. Derartigen Untersuchungen müssen sich Tausende von Unternehmen und ihr Personal beugen, falls sie in irgendeiner Weise – und sei es auch nur durch Lieferung von Bestandteilen oder durch Dienstleistungen – am Wirtschaftskomplex «Kernenergie» beteiligt sind. Das heißt, es werden dann noch ungleich mehr Menschen überprüft werden als zum Beispiel jetzt im Gefolge des bundesdeutschen Radikalenerlasses. Nicht mehr nur angehende Beamte, sondern nun auch Arbeiter und Angestellte werden sich eine genaue Untersuchung ihrer politischen Einstellung gefallen lassen müssen.

Schon heute werden beispielsweise Bauarbeiter, die an der Errichtung einer neuen Kernkraftanlage in der Bundesrepublik beteiligt sind, ideologisch genau durchleuchtet. Dies geschieht, seit man auf Grund einer Warnung, eingeschleuste Terroristen hätten irgendwo eine Zeitbombe eingemauert, die bereits hochgezogenen Mauern eines Reaktorgebäudes wieder abreißen und die Betonfundamente aufmeißeln mußte, nur um dann herauszufinden, daß man einer Falschmeldung aufgesessen war. «Hätten wir uns diese Leute vorher genauer angesehen, wäre dieser kostspielige Streich wohl nicht gelungen», begründete ein «Reaktorschützer» mir gegenüber die Notwendigkeit präventiver Prüfungen. Abgesehen von der Kontrolle der politischen Einstellung dienen solche Dossiers auch dazu, eine Fülle privater Daten festzuhalten, die unter Umständen für noch tiefgreifendere Untersuchungen Verwendung finden. Denn es kann der Atomindustrie nicht genügen, «verdächtige Anschauungen» zu kontrollieren. Sie wird auf jener Suche nach unbedingt zuverlässigem Personal alles überprüfen, was auf ein «unsolides Leben» oder auch nur auf einen «widerspenstigen Charakter» hinweisen könnte.

Wurde die zunehmende Verwendung von Persönlichkeitstests in Verwaltung und Wirtschaft während der sechziger und beginnenden siebziger Jahre kritisiert, so beginnt dieser Widerstand, der in den USA beinahe das Verbot solcher Schnüffeleien erreicht hätte, inzwischen zu erlahmen. Die zunehmende Arbeitslosigkeit hat es denen, die Arbeitsplätze zu vergeben haben, ermöglicht, die verschiedensten menschenunwürdigen Prüfungsverfahren weiter zu benutzen und womöglich noch zu verschärfen. Solche Methoden rechtfertigt man mit der großen Verantwortung, die der Kandidat im Falle einer Anstellung zu übernehmen habe. Schon heute werden – das zeigen Recherchen, die der Wirtschaftsberater Grätz im Auftrag der Zeitschrift *Wirtschaftswoche* bei Privatfirmen anstellte – Bewerber auf Grund von Urteilen und Vorurteilen selektiert, über die die nachfolgend abgedruckte Tabelle Aufschluß gibt. Ähnliche oder sogar noch rigorosere Kriterien kann man überall dort vermuten, wo die Betriebsleitung besonders vorsichtig sein will – besonders in der Atombranche und in allen anderen mit ihr zusammenarbeitenden Produktionszweigen. Hier findet mit großer Wahrscheinlichkeit eine besonders rigorose Auslese zur Ermittlung eines bestimmten als «hochzuverlässig» geltenden Menschentyps statt. Sie wird auch dem Bewerber selbst wegen der großen Risiken akzeptabel erscheinen, und er dürfte sich ihr daher freiwillig unterwerfen. Für ihn wird «Überprüfung» von nun an zu einer Lebensregel.

Gruppen	Kriterien	Maßnahmen
Raucher	höhere Krankheitshäufigkeit erhöhte Nervosität	Beobachtung bei der Vorstellung
Homosexuelle	unsympathisch, unfähig für bestimmte Positionen, wie Ausbilder, Personalchef	Psychologische Tests, Beauftragung eines Detektivs, Referenz
Schwerbeschädigte	Schwierigkeiten bei späterer Kündigung, allgemeine Vorurteile gegen Beschädigte	Augenschein, Interview, Steuerkarte
«Falsche» oder keine Religionszugehörigkeit	Abneigung gegen bestimmte Konfessionen, regionale und lokale Rücksichten	Steuerkarte, Interview, psychologische Tests

Gruppen	Kriterien	Maßnahmen
«Falsche» regionale Herkunft oder Dialekt	vermeintliche Kontaktschwierigkeiten in einer anderen Umgebung	Telefoninterview, Vorstellungsgespräch
Frauen	vermeintliche Nichteignung als Führungskräfte, mögliche Schwangerschaften, allgemeine Vorurteile	Augenschein
Ausländer	vermeintliche Unzuverlässigkeit, Kunden-Vorurteile	Lebenslauf, Interview
Mitglieder von linksgerichteten Organisationen	vermeintliche Störung des Betriebsfriedens, Agitation	Psychologische Tests, Einschaltung eines Detektivs
Absolventen bestimmter Fächer der FU Berlin und der Universität Bremen	Herkunft aus vermeintlich marxistischen Kaderschmieden	Diplome, Lebenslauf
Absolventen von internationalen Management-Schulen	vermeintlich zu hochgestochen für kleinere Unternehmen	Diplome, Lebenslaufanalyse
Junggesellen	vermeintlich unsolide	Lebenslaufanalyse, Interview
Geschiedene	vermeintlich unzuverlässig	Lebenslaufanalyse

Wirtschaftswoche, Düsseldorf, 4. 3. 1977

Einerseits unterwirft er sich selber ständiger Überprüfung, andererseits muß er bei seiner Arbeit sowohl das, was er tut, wie auch die Apparaturen, Materialien und die Mitarbeiter, mit denen er umgeht, auf Schritt und Tritt überprüfen.

Es ist kaum zu vermeiden, daß bei solchen Betriebsanforderungen vor allem Charaktere und Temperamente bevorzugt werden, die sich fügen, anpassen, gehorchen und diese Verhaltensweisen an ihre Umgebung, das äußerst gefährdete Mensch-Maschine-System, weitergeben. Im Unterschied zu anderen Herrschaftsbereichen jedoch, in denen die auferlegten und aufzuerlegenden Kontrollen früher oder später als willkürlich erkannt werden, kann hier zur Rechtfertigung ein übermächtiger Zwang ins Spiel gebracht werden, nämlich die Gefahr einer durch Unfolgsamkeit oder Unachtsamkeit verschuldeten Katastrophe. Die Technokraten verstehen es, sich auf diese Weise als besorgte Vollzugsorgane in einer Ausnahmesituation darzustellen, die sie doch eigentlich überhaupt erst geschaffen haben.

4

Da jedoch die für große Mehrheit der Menschen derartig strenge «objektive Eignungsprüfungen» zur Zeit nicht bestehen dürfte, sieht sich die auf schnelle Ausweitung bedachte Atomindustrie in einer schwierigen Lage. Schon heute fehlt es ihr an genügend *liveware*. Das rapide Anwachsen der öffentlichen Kritik an einem mit so vielen Risiken behafteten Unternehmen trägt außerdem dazu bei, daß der Zustrom von Stellenanwärtern, der gestern noch groß war, in letzter Zeit stark abgenommen hat.

«Wenn die schwedische Reaktorfirma Asea vor zehn Jahren ein Stelleninserat aufgab, kamen Hunderte von Anfragen. Heute sind es in der Regel nur eine oder zwei», erzählte mir Professor Hannes Alfvén, der maßgeblich an der Kernkraft-Entwicklung seines Landes beteiligt war, ehe er sich der Gefahren voll bewußt wurde und radikal umschwenkte. Professor Dr. K. H. Beckurts, Leiter des Kernforschungszentrums Jülich und Vorsitzender der «European Nuclear Society», bestätigte diesen Trend, als er mir vorwarf: «Eines haben die Atomgegner schon fertiggebracht: Sie verderben den Jungen die Lust an unserer Sache. Mein Sohn zum Beispiel sucht sich jetzt ein anderes Berufsfeld. Er hat keine Lust, sich wie sein Vater ständig kritisieren oder sogar beschimpfen zu lassen.»

Langfristig hoffen die Befürworter der Kernenergie, das Personalproblem durch zunehmende Robotisierung und Automatisierung zu entschärfen. Nicht nur in Zonen mit hoher Strahlung sollen «anthropomorphe Maschinen», wie zum Beispiel der von H. Kleinwächter (Lörrach) entwickelte Roboter «Syntelman» eingesetzt werden, sondern der Abbau des «Faktors Mensch» wird im nuklearen «Mensch-Maschine-System» an möglichst vielen Stellen angestrebt.

Ähnliche Experimente waren in den USA mit dem sogenannten «elektronischen Schlachtfeld» gemacht worden. Dieser Versuch hatte zum Ziel, die Waffensysteme zu automatisieren – angefangen von der Auswertung der Daten, die elektronische Überwachungsgeräte lieferten, bis hin zu unbemannten Bombern und ferngelenkten Geschossen, die auf Computerbefehl starteten. Aber die Erfahrungen damit waren so negativ, daß derartige Lösungen erst recht für Atomanlagen höchst unsicher scheinen. Das bestehende Risiko könnte dadurch sogar noch größer werden, weil solch ein eigengesetzliches System nur noch schwer zu kontrollieren und zu beeinflussen wäre. Hinzu kommt, daß die elektronischen Kontroll- und Warngeräte besonders störanfällig sind. Bei der Untersuchung des folgenschweren Unfalls, der sich 1973 in der Wiederaufarbeitungsanlage Windscale ereignete, wurde bemängelt, daß man den unüberhörbaren Warnsignalen der automatischen Meldeanlagen keine Beachtung geschenkt hatte. Die Erklärung dafür: In den vorhergehenden Monaten war durch Versagen schon so oft falscher Alarm ausgelöst worden, daß man im Ernstfall die Warnung dann nicht mehr beachtete.

So bleibt letzten Endes doch wieder nur der Rekurs auf den «funktionsschwachen, aber unersetzlichen Menschen». Da sich jedoch die Strahlendosis bei den Atomarbeitern zwangsläufig von Jahr zu Jahr erhöht und oft – uneingestanden – über der Grenze des Zulässigen liegt, muß ständig nach «frischem Blut» gesucht werden. In der Bundesrepublik wurden in einigen Fällen sogar Insassen eines Obdachlosenheims zu strahlenbelastenden Arbeiten herangezogen. In den USA holte man mehrfach arbeitslose Farbige sogar direkt von der Straße weg.

Aber auch diese Reserve an «Strahlenfutter» wird – wie Projektionen bis ins Jahr 2010 zeigen – bei der verhältnismäßig kurzen Zeit, die jeder einzelne in hochradioaktiver Umgebung arbeiten kann, in einer Epoche der bis dahin vielleicht tausendfach vermehrten Atominstallationen immer knapper. Wird es eines Tages Zwangsverpflichtungen für alle erwachsenen Bürger geben, «damit die Lichter nicht ausgehen»?

Wird man – daran soll bereits gearbeitet werden – Drogen herstellen können, die die Strahlenresistenz der menschlichen Zellen erhöhen? Oder gelingt es den Betreibern, wie sie bereits verschiedentlich öffentlich angekündigt haben, die international vereinbarten Grenzwerte für die Bestrahlung der in der Kernkraftindustrie Beschäftigten – die heute bereits ein Zehnfaches der für alle anderen Bürger zulässigen Dosis betragen – in ihrem Sinne zu verändern, so daß dann der einzelne Monteur im Reaktor oder der Mischer in der «heißen» Plutoniumzelle 30 bis 100 Prozent mehr Strahlung als heute «vertragen» muß? Oder sollte man gar – auch dieses wird zumindest schon debattiert – mit Hilfe der Gen-Forschung einen Menschenschlag züchten können, der mehr Strahlung aushält als der heutige in dieser Hinsicht noch nicht «verbesserte» Mensch?

Und wird man der Versuchung widerstehen, in den Laboratorien der Pharmaindustrie bereits entwickelte Medikamente, welche die

Sinne schärfen, Stimmungen verändern oder belastende Erlebnisse (zum Beispiel Unfälle) vergessen lassen, in Arbeitssituationen, wie die Atomindustrie sie mit sich bringt, zu verwenden?

All das hört sich zur Zeit noch recht abenteuerlich an. Man könnte über solche Möglichkeiten schweigend hinweggehen, wären nicht in Laboratorien und Entwicklungsabteilungen neben der Mehrzahl honoriger Fachleute immer mehr Menschen ohne Gewissen am Werk. In einer Zeit, da angesehene Neurobiologen, Verhaltensforscher und Biochemiker Millionenbeträge vom amerikanischen Geheimdienst angenommen haben, um menschliche Gehirne so verfügbar zu machen, daß sie zu verbrecherischen Handlungen oder selbstschädigendem Verhalten getrieben werden können, sollte man Spekulationen fanatischer Förderer der Atomzukunft auf einen für ihre Zwecke brauchbaren «homo atomicus» nicht einfach als Unsinn oder Verleumdung abtun. Das sind erschreckende Perspektiven, die nur dann nicht Wirklichkeit werden, wenn die Öffentlichkeit rechtzeitig genug um sie weiß und sich gegen sie wehrt.

5

Eben dieser «Faktor Öffentlichkeit» beunruhigt die *nuclear community* in zunehmendem Maß. Deshalb geht sie nun daran, dieses mögliche Hindernis genau zu erkunden, um es dann besser neutralisieren zu können. Der Schutz der Atomanlagen vor den Bürgern ist den Atombetreibern mindestens so wichtig wie der Schutz der Bürger vor den Atomanlagen. Im Bemühen, den «zuverlässigen homo atomicus» nicht nur für die Betriebe heranzuziehen, sondern darüber hinaus Millionen Bürger zur «Akzeptanz» der Kernenergie zu veranlassen, werden nicht nur alle konventionellen Techniken der Motivforschung und der Werbung eingesetzt, sondern man gibt auch neue tieferschürfende sozialpsychologische Studien in Auftrag. Auf diesem Wege soll herausgefunden werden, weshalb ein erheblicher Teil der Bevölkerung sich bisher so wenig von den mit Millionen Dollars, Pfunden, Francs, Deutsche Mark, Franken, Gulden, Kronen und Lira finanzierten Reklamekampagnen der Industrie und des Staates beeindrucken ließ. Gibt es vielleicht Taktiken und Strategien, die tiefer greifen und langfristig mehr Erfolg versprechen als der übliche Propagandaaufwand?

So wichtig erscheint den Befürwortern diese Aufgabe, daß bei der «Internationalen Atomkonferenz» von 1977 drei große Veranstaltungen dem Thema «Kernkraft und öffentliche Meinung» gewidmet wurden. Doch gab man sich schon bei der Organisation dieser Sitzungen eine Blöße, die einmal mehr zeigte, wie die Öffentlichkeit in diesen Schicksalsfragen entmündigt wird. Denn zu den beiden wichtigsten, im größten, aber halbleeren Saal des Salzburger Kongreßzentrums stattfindenden Sitzungen war kein Publikum geladen. Nicht ein einziger «Mann von der Straße», nicht eine Hausfrau, nicht ein Schüler, nicht ein Student wurde in das von Polizisten mit Karabinern bewachte Gebäude eingelassen. Sogar die «Spezialisten für öffentliche Meinung», die Berichterstatter von Presse und Funk, durften nur zuhören, sich aber nicht äußern. Als ein Publizist sich meldete, um die meist völlig einseitig aus der Sicht der Atombefürworter vorgetragenen Berichte über die Kernkraft-Auseinandersetzung in verschiedenen Ländern zu korrigieren, wurde ihm schnell das Wort abgeschnitten. Stumm hielt er seinen Arm bis zum Sitzungsende weiter in die Höhe, um damit kundzutun, daß er zwar etwas zu sagen habe, aber – wie das Publikum – schweigen müsse, wenn die Atomexperten unwidersprochen über ein Thema reden wollen, von dem sie nur wenig verstehen.

Trotz aller Beschönigungen und Beteuerungen wurde aber deutlich, daß der Widerstand der Bürger gegen die Kernenergie, den man nach den Worten des Schweizer Sprechers Dr. Zanggen vor einigen Jahren «nur mit erstaunter Belustigung» betrachtet hatte, inzwischen zu einer der Hauptsorgen von Atombehörden und -industrie herangewachsen ist. Und das, obwohl man in allen Ländern, die ein nukleares Energieprogramm entwickeln, mit einem ungewöhnlichen Aufwand an Propaganda darangegangen ist, die lieben Mitbürger «aufzuklären». Allein die bundesdeutsche Reaktorfirma Kraftwerk-Union (KWU) hat – nach Aussage ihres Vorstandsvorsitzenden Klaus Barthelt – «Hunderttausende Druckschriften» verteilt. «Wollte man ihre bedruckten Seiten dicht an dicht nebeneinanderlegen, ergäbe sich eine Länge von 1500 Kilometern – eine Strecke also, die der Entfernung zwischen Rom und Berlin entspricht!» verteidigte sich der Spitzenmanager im Februar 1977 in der Firmenzeitschrift *intern* gegen den Vorwurf: «Schweigt die KWU?»

Nein, sie schweigt gewiß nicht. Und ebenso wenig die Elektrizitätswirtschaft. Sie versucht, Lehrer, Ärzte, Ingenieure vor ihren Karren zu spannen. Besonders gern veranstaltet sie Wettbewerbe für Schüler: «Dann versucht mal, euch in die Zukunft zu versetzen . . . Was wird's da geben? Immer gutes Wetter durch künstliche Sonnen? Fußgängerstraßen mit Laufbändern? Vollautomatische Küchen? Das Auto mit Strom? Schularbeiten mit dem Video-Recorder?» Man kann nicht früh genug an seine künftigen Kunden denken!

Von Risiken und Gefahren keine Spur. Was man darüber hört, das sind – wie Herr Barthelt, Monsieur Boiteux, Mister Feldman schmerzlich bedauern – «Sensationsmeldungen». Sie entspringen der «völligen Uninformiertheit», die «wirren Emotionen» und «unbegründeten Ängsten» Raum gibt.

In keinem Land der Erde ist die breite Öffentlichkeit – bevor mit dem massiven Ausbau der Kernenergie begonnen wurde – rechtzeitig objektiv informiert und um ihre Stellungnahme gebeten worden. Entscheidungen, die für jeden Bürger bedeutsam waren, wurden damals im kleinen Kreis in Treffen von Politikern, Industriellen und ihren wissenschaftlichen Gutachtern ausgehandelt. Die Öffentlichkeit bekam – wenn überhaupt – nur die Sonnenseite der Probleme präsentiert.

Erst seit sich Kritik regt, soll Versäumtes nachgeholt werden. Allerdings ist die von «oben» gebotene Belehrung höchst einseitig. Die «Electricité de France» schickt ihre «Informationsteams» in die kleinsten Dörfer. Selbst über die privaten Telefone versuchen sie, die Bürger mit ihren Weisheiten zu beeinflussen. Angestellte der Atomindustrie sind verpflichtet, freundliche Mundpropaganda zu verbreiten. Das Bonner Ministerium für Forschung und Technologie startet einen landesweiten «Bürgerdialog», in dem die Untertanen die Herren Staatssekretäre, Professoren und gelegentlich sogar den Herrn Minister selber um ihre Meinung fragen dürfen. Die «American Nuclear Society» gibt bei den geschicktesten Werbeagenturen Fernsehspots in Auftrag und kauft Sendezeiten für Millionen Dollar.

In Japan, wo die Atomangst nach Hiroshima und Nagasaki am tiefsten sitzt, werden von der nationalen Atombehörde öffentliche Debatten zunächst angekündigt und dann wieder abgesetzt, weil man den Zorn der Bevölkerung fürchtet. Sie darf aber immerhin schriftlich Fragen stellen. Widerspenstige Gemeinden werden durch einen Sonderfonds für Sportanlagen, Krankenhäuser, neue Schulen bestochen. Auf den Philippinen ist es Pflicht der Bauern, Fischer und Jäger, sich die Filme anzusehen, die ihnen die dortige Atombehörde vorführt. Presse und Rundfunk müssen sich unter Androhung von Strafe voll und ganz für die Aufklärungsfeldzüge zur Verfügung stellen.

Eine eigene internationale Vereinigung von Informations- und Public Relations-Leuten der verschiedenen nationalen Atombehörden und Atomfirmen, die sich «Power for Good» nennt, dient dem Erfahrungsaustausch und der Verteilung von Werbegeldern. In ihrer ersten Erklärung, die gleichzeitig in dreihundert Sendungen und siebenhundert Zeitungen rund um die Welt erschien, warnte sie vor «der Gefahr für die Stabilität und den Frieden der Welt, wenn es zu einer chronischen Energieverknappung kommt». Aber es waren nur ganz wenige, die «hinhörten». Da mußte man sich schon etwas anderes einfallen lassen.

6

In der Tat sieht es so aus, als würden in Zukunft einschneidendere Vorgehensweisen ausprobiert, um den Widerstand gegen die Kernenergie zu unterlaufen – Strategien, von denen man sich langfristig mehr Erfolg verspricht. Die Grundlagen der neuen Methode werden in sozialpsychologischen Studien entwickelt, mit deren Hilfe man die Haltung der Bürger genauer erkunden und für verbreitete «Akzeptanz» der Kernenergie sorgen will. In einem Punkt besteht völlige Einigkeit zwischen den «Seeleningenieuren», die in Wien, Laxenburg, Paris, Tokio, Philadelphia im Auftrag internationaler und nationaler Behörden arbeiten: Sie sind überzeugt davon, daß man die Motive und tieferen Ursachen für den wachsenden Widerstand der Öffentlichkeit bisher zu oberflächlich beurteilt hat.

Einblick in die Werkstatt dieser heimlichen Verführer gibt ein Projektvorschlag, der vom staatlich geförderten Institut für Konfliktforschung beim österreichischen Bundesministerium für Wissenschaft und Forschung eingereicht wurde. Diese Untersuchung sollte geheim durchgeführt und nur in «fünfzehn Gleichstücken an den Auftraggeber» verteilt werden. Sie wurde zumindest offiziell abgeblasen, weil ein Exemplar der Vorstudie «in unberufene Hände» gekommen war.

In diesem Projektvorschlag sprechen die Verfasser für den kleinen Kreis der Auguren offen aus, was andere Psychostudien – zumindest in ihren allgemein zugänglichen Veröffentlichungen – nicht so deutlich sagen können. Vorgeschlagen wird ein «Angst-Katalog», der durch «Befragung von ausgewählten Zielgruppen» – sowohl Befürwortern wie Gegnern von Kernkraftwerken – zu verifizieren und vertiefen wäre. Dadurch glaubt man «Hinweise auf Möglichkeiten der wirksamen Beeinflussung dieser Meinungen unter Berücksichtigung der im Angst-Katalog angedeuteten tieferliegenden, meist unbewußten Befürchtungen und Angststrukturen» zu erhalten.

Obwohl der Entwurf die Ängste beider Seiten anführt und sich somit den Anschein von Objektivität gibt, nimmt er schon in der Beschreibung dieser Befürchtungen ganz einseitig Partei. Die Ängste der Befürworter (zum Beispiel «Angst vor Zurückbleiben», «Angst vor Kleinmut», «Angst vor Irrationalität», «Angst vor mangelnder gesellschaftlicher Verantwortung» usw.) werden durch die Wahl der Worte als vernünftig suggeriert, die Befürchtungen der Gegner aber (zum Beispiel «Zauberlehrlingsangst», «Angst vor Unnatur», «Angst vor eigenen Destruktionstendenzen», «Höllenangst», «Angst vor dem Unbekannten» usw.) als unvernünftig und übertrieben gekennzeichnet. Es wird in diesem Zusammenhang die Vermutung ausgesprochen, sie stammten aus «magischer Berührungsangst» und seien von «Schuldphantasien» ausgelöst.

Die österreichische Regierung, die parallel dazu eine von ihr selbst als «offene, demokratische Information und Aussprachemöglichkeit» gekennzeichnete Kampagne veranstaltete, sollte durch eine solche gesellschaftspsychologische Studie ermutigt werden, «Entscheidungen von weiterreichender Konsequenz trotz ihrer evidenten Unpopularität» zu treffen, «weil die antizipierten Konsequenzen einer Entscheidungsverschiebung oder eines Ausweichens vor der Verantwortung noch ärgere Konsequenzen und Gefahren wahrscheinlich mache».

Ausdrücklich gewarnt werden Wissenschaftsministerin Herta Firnberg und Bundeskanzler Bruno Kreisky von den Autoren des Projektvorschlags: «Der mangelnde Konsensus weiter Bevölkerungskreise, ja selbst ein unter der Oberfläche schwelendes Unbehagen kann zu unvorhergesehenen Explosionen oder zu gefährlichen Verschiebungen (Konfliktauftauchen an anderer Stelle) führen.» Daher sei es für den Staat «notwendig und strategisch wichtig», gezielte Hinweise auf bestmögliche «vernünftige Entscheidungen» und auf «realistische Anpassung an das Notwendige zu finden».

7

Beate von Devivere, Leiterin des Forschungsprojekts «Einstellungen und Verhalten der Bevölkerung gegenüber verschiedenen Energiegewinnungsarten», das im Juli 1975, auf dem Höhepunkt der Auseinandersetzungen um das Kernkraftwerk Wyhl, vom Bonner Innenministerium an das Battelle-Institut vergeben wurde, legte im Frühjahr 1977 ihre Arbeit nieder, weil sie zu der Erkenntnis gekommen war, die Studie sei gegen die Interessen der Bevölkerung gerichtet. In einer öffentlichen Erklärung begründete sie ihren Schritt vor allem damit, es sollten «durch dieses Projekt Ansätze zur Spaltung und Zersetzung der Bewegung herausgefunden werden, indem Widersprüche zwischen Arbeitern und Bauern, Hausfrauen und Rentnern, jung und alt erforscht werden».

Ich fragte die attraktive junge Sozialwissenschaftlerin, wie sie zu dieser Entscheidung gekommen sei. Sie erzählte, es sei die zynische Offenheit gewesen, mit der die Auftraggeber des Forschungsministeriums im Kreis der von ihnen bezahlten Experten ihre eigentlichen Absichten kundgetan hätten, die sie zum Nachdenken brachte. «Es gehörte gar kein besonderer Mut dazu, dann gegen diesen als ‹Bürgerdialog› getarnten Verführungsversuch offen zu protestieren», behauptete sie. «Wer endlich klarsieht, muß auch entsprechend handeln. Ich konnte gar nicht anders.» Frau von Divivere ist wegen ihrer Zivilcourage von der Leitung des Battelle-Instituts dann sofort entlassen worden.

In der Tat ist das Bemühen, die verschiedenen Grade der «Akzeptanz» von Kernkraftwerken bei der Bevölkerung zu erkunden, um darauf dann eine gezieltere Taktik der Beeinflussung aufzubauen, wesentliches Motiv sowohl dieser Battelle-Studie, wie ähnlicher sozialpsychologischer Untersuchungen, die Regierungen und Konzerne aller Kernenergie-Länder laufend durchführen lassen. Aus diesen Arbeiten – soweit zugänglich – lassen sich Tendenzen erkennen, die über die taktische Absicht des «Teilens und Herrschens» hinausgehend, ein noch viel umfassenderes Vorhaben ansteuern: die Beruhigung und Ablenkung eines beginnenden Massenwiderstands gegen die gesamte zivilisatorische und politische Entwicklung. Im Unbehagen an der Technik und speziell an der Kerntechnik hat diese Unruhe einen besonders heftigen Ausdruck gefunden.

Systemforscher erkennen sehr klar, daß «die Akzeptanzproblematik der Kernenergie eingebunden ist in die generelle, in Teilen der Bevölkerung vorhandene Unzufriedenheit mit den politischen Zielorientierungen, Entscheidungsinhalten und -abläufen». Das steht zum Beispiel in einem internen Arbeitsbericht des im Kernforschungszentrum Karlsruhe tätigen Teams, Coenen, Fredericks, Loeben. Sie warnen, daß «die Vorstellungen von Lebensqualität für einen erheblichen Teil der Bevölkerung mit der Vorstellung vom steigenden Bruttosozialprodukt nicht mehr konform gehen» und daß immer wieder «wirtschaftliche Interessen als Barriere für mögliche Lösungen gesehen werden».

Helga Nowotny (IIASA, Laxenburg) vermutet, «daß die Opposition gegen Kernkraft ihre Wurzeln in dem Widerstand gegen jene hat, die aus der zunehmenden wirtschaftlichen und politischen Konzentration Nutzen ziehen. Sie ist gerichtet gegen die Großindustrie, die mit dem Großstaat und der Großwissenschaft gemeinsame Sache macht. Es ist Widerstand derjenigen, die sich ohnmächtig und klein angesichts dieser Entwicklung fühlen.»

Henry J. Otway (Euratom, Ispra, früher Internationale Atomenergiebehörde, Wien) prophezeit, daß «die Kernkraft eine symbolische Rolle in der Diskussion über die Form und die Richtung einer technologisch bestimmten Zukunft spielen wird». Eine wirkliche Umkehr auf einem Weg, den er als so problematisch ansieht, kann oder will er aber nicht vorschlagen. Vielmehr versucht er immer wieder Kompromißmöglichkeiten zu ermitteln und Anknüpfungspunkte zu finden, wie man die Atomgegner schließlich doch dazu bringen könnte, sich mit dem Risiko der Kernenergie abzufinden. So läßt sich aus seinen Arbeiten der Schluß ableiten, daß die Befürworter der Kernenergie vermutlich erfolgreicher wären, wenn sie es endlich aufgäben, die Gefahren der Kernkraftentwicklung zu beschönigen. Sie sollten vielmehr versuchen, die Bevölkerung zu überreden, daß sie das erhebliche Risiko nunmehr bewußt und willentlich übernimmt.

Otway hat nämlich herausgefunden, daß Menschen viel eher bereit sind, ein Wagnis auf sich zu nehmen, in das sie selbst eingewilligt haben, als eines, das ihnen ohne eigene Entscheidung auferlegt wurde. Zu dieser notwendigen Zustimmung könnten die Gegner aber nur dann bewegt werden, wenn ihnen zuvor an Hand zahlenmäßig präziser Risikoberechnungen überzeugend klarzumachen sei, daß die Vorteile der Kernenergie letztlich alle Gefahren überwögen. Eine «geordnete Auflistung» aller verschiedenen Entscheidungsmöglichkeiten und ihrer vermutlichen Folgen könne das erleichtern. Auch eine Messung sozialer Werte und ihre Versöhnung mit Risikoberechnungen sei anzustreben.

Diese neue psychologische Strategie wurde im Mai 1977 von dem Vorsitzenden der bundesdeutschen kerntechnischen Gesellschaft bereits erprobt. Auf einer Tagung in Mannheim sagte er: «Nachdem es den Menschen bewußt geworden ist, daß es zivilisatorische Risiken gibt, müssen sie es nun auch lernen, ein vernünftiges Verhältnis zu den Risiken zu finden. Sie müssen erkennen, daß man Zivilisation, Wohlstand und auch Lebensqualität, was das Risiko betrifft, nicht zum Nulltarif (!) haben kann.»

Der «Fahrpreis», den die Menschen für diese «Reise» zahlen müssen, wird von Risikoforschern schon genau ausgerechnet. Sie beschäftigen sich mit spitzfindigen Kalkulationen, die ermitteln sollen, was eigentlich ein durchschnittliches Menschenleben in Dollar wert sei und wieviel solcher Leben man wohl für die Atomwirtschaft zu opfern bereit sein könnte. In diesem Zusammenhang wird auch bereits gefragt, ob die Ausgaben für Reaktorsicherung nicht eigentlich längst schon viel zu hoch seien. Würde es nicht billiger kommen, wenn die Industrie – mit staatlicher Hilfe natürlich –, statt Unsummen für teure Berstschutzkuppeln und andere kostspielige Absicherungen aufzuwenden, «angemessene» Entschädigungen an Strahlenkranke oder an die Hinterbliebenen von Unfalltoten zahlen würde? Denn den Wert des «homo atomicus» können seine «Fabrikanten» wohl nur nach dem Maßstab des Geldwertes beurteilen, dem einzigen, der für sie wirklich zählt.

So werden schließlich auch Otto Huber und Josef Ziegelmüller, die Opfer der Panne im Reaktor Gundremmingen, in den Ausgabeheften der Kernkraftindustrie nur noch als kleine Münze für die Fahrt zur Endstation Energieüberfluß verbucht.

Viertes Kapitel

Die Eingeschüchterten

1

Lew Kowarski gehört zu den Pionieren der Atomforschung. Als Mitarbeiter von Joliot-Curie, Halban und Perrin begründete er den Ruf der «französischen Schule». Während des Zweiten Weltkrieges war er in Kanada – wohin er mit seinen Mitarbeitern vor den Deutschen fliehen mußte – maßgeblich am Bau eines der ersten funktionierenden Reaktoren beteiligt. Er hält auch heute noch die Nutzung der Kernenergie, zumindest vorübergehend, für ein notwendiges Übel. Aber sein großer Sachverstand und sein Gewissen haben ihn dazu veranlaßt, sich gegen die «Schnellen Brüter» auszusprechen, deren Entwicklung ihm wegen ihrer erhöhten Gefährlichkeit und ihrer Abhängigkeit vom Bombenmaterial Plutonium unvertretbar scheint.

Ich habe diesen ungewöhnlichen Mann 1955 bei der ersten internationalen Konferenz für die friedliche Nutzung der Kernenergie «Atome für Frieden» kennengelernt und in den folgenden Jahren immer wieder getroffen, weil ich sein Wissen, seine Ehrlichkeit und seinen beißenden Humor schätzen lernte. Damals, vor fast einem Vierteljahrhundert, als ich ihn zum erstenmal über die Geschichte der Atombombe ausfragte, brummte er: «Ach, ich könnte Ihnen schon viel erzählen, aber wenn ich die ganze Wahrheit sagen sollte, müßten Sie mir vorher schon eine Million Dollar verschaffen. Denn das hätte doch zur Folge, daß ich dann nie mehr einen Job bekäme.»

Als ich Kowarski im Sommer 1977 in Gif-sur-Yvette, einer idyllischen, vor allem von Wissenschaftlern bewohnten Ortschaft südlich von Paris, besuchte, war dieser Bär von einem Mann nach der schweren Krankheit, die er kurz vorher durchgemacht hatte, zwar angeschlagen, aber immer noch kraftvoll und sprühend von Witz und ungewöhnlichen Informationen. Ich wünschte, er würde einmal seine Memoiren schreiben. Denn kaum jemand unter den Großen seines Metiers hat die Entwicklung der Atomforschung so bewußt und mit so viel Interesse am interessanten, ja pittoresken Detail erlebt – angefangen von den Jahren, als sie noch die Sache einiger weniger war, die damals glaubten, sich einer puren Wahrheitssuche hingeben zu können, bis hin zu den Tagen, da aus dem Spiel blutiger Ernst und schwere Verantwortung erwuchs. Unsere Unterhaltung war um diesen langen Weg gekreist, der von der Hoffnung auf eine hellere Zukunft schließlich in Dunkelheit und Zwiespalt geführt hatte, bis seine ehemalige Sekretärin, bei der Kowarski zu Gast war, mahnte, er müsse aufbrechen, um rechtzeitig zum Flugzeug zu kommen. «Ich hoffe, ich darf Sie bald wiedersehen», sagte ich zum Abschied. Und er – es war, als wolle er, schon zum Gehen bereit, einen Schlußpunkt unter unser Gespräch setzen – antwortete mit einem Satz, den ich nicht vergessen kann: «Nur wenn die mich bis dahin nicht umgebracht haben.»

«Was? Wer? Weshalb?»

Er ließ seinen schweren Körper noch einmal auf den Stuhl fallen, nahm ein Blatt, das auf dem Tisch lag, und begann mir, geduldig wie immer – und wie er das früher schon gelegentlich getan hatte – etwas vorzurechnen. Nur ging es jetzt nicht um Physik, sondern um die Kraft (bzw. die Ausgaben), die notwendig wären, um den «Widerstand Professor K.» zu beseitigen, da er wegen seines unbestreitbaren wissenschaftlichen Rufs ein ernsthaftes Hindernis im «Wirkungsfeld Schneller Brüter» darstelle. Fünfzehn Milliarden neue Francs habe das internationale Konsortium bisher schon für das gefährliche Monstrum «Surgenerateur» ausgegeben, da sei schätzungsweise ein Tausendstel dieser Summe, also etwa fünfzehn Millionen Francs, für die Bezahlung eines Killers wohl nicht zu hoch veranschlagt. Und damit ich seine Äußerung nicht etwa nur als typisches Beispiel für seinen noch schwärzer als sonst geratenen Humor hielte, fügte er schweratmend hinzu:

«Ils sont capables de tout!» («Die sind zu allem fähig!»)

2

Nun hätte ich diese seltsame Unterhaltung vielleicht trotzdem nicht so ganz ernst genommen, wäre nicht gerade an diesem Tag der Brief des deutschen Ingenieurs Ingo Focke aus Bremen angekommen, den ich zu Hause vorfand. Focke schilderte mir darin, wie man sein eigenes Auto und die Fahrzeuge einiger anderer qualifizierter Atomgegner heimlich beschädigt hatte, wohl in der Erwartung, die Sabotage würde zu spät bemerkt werden. In einem Fall war die Rechnung der Attentäter sogar aufgegangen: S., Leiter einer deutschen Volkshochschule, hatte eine Vortragsreihe veranstaltet, in der er sich kritisch mit dem Thema Kernenergie auseinandersetzte. Vergeblich hatten die Stadtväter, die sein Vorhaben mißbilligten, zunächst versucht, es mit Entschlossenheit zu unterbinden.

«Kurz darauf verunglückte S. auf der Autobahn tödlich», schrieb mir Focke. War das mit rechten Dingen zugegangen? Sind die Vermutungen, die sich an diesen Unfall knüpfen, wirklich nur «Auswuchs von Verfolgungswahn»? Der Schreiber berichtete im gleichen Brief, wie es dem Mathematiker Professor Gerhard Osius ergangen war, der im Oktober in einer öffentlichen Einvernahme über das Kernkraftwerk Würgassen durch seine Aussage die Befürworter und die Genehmigungsbehörden in große Verlegenheit gebracht hatte. Focke: «Als er abends mit seiner Frau zur Rückfahrt nach Bremen aufbrach, Pkw Simca 1100, mußte er auf einer engen Gasse wenden, mehrfach zurücksetzen, etwas unsanft über den Bordstein. Danach Lenkung völlig falsch wirkend, ausgestiegen: ein Vorderrad steht auf geradeaus, das andere quer. Spurstange und Lenkhebel Kugelbolzen hingen voneinander getrennt herab, ohne daß etwas gebrochen war. Ich kam hinzu und sah mir den Schaden genauer an. Die Vorderachse war ansonsten in gutem Zustand. An den Spurstangen war herumgedreht worden, daß das Gewinde des Lenkhebelbolzens nur ein oder zwei Windungen in der Spurstange saß und so bei der nächsten geringen Belastung . . . . elastisch herausschnappen konnte. Bei etwas höherer Geschwindigkeit wären die Folgen fatal gewesen . . .»

Focke, der aus der Familie des berühmten Flugzeugkonstrukteurs stammt, hatte sich ernsthaft für die Anti-Atombewegung zu engagieren begonnen, als ihn die Firma, bei der er als Sachverständiger beschäftigt war, zwingen wollte, defekte Rückschlagventile, die für die Reaktoren in Würgassen und Obrigheim bestimmt waren, durch seine Unterschrift als einwandfrei zu bestätigen. Er weigerte sich, die zum endgültigen Verkauf anstehenden Produkte freizugeben, da «firmenintern bekannt war, daß sie bereits nach geringer Betriebszeit festklemmen». Er schilderte mir auch, wie man ihn beschwichtigen wollte: «Wegen der Verantwortung brauchte ich mich nicht zu sorgen. Es sei doch alles versichert. Nach Einbau verbesserter Buchsen sollte ich erklären, jetzt seien die Ventile absolut sicher, obwohl keinerlei Erprobung vorlag. Noch einige Vorfälle dieser Art führten dann dazu, daß ich kündigte und bei Bürgerinitiativen mitmachte.»

Hängt es wohl mit seiner neuen Tätigkeit als fachkundiger «Gegenexperte» der Bürger zusammen, daß Focke auf der Rückfahrt von einer Kundgebung beim Kernkraftwerk Grohnde beide Rücklichter seines Wagens durchgebrannt fand? Dabei hatte er sie erst zwei Tage vorher kontrollieren lassen.

Seine Vermutungen schilderte er so:

«Der Wagen hatte weitab vom Gedränge gestanden. Außerdem waren wir erst angekommen, als eine eindeutig friedliche Situation herrschte. Der Wagen hatte dann unbeaufsichtigt bis in die Dämmerung dort gestanden. Immer wieder waren ungeschickt getarnte Spitzel etc. gerade dort, wo die Wagen standen. Ganz ohne Rückleuchten zu fahren, ist an sich noch kein sehr gefährlicher ‹sabotagelohnender› Zustand. Der Wagen war jedoch ein langsamer 2 CV, der unter diesen Bedingungen auf der Autobahn von schweren, schnell fahrenden Wagen zu spät erkannt und mit großer Wucht zertrümmert werden kann.»

3

Die zunehmende Kriminalisierung der Auseinandersetzung um die Atomenergie erscheint nur auf den ersten Blick unwahrscheinlich. Wer die Wirtschaftsgeschichte der USA, mit den Augen kritischer Historiker gesehen, kennt, der weiß, daß zumindest dort die Durchsetzung einer neuen Technik oft von einer Fülle offener und versteckter Verbrechen begleitet war. Weshalb sollte es bei der Kernkraft anders sein? Warum nimmt man an, daß die so korrekt auftretenden Betreiber dieser neuen, Gewinn und Macht versprechenden Industrie rücksichtsvoller gegen Opponenten vorgehen als im 19. Jahrhundert die *robber barons*, die «Raubritter des Industriezeitalters»? Auch sie ließen ihre schmutzige Wäsche von anderen waschen, auch sie wiesen jeden Verdacht einer Komplicenschaft als «unverschämte Verleumdung», «sensationslüsterne Stimmungsmache» oder «ungeheuerliche Hetze» zurück.

Mit einem Autounglück, dessen Bedeutung man zunächst einmal vertuschen wollte, begann auch der «Fall Karen Silkwood», der seither in den USA viel Staub aufgewirbelt hat und bis heute noch nicht einwandfrei geklärt werden konnte. Man fand die Leiche der achtundzwanzigjährigen Laborantin, die im zum Kerr-McGee-Konzern gehörenden «Cimarron-Plutoniumwerk» arbeitete, in der Dämmerung des 13. November 1974 neben dem Highway von Crescent nach Oklahoma City, unweit ihres umgestürzten japanischen Kleinwagens. Angeblich – so lautete später der offizielle Befund – war die Fahrerin am Steuer eingeschlafen, weil sie zuvor starke Beruhigungsmittel eingenommen hatte.

Der Verdacht, daß hier nicht alles mit rechten Dingen zugegangen sei, kam aber sehr schnell auf, als zwei Männer, die in der Nähe des Unfallortes auf sie gewartet hatten – der bekannte Reporter der *New York Times*, David Burnham, und Steven Wodka, Gewerkschaftssekretär der OCAW (Oil, Chemical and Atomic Workers) – feststellten, daß ein wichtiges Dossier, das sie ihnen bringen wollte, nach dem Unfall verschwunden war. Es enthielt, wie sie wußten, zahlreiche von der Laborantin zusammengestellte Belege über schwere Verstöße ihrer Arbeitgeber gegen die Sicherheitsbestimmungen.

Von 1970 bis 1974 waren allein in der einen Fabrik 87 Angestellte in 24 verschiedenen «Störfällen» mit Plutonium kontaminiert worden. Eine davon war Karen Silkwood selber. Im September 1974 war sie mit zwei anderen Mitgliedern ihrer Betriebsgruppe nach Washington gereist, um bei der Gewerkschaft Klage über gesundheitsgefährdende Arbeitsbedingungen im «Cimarron Plant» zu führen. Besondere Aufmerksamkeit hatte man dort ihrer Behauptung geschenkt, daß die Firma Kerr-McGee Kontrollberichte und begleitende Röntgenfotos gefälscht habe, in denen bei Brennstäben Defekte konstatiert worden waren.

Mit dem Auftrag, unzweifelhafte Beweise dieser Behauptung beizubringen, war Karen damals an die Arbeit zurückgegangen und hatte sich in mehreren Wochen die verlangten Unterlagen besorgt. Diese belastenden Dokumente waren nun nach dem Unfall nicht mehr aufzufinden, obwohl die Polizeistreife, die die Tote entdeckt hatte, sich an verstreut am Unfallort herumliegende Papiere erinnerte. Wer die von den Polizisten aufgesammelten Seiten gestohlen hat, ist trotz eindeutiger Verdachtsmomente nie aufgeklärt worden, und niemand hat sich auch für die Motive der fünf Besucher von Werksleitung und Atombehörde interessiert, sie waren nach dem Unfall in der Garage aufgetaucht, in die der Unfallwagen geschleppt worden war. Ebensowenig ging man den Entdeckungen eines von der Gewerkschaft beauftragten Unfallexperten nach. Er hatte am hinteren Teil des Unglückswagens frische Spuren gefunden, die nur durch den Aufprall eines anderen Wagens entstanden sein konnte. Vermutlich war der leichte «Honda» der Verunglückten absichtlich gerammt und aus der Fahrbahn geworfen worden. Daß man Böses gegen sie im Schilde führte, wußte Karen Silkwood schon vor ihrem Unfall. Denn sie war bereits einmal das Opfer eines anderen unerklärlichen «Unfalls» geworden.

Am Dienstag, dem 5. November, etwa eine Woche vor ihrem Tod, hatte man bei der üblichen abendlichen Strahlenkontrolle am Werksausgang festgestellt, daß ihr Overall mit Plutonium kontaminiert sei. Daraufhin wurde sie mehrmals durch das Fegefeuer der «Entkontamination» gejagt: am Dienstag, am Mittwoch, am Donnerstag. Immer wieder fand man bei ihr überhöhte Spuren von radioaktiven Elementen. Es folgten mehrmals Blutabnahmen, Speichelproben, Urinanalysen, Stuhltests und Ganzkörperwaschungen mit scharfen Chemikalien, die die Haut so schmerzlich aufrauhten, daß die Patientin kaum noch Schlaf fand. Dazu kam die Angst vor den möglichen Folgen der Vergiftung. Denn Karen hatte kurz zuvor in einem Vortrag des bekannten Strahlenexperten Dean Abrahamson gehört, daß Plutonium – wenn man es einatme – 20000mal toxischer sei als Kobragift.

Da die Quelle der Kontamination im Betrieb angeblich nicht zu finden war, wurde nun ein ganzer Untersuchungstrupp in die Wohnung geschickt, die Karen mit einer Kollegin teilte. In der Küche stellten die weiß vermummten Strahlenschutzleute sofort besonders starke Strahlung fest. Im Eiskasten fanden sie ein paar Scheiben Bologneser Wurst, die angeblich besonders intensiv mit Plutonium verseucht waren. Während diese Durchsuchung noch im Gange war, wurde Karen Silkwood in einem unweit von ihrem Haus geparkten Auto von zwei Anwälten der Firma unter Druck gesetzt. Sie wollten sie zu dem unwahrscheinlichen Geständnis zwingen, sie habe sich und ihre Wohnung absichtlich kontaminiert, um auf diese Weise ihre «Kampagne» gegen die Firma zu dramatisieren. Weil sie die Bedränger endlich loswerden wollte, unterschrieb das verwirrte Mädchen schließlich ein Blatt Papier, das man ihr hinhielt, und stürzte erregt in ihre Wohnung.

Dort fand sie nur noch die leeren Wände. Jedes einzelne Stück war als kontaminiert weggeschafft worden: ihre Kleider, ihre Wäsche, ihre Kosmetika, die Schränke, die Vorhänge, das Bett, die Kücheneinrichtung. Sogar die Klimaanlage, die Lampen, die Wandverkleidungen und die Lichtleitungen hatte man rausgerissen und als Atommüll abtransportiert. Ihr Freund und Kollege Drew Stephens erinnert sich, wie Karen zusammenbrach: «Sie begann zu schluchzen und am ganzen Leib zu zittern. Sie war sicher, daß sie langsam an Plutoniumvergiftung sterben müsse.»

Umgekommen ist sie dann aber auf schnellere und viel gewöhnlichere Art.*

* Am 18. Mai 1979 erhielten die Eltern von Karin Silkwood nach einem jahrelangen Rechtsstreit von einem Gericht in Oklahoma City 10,5 Millionen Dollar Schadenersatz und Schmerzengeld zugesprochen. Die Plutoniumfabrik in Cimarron wurde von der Gesundheitspolizei geschlossen: ein Sieg des Rechtsstaates gegen den beginnenden «Atomstaat», der die Untersuchungen von Amts wegen zu behindern versucht hatte.

«Karen war eine außerordentliche Person. Sie ließ sich von der Firma nicht einschüchtern. Sie sagte, was sie dachte, denn sie war sehr mutig. Und – heute wissen wir es – man hat sie nicht genug unterstützt. Aber sie war bereit weiterzumachen, als andere es mit der Angst zu tun bekamen.»

Dieser Nachruf, den ein Spitzenfunktionär der Atomarbeiter-Gewerkschaft seiner Kollegin widmete, beschreibt das Betriebsklima der Furcht in dem «Cimarron-Werk» nur zu genau. Nach Karens Tod mußten alle bei der Plutoniumherstellung Beschäftigten sich Überprüfungen mit dem Lügendetektor gefallen lassen. Dabei hatten sie auf Fragen wie diese zu antworten:

«Sind Sie Gewerkschaftsmitglied?»

«Haben Sie jemals ausführlicher mit Karen Silkwood gesprochen?»

«Rauchen Sie Marihuana oder nehmen Sie andere Narkotika ein?»

«Haben Sie Leute von der Zeitung oder dem Fernsehen getroffen?»

Wer den Test verweigerte oder ihn nicht bestand, wurde entlassen oder im Betrieb strafversetzt. Diese Einschüchterungspraktiken sind später auf Grund einer Klage vor dem «National Labor Relations Board» entschieden verurteilt worden. Aber selbst dann bekam nur einer von denen, die man hinausgeworfen hatte, eine Entschädigung.

Der «Fall Silkwood» ist nur ein besonders tragisches Beispiel für das Arbeitsklima, das in manchen Betrieben, Forschungslaboratorien und Behörden herrscht, die mit Kernkraftindustrie zu tun haben. Viele wissen dort Bescheid über Unregelmäßigkeiten, bedenkliche Fehler und leichtsinnige Vorhaben, aber nur wenige wagen es, offen darüber zu sprechen. Denn das könnte für sie nicht nur Entlassung und Verlust von Versorgungsanspruch, sondern auch Ächtung und den beruflichen Tod nach sich ziehen.

Glücklicherweise gibt es aber hier wie überall Ausnahmen. Einer, der es wagte, die Wahrheit zu sagen, ist der amerikanische Reaktoringenieur Robert D. Pollard, den ich auf der internationalen «Konferenz für eine nicht-nukleare Zukunft» kennenlernte. Er hat mir ausführlich geschildert, wie viele Monate er mit dem Entschluß rang, ob er mit seiner Kritik an der «Nuclear Regulatory Commission» (der Nachfolgebehörde der amerikanischen Atomenergiekommission), für die er sechs Jahre lang in leitender Stellung tätig war, an die Öffentlichkeit treten sollte oder nicht.

Unser Gespräch in einem Salzburger Altstadtgarten begann ganz harmlos mit einer Unterhaltung über Rosen. Davon verstehe er etwas, sagte der etwa vierzigjährige Ingenieur mit seinem breiten amerikanischen Akzent. «Ich habe mich auf das Züchten von Blumen gestürzt, um zu vergessen, was bei den Reaktoren alles nicht klappte», sagte er. «Das war nur eines der vielen Hobbies, mit denen ich mich damals ablenken wollte. Nur, das half eben doch alles nichts. Ich mußte einfach immer wieder daran denken, was wohl passieren würde, wenn eine der Installationen, die wir auf Drängen der Herstellerfirma viel zu leichtfertig zum Betrieb zugelassen haben, ‹wild werden› würde. Zum Beispiel ‹Indian Point II›, das liegt ja nahe bei New York. Natürlich habe ich zuerst einmal mit den Kollegen über meine Sorgen gesprochen und auch versucht, meine Vorgesetzten zu warnen. Aber die haben mir sofort zu verstehen gegeben, es sei doch unklug, sich mit solchen Sorgen zu belasten. Ich sollte mir und meiner Karriere nicht unnötig Steine in den Weg legen. Danach versuchte ich, mit meiner Frau über all das zu reden. Und mit meinem Vater. Die haben mich zuerst überhaupt nicht verstanden. Als ich dann aber immer unruhiger wurde und nicht mehr schlafen konnte, hat meine Frau schließlich nachgegeben: ‹Na ja, wenn du nicht anders kannst.› Da habe ich mich umgeschaut und bin auf die ‹Union of Concerned Scientists› gestoßen, von denen ich schon gehört hatte. Die vermittelte mich dann an Mike Wallace und seine Fernsehsendung ‹60 Minuten›. Da habe ich im Februar 1976 vor Millionen endlich sagen dürfen, was die paar Verantwortlichen nicht hatten hören wollen.»

«Und danach?»

«Die übliche Verleumdungskampagne. Ich hätte mich gar nicht richtig bemüht, meine Beschwerden an der zuständigen Stelle vorzubringen, hieß es. Publizitätssucht haben sie mir vorgeworfen. Und ganz richtig im Kopf sei ich angeblich auch nicht. Sehe ich so aus?»

Nein, er sieht aus wie die Verkörperung des durchschnittlichen Amerikaners, dieser Robert Pollard. Nicht einmal einen Bart trägt er, und auch keine langen Haare. Ein freundlicher, offener, eckiger und oft entwaffnend naiver Ingenieurstyp ist er, der immer noch nicht ganz begreifen kann, «daß kompetente Kollegen so gemein lügen können».

Pollard reist nun durch die ganze Welt, um überall, wo es geht, den Kritikern der Atomentwicklung als «Gegenexperte» zu helfen. Seine Ehrlichkeit hat auf die Richter in Wyhl großen Eindruck gemacht, vor denen er auf der Seite der Kläger gegen das geplante Kernkraftwerk aussagte. Dieser ruhige, sachliche Gutachter soll das Urteil, das zum Baustopp führte, wesentlich beeinflußt haben.

«Wenn wir nur mehr solche Fachleute auf unserer Seite hätten», meinte der Freiburger Anwalt Siegfrid de Witt, der mit seinem Partner Rainer Beeretz den «Fall Wyhl» so erfolgreich durchgefochten hat und seither die Einspruchverfahren mehrerer Bürgerinitiativen juristisch betreut. «Die Schwierigkeit ist, daß die andere Seite ja zahlreiche beamtete, gutbezahlte und bekannte Experten in ihren Diensten hat, die sie vorschicken kann. Die qualifizierten Wissenschaftler, die es riskieren können, sich kritisch zur Kernkraft zu äußern, sind an den Fingern einer Hand abzuzählen.»

Mit uns am Tisch saß bei dieser Unterhaltung, die in Hamburg stattfand, ein junger Hydrobiologe. Er hatte kurz zuvor in einem Verfahren, bei dem die Belastung der Gewässer durch die Abwärme und Radioaktivität eines geplanten Kernkraftwerkes zur Debatte stand, seine fachlich begründeten Bedenken vorgebracht. Als Experte der Betreiber war aber sein Chef aufgetreten, eine Leuchte der Wissenschaft, Lehrstuhlinhaber und Institutsvorstand. Trotzdem fand der junge Assistent bei dem «Verhör» mehr Glauben. «Das verzeiht mir der Chef aber nie», sagte er zu mir. «Jetzt werde ich wohl ganz umsatteln müssen. Denn unser Berufsfeld ist eng. Da kennt jeder jeden und die lassen mich bestimmt nie mehr ran.»

5

Es sind solche Begegnungen, die mich dazu veranlaßt haben, in meiner Einleitungsrede auf der «Internationalen Konferenz für eine nicht-nukleare Zukunft» (Mai 1977) einen Hilfsfonds für dissidente Forscher vorzuschlagen, der ihnen geistige und materielle Hilfe bieten könnte. Zu wissen, daß ein Rausschmiß wegen Verstoßes gegen die Vertuschungsregel nicht zwangsläufig soziale Ungnade und vielleicht sogar Not bedeutet, würde vielleicht vielen das Rückgrat stärken, die oft nur deshalb noch mitmachen, «weil schließlich die Familie ernährt werden muß». Pollard bestätigte mir, daß das Wissen um eine solche solidarische Unterstützung viel dazu beitragen könnte, denen Mut zu machen, die es bis heute höchstens hintenherum wagen, etwas über die Nachlässigkeit und Regelverstöße in ihren Behörden und Betrieben nach außen weiterzugeben. Nach seinem Aussteigen hätten ihn, so sagte Pollard, eine ganze Reihe seiner Kollegen wissen lassen, sie teilten seine Besorgnisse. Er möge aber doch bitte verstehen, daß sie ihn nicht öffentlich unterstützen könnten. Einer dieser Verunsicherten folgte dennoch Pollards Beispiel und erklärte ebenfalls seinen Rücktritt aus der Atom-Aufsichtsbehörde. Sein Brief, der an den Vorsitzenden der «National Regulatory Company (NRC)», Marcus Rowden, gerichtet war, ist es wert, in vollem Wortlaut zitiert zu werden, weil er beispielhaft zeigt, wie die ungeschriebenen Gebote des Verschweigens und der Verschleierung im Dienste der Atomindustrie das ohnehin erhebliche Risiko für die Bevölkerung noch zusätzlich vergrößern.

An Marcus Rowden, USNRC 20. Oktober 1976

Sehr geehrter Herr Rowden,

als Sicherheitsanalytiker der Nuclear Regulatory Commission sind meine Anstrengungen, die Behörde zu veranlassen, sich mit dringenden nuklearen Sicherheitsproblemen zu beschäftigen, wiederholt zunichte gemacht worden. Daher habe ich mich entschlossen, mich von der NRC zu trennen. Dieser Entschluß tritt am Freitag in Kraft. Ich möchte meine diesem Entschluß zugrunde liegenden Sorgen hier darlegen: In Übereinstimmung mit einer beträchtlichen Anzahl von Kollegen der technischen Belegschaft von NRC bin ich der Auffassung, daß NRC das Vertrauen, das ihm von der Öffentlichkeit entgegengebracht wird, verletzt. Diese Behörde ist dazu da, die öffentlichen Interessen in bezug auf Kernkraft zu schützen. Unsere Aufgabe ist es, objektive, unabhängige Sicherheitsüberprüfungen vorzunehmen, um potentielle nukleare Sicherheitsprobleme zu erkennen. Wir sollten darauf achten, daß diese Angelegenheiten überzeugend geklärt sind, bevor Nuklearanlagen in Betrieb genommen werden, damit unsere Bürger nicht unter den schmerzlichen Folgen nuklearer Strahlenunfälle leiden müssen. Und doch hat NRC immer und immer wieder nukleare Sicherheitsprobleme von weitreichender Bedeutung verdeckt und beiseite geschoben. Wir lassen zu, daß Dutzende von großen Nuklearanlagen trotz unzulänglicher Sicherheitsvorkehrungen und der Gefahr schwerer Unfälle in bevölkerten Gegenden arbeiten. Wir erstellen Sicherheits-Expertisen, die sorgfältig zensiert werden, um größte Sicherheitsprobleme zu verbergen. Wir enthalten der Öffentlichkeit Analysen des technischen Büros der NRC vor, die eine Vielzahl unerfreulicher nuklearer Sicherheitsprobleme aufdecken. Wir geben der Öffentlichkeit oberflächliche Versicherungen über die Sicherheit nuklearer Anlagen, von denen wir wissen, daß sie einer angemessenen technischen Grundlage entbehren. Das NRC-Management hat seine Integrität als Instanzüberwachung kompromittiert, indem es sich den Interessen der Industrie verpflichtete.

Bob Pollard, unser ehemaliger Kollege, hat sich dieses Jahr entschlossen zu kündigen und offen über den Stand der nuklearen Sicherheit sowie ihre Bestimmungen zu sprechen. Die offizielle Antwort der NRC auf Bobs Befürchtungen wird innerhalb des Hauses als Weißwäsche angesehen, weil dem Kongreß die Tatsache vorenthalten wurde, daß er die Ansichten einer recht großen Anzahl von Experten des technischen Sicherheitsdienstes der Firma vertrat. Ganz sicher teile ich seine Bedenken bezüglich ‹Indian Point II›, das zweifellos von jedem vernünftigen Sicherheitsbeamten geschlossen würde.

Und in der Tat habe ich das NRC-Management über Sicherheitsprobleme unterrichtet, die nicht nur eine sofortige Schließung von ‹Indian Point II› erfordern, sondern von allen zur Zeit arbeitenden kommerziellen PWR-Nuklearanlagen in den USA. Es erübrigt sich zu sagen, daß NRC – trotz der Bestätigung, daß diese Sicherheitsprobleme konkret existieren und zu unvorhergesehenen Unfällen führen können – den Anlagen erlaubt, weiterhin zu arbeiten.

Angestellte der NRC hüten sich seit Bobs Kündigung, offen zu sprechen, aus Angst vor Verfolgern, Repressalien oder vor dem Verlust ihres Arbeitsplatzes. Ich habe jetzt eine neue Position im Mittelwesten gefunden, außerhalb des kommerziellen Kernkraftprogramms, von wo aus ich frei sprechen kann. Ich beabsichtige auszusagen, nicht als ein Gegner der Kernkraft, sondern als ein Befürworter dieser nützlichen Energie, der sich wünscht, daß ernste Sicherheitsschäden sofort behoben werden.

Mit besten Grüßen
Ronald M. Fluegge
Reactor Engineer
Reactor Systems Branch

6

Dieser Brief erregte solches Aufsehen in der amerikanischen Öffentlichkeit, daß der Ruf nach einer parlamentarischen Untersuchung laut wurde. Da bekannt war, wie eng und unkritisch der eigentlich zuständige Ausschuß, das «Joint Committee of Atomic Energy», mit der Atomexekutive zusammenarbeitete, zog man es vor, eine weniger abhängige Instanz, das unter dem Vorsitz des Astronauten Blokkade arbeitende «Senate Government Operations Committee», mit dieser Angelegenheit zu betrauen.

Drei weitere Reaktoringenieure und ein Elektroingenieur wagten es bei diesen Mitte Dezember 1976 stattfindenden öffentlichen Anhörungen, die Behauptungen Pollards und Fluegges zu unterstützen. An konkreten Beispielen zeigten sie, wie die Großindustrie auf die Sicherheitsbehörde immer wieder mit Erfolg Druck ausübe. Sie habe dadurch zum Beispiel erreicht, daß ältere Kernkraftwerke nicht entsprechend dem letzten Stand der Erkenntnisse umgebaut werden müßten. Andererseits seien neue Anlagen oft ohne genaue Eignungsprüfung auf das bloße Versprechen hin freigegeben worden, dies später nachzuholen.

Hatte man erwartet, mindestens zwanzig «Dissidenten» würden diese Gelegenheit wahrnehmen, vor den Vertretern einer demokratischen Institution ihre Kritik öffentlich vorzubringen, so sah man sich getäuscht. Denn der Direktor der Abteilung für «Nuclear Reactor Regulation» (Kernkraftwerk-Kontrolle), Ben Rusche, nahm solchen Protesten schon vorher den Wind aus den Segeln, indem er alle Mitarbeiter ermunterte, ihre Bedenken doch erst einmal intern einem speziell dafür bestellten *investigator* namens Thomas McTiernan vorzutragen. Alle diese Einwände würden dann in einem besonderen Bericht Verwendung finden und soweit wie möglich dann auch in der Praxis berücksichtigt werden. Später stellte sich heraus, daß man auf diese Weise nicht so sehr die Schwachstellen in den Atomanlagen als die «Informationslecks» bei der Belegschaft hatte herausbekommen wollen. Der Überprüfer dieses so zustande gekommenen «McTiernan-Reports» legte demonstrativ seine Aufgabe nieder. Vermutlich, weil er einen solchen «schmutzigen Trick» nicht decken wollte.

Ich verdanke diese Informationen Peter Kovler, einem freien Mitarbeiter amerikanischer Zeitschriften, der auch im Stab eines demokratischen Kongreßmannes tätig ist. Er berichtete, daß alle, die eigentlich vorgehabt hatten, bei dem «Hearing» belastende Aussagen zu machen, «von ihren Vorgesetzten eingeschüchtert und unter Druck gesetzt worden seien». Man gab ihnen zu verstehen, daß sie, falls sie gegenüber der Öffentlichkeit nicht schwiegen, auf eine «schwarze Liste» kämen und in keiner Behörde und keinem Betrieb der Atomindustrie mehr Anstellung finden könnten. Für sie hieße das wahrscheinlich, daß sie überhaupt keinen Job mehr kriegen würden.

Einige dieser Eingeschüchterten teilten sich aber trotz der damit verbundenen Risiken Kovler mit. Sie taten das allerdings nur mit größten Vorsichtsmaßregeln: «Bei diesen Interviews wurde ich immer wieder gebeten, die völlige Anonymität des Sprechenden zu bewahren», erzählt der von ihnen ins Vertrauen Gezogene. «Ich sollte auf die technischen Probleme nicht zu genau eingehen, weil man sonst schon am Thema erkennen könnte, welche Fachleute mit mir gesprochen hätten.»

Bei diesen Unterhaltungen kam vor allem heraus, daß mehrere Ingenieure, die, wie es ihre Pflicht war, im Amt kritische, aber den Interessen der Industrie hinderliche Berichte verfaßten, von ihren Chefs an andere Stellen versetzt worden waren, wo sie mit den von ihnen aufgeworfenen Problemen künftig nichts mehr zu tun haben würden. Entweder wurde von da an diese Frage überhaupt nicht mehr weiter verfolgt oder einem Mann übergeben, der sich erst langsam einarbeiten mußte. Währenddessen saß sein sachverständiger, aber in Ungnade gefallener Kollege ein paar Türen weiter weg und drehte Daumen.

Typisch für die durch solche Methoden tief erschütterte Moral in der obersten für die Sicherheit der Atomindustrie verantwortlichen Behörde war der folgende, von Kovler zitierte Wutausbruch eines der zum Schweigen Verurteilten: «Vor Jahren bin ich hierhergekommen, um nützliche Arbeit zu leisten. Jetzt habe ich das Gefühl, daß dieser ganze Laden hier korrupt ist. Ich glaube, ich werde tun müssen, was Pollard und Fluegge getan haben. Sonst könnte ich mir selber nicht mehr ins Gesicht schauen. Ich will nicht, daß meine Kinder in einer Welt aufwachsen, die von skrupellosen Halunken regiert wird.»

Wie sehr haben mich diese Berichte, die ich aus Washington erhalten hatte, an meine eigenen Begegnungen mit Angestellten der deutschen Atomindustrie erinnert.

In einer Wohnung in der Immanuel-Kant-Straße in Bergisch-Gladbach traf ich eine Anzahl früherer Betriebskollegen des auf Grund falscher Verdächtigungen entlassenen Physikers Dr. Traube. Seit diesem ersten bekannt gewordenen Fall atomstaatlicher Überwachung haben sie begonnen, sich intensiver als früher mit den möglichen gesellschaftlichen Folgen ihrer Tätigkeit auseinanderzusetzen. Gastgeber war der fünfunddreißigjährige Maschinenbauingenieur Hans Walter Krause, der es als einziger von den 1800 Angestellten der Firma riskiert hatte, offen Zweifel am Kernkraftprogramm der Bundesrepublik und besonders am «Schnellen Brüter» zu äußern. Nur seine Stellung als Betriebsrat schützte ihn bisher vor Entlassung. Doch hat man sonst alles getan, ihn als «Betriebs-Schrat» zu diffamieren und eines Teils seiner Funktionen sowohl im Personalausschuß wie bei der innerbetrieblichen Weiterbildung zum Teil zu entheben. Der unmittelbare Anlaß für diesen Schritt war ein harmloser Kommentar des Herrn Krause zu einer Unterschriftenaktion, die nach den Demonstrationen in Brokdorf und Itzehoe von der Betriebsleitung intensiv betrieben worden war. Er hatte nämlich kritisiert, daß verschiedene Mitarbeiter des Betriebsrats direkt zu jedem einzelnen an den Arbeitsplatz gekommen waren, um ihm seine Unterschrift unter eine an die Regierung gerichtete Entschließung für die ungehinderte Fortführung des Atomprogramms abzuverlangen. Krause hatte daraufhin in einem Anschlag am Schwarzen Brett gefragt: «War man sich nicht im klaren, daß hier der erste Schritt in Richtung Gesinnungsschnüffelei getan wird, ein Schritt, den zu tun sich die Geschäftsleitung aus naheliegenden Gründen gescheut hat? Hat man nicht gesehen, daß durch Zwang zur auch für Vorgesetzte und Kollegen erkennbaren Entscheidung die, welche aus durchaus achtbaren Gründen nicht unterschreiben wollten, Nachteile hinnehmen müssen, bis hin zur Aufgabe, sich einen anderen Arbeitsplatz zu suchen?»

Daß solche Befürchtungen angesichts des in der Firma herrschenden «Betriebsklimas» nicht übertrieben sind, ging aus allem hervor, was ich in Krauses Wohnung von seinen Kollegen zu hören bekam. Wenn es bekannt würde, daß er die Wohnung des Außenseiters Krause besucht hätte, wäre allein das schon ein Grund, ihm später einmal einen Strick zu drehen, meinte einer in der Runde. Er sprach aus Erfahrung. Denn einige Tage zuvor war er zur Personalabteilung gerufen und ernsthaft ermahnt worden, nur weil er, ohne selber dort das Wort zu ergreifen, in der lokalen Volkshochschule einer Diskussionsveranstaltung über Atomfragen beigewohnt hatte, bei der auch kritische Stellungnahmen geäußert worden waren.

Ein anderer Mitarbeiter der gleichen Firma hatte auf einer öffentlichen Informationsveranstaltung der Behauptung des Referenten widersprochen, daß der nach den Berechnungen Rasmussens größte anzunehmende Unfall höchstens einmal in einer Million Jahren eintreten könne. Diese Annahme sage nämlich noch lange nichts Bestimmtes über den möglichen Zeitpunkt des katastrophalen Ereignisses aus, meinte er. Das könne ebensogut schon am nächsten Tag wie erst in hunderttausend Jahren oder noch mehr eintreten. Wegen dieser Bemerkung war er zur Unternehmensleitung zitiert und darauf aufmerksam gemacht worden, daß er mit einer solchen Äußerung dem Interesse der Firma geschadet habe. Wenn sich so etwas wiederhole, müsse er mit einer Schadenersatzklage rechnen.

Ausdrücklich wurde bei solchen und ähnlichen Gelegenheiten von der Firma geltend gemacht, durch die Betriebsordnung sei nun einmal das verfassungsmäßige Recht auf freie Meinungsäußerung zumindest teilweise außer Kraft gesetzt. Dort heiße es: «Jeder Mitarbeiter ist gehalten, bei mündlichen und schriftlichen Verlautbarungen fachlicher Art, soweit sie betriebliche Interessen berühren und für einen größeren Personenkreis bestimmt sind, die vorherige Zustimmung der Geschäftsführung einzuholen. Die Zustimmung wird erteilt, wenn solche Verlautbarungen dem Betriebsinteresse nicht widersprechen.» Diese ursprünglich nur zum Schutz von patentierten technischen Informationen erlassene Bestimmung wird aber inzwischen von diesem und wohl nicht nur diesem Unternehmen sehr viel weiter ausgelegt. Es genügt als Begründung für eine Maßregelung schon, man habe durch sein Verhalten – etwa durch kritische Äußerungen in aller Öffentlichkeit – die «Treuepflicht gegenüber der Firma» verletzt.

7

Solche Vorschriften werden natürlich nicht zufällig erlassen. In der Bundesrepublik sind hier ähnlich zwingende Motive im Spiel wie bei der amerikanischen Atomindustrie. Man ist gezwungen, eine Schweigepflicht durchzusetzen, um Schwächen und Fehlkalkulationen, die das Vertrauen in die Vorhaben des Unternehmens erschüttern könnten, gar nicht erst bekannt werden zu lassen. Auf dem Gebiet der Kerntechnik, die ja in den meisten Fällen nicht auf bereits lange Bewährtes zurückgreifen kann, sondern ihren Geldgebern gegenüber mit Annahmen, Hoffnungen und Wahrscheinlichkeiten operieren muß, gelten psychologische Regeln, wie man sie sonst nur von der Börsenspekulation kennt. Besonders «von innen» kommende, das heißt informierte Kritik ist unbedingt zu verhindern, weil sie besonders glaubhaft ist und bei den Geldgebern Zweifel auslösen könnte, Vertrauensverluste aber bedeuten unter Umständen Einbußen von vielen Millionen Dollar, Pfund, Deutsche Mark, Schweizer oder französischen Franken.

Das alles trifft besonders für den «Schnellen Brüter» zu. Seine Betreiber reagieren äußerst allergisch auf Kritik, obwohl oder gerade weil er von Anfang an «ein Problemkind» gewesen ist. Sein Hauptpromoter, Professor Häfele, damals Projektleiter am Kernforschungszentrum Karlsruhe, hatte noch 1969 auf einem «Brüter-Hearing» in Bonn verkündet, die Kosten des Prototypkraftwerks SNR 300 würden sich auf 500 Millionen DM belaufen. Knapp vier Jahre später mußte aber diese Schätzung bereits auf das Vierfache hinaufgesetzt werden, nämlich auf 2 Milliarden Mark, und seither spricht man nun sogar schon von 3,5 bis 4 Milliarden Mark. «Hier und jetzt» könne der Brüter gebaut werden, hatte Häfele im Januar 1969 verlauten lassen. Nach Aussage der Fachleute waren aber zu diesem Zeitpunkt noch mindestens achtundzwanzig technische Probleme zu lösen, die einem sicheren Funktionieren im Wege standen.

In der *Frankfurter Allgemeinen Zeitung* protestierte Kurt Rudzinski, es ginge doch nicht länger an, «in der Öffentlichkeit ganz beliebige Ad hoc-Phantasiezahlen und -pläne vorzulegen, um sie wenig später schon wieder durch neue zu ersetzen, die ebenso beliebig sind». Der äußerst versierte Wissenschaftsjournalist scheute sich auch nicht, für diesen «Karlsruher Irrationalismus» Professor Häfele namentlich mitverantwortlich zu machen. Dieser Experte habe «bisher noch keine einzige zutreffende Prognose über die Kosten, die Wirtschaftlichkeit oder die Terminplanung zum Brüterprojekt gestellt», sei «aber nach wie vor hochangesehener Berater des Forschungsministeriums».

Der so herb Angegriffene ging darauf nicht etwa mit sich selbst ins Gericht, sondern verlangte auf einer Sitzung des Karlsruher Institutsleitungsausschusses, es müsse jeder unnachsichtig aus dem Zentrum entfernt werden, der ein Projekt kritisiere. Denn er vermutete, daß die bekannte Zeitung ihre Informationen von beunruhigten Mitarbeitern des Kernforschungszentrums erhalten hatte.

Im Kernforschungszentrum Karlsruhe besteht seit den sechziger Jahren eine «Publikationsordnung», die festlegt, daß Veröffentlichungen, Vorträge oder Gutachten von Mitarbeitern nur dann gestattet werden, wenn zuvor ein Antragsformular in vier Exemplaren (Original weiß, erste Durchschrift gelb, zweite Durchschrift rot, dritte Durchschrift blau) eingereicht wird. Kommt das Formular mit drei «Sichtvermerken» versehen zurück, so bedeutet das für den Antragsteller grünes Licht. Nicht selten aber werden Einwände erhoben oder Publikationsverbote ausgesprochen, oder sogar dann, wenn es sich nur um Stellungnahmen handelt, die der wissenschaftlichen Linie der Geschäftsführung nicht entsprechen. Ich könnte Beispiele dafür nennen, aber ich wurde gebeten, es nicht zu tun, damit den Betroffenen «keine Ungelegenheiten entstehen». Solcher Selbstzensur habe ich mich bisher immer nur dann gebeugt, wenn ich Gesprächspartner in totalitären Ländern zu schützen hatte.*

* Da ich nicht bereit war (und bin) die Namen meiner Informanten preiszugeben, verstieg sich die Geschäftsführung von Karlsruhe, die gebe es gar nicht. Erst nachdem auch andere dieser «nichtexistierenden» Forscher im Vertrauen gesprochen hatten – ein Vorgang, der der Direktion nicht verborgen blieb – hörten diese Verleumdungen auf.

Weil sie davon ausgingen, daß die von der Bundesregierung verkündete Forderung nach «mehr Demokratie» gerade im Wissenschaftsbetrieb Gültigkeit haben sollte, machten einige hervorragende Mitarbeiter des Karlsruher Zentrums im Januar 1973 von ihren staatsbürgerlichen Rechten Gebrauch und wandten sich unter Umgehung des risikoreichen Dienstweges direkt an einen baden-württembergischen SPD-Abgeordneten. Über eine an französischen Forschungsinstituten zirkulierende Version dieses vertraulichen Schreibens sind uns Teile von dessen Inhalt bekannt geworden. Darin heißt es:

«Bei Befolgung dieser Publikationsordnung würde nichts mehr über Fehlleistungen und Fehlentwicklungen aus dem Zentrum nach außen dringen. Eine lebendige Wechselwirkung wissenschaftlichen Lebens im Zentrum mit der übrigen *scientific community* und der Außenwelt wäre völlig abgewürgt. Verbote von Vorträgen – wie in den Fällen Ritz und Jung – wären verstärkt an der Tagesordnung. Es würde auch bedeuten, daß der VWF (Verband wissenschaftlicher Facharbeiter) sowie die Gewerkschaften und der Betriebsrat keine kritischen Stellungnahmen und Proteste mehr an die Öffentlichkeit gelangen lassen dürfen. Zum Beispiel hält die Geschäftsführung eine Publikation der Kollegen Dr. Jansen und Dr. Stehfest bis jetzt zurück, in der die Umweltverträglichkeit gewisser in der Bundesrepublik bestehender Reaktorplanungen dargelegt wird.»

Ich habe den Ausdruck «Kasernenstil» im Zusammenhang mit einem Forschungszentrum zum erstenmal aus dem Munde in Karlsruhe tätiger Forscher gehört, die ich 1975 auf einer Jahrestagung der «Physikalischen Gesellschaft» in Nürnberg kennenlernte. Die Herren sprachen mich nach einem von mir geleiteten Podiumsgespräch zwischen Bonner Abgeordneten und Physikern an, in dessen Verlauf die Beziehungen zwischen Staat und Wissenschaft diskutiert worden waren. Sie wollten mir an Hand genauer Beispiele vorführen, welche Gefahren die *big science* mit ihren aufgeblasenen, bürokratischen Institutionen für die freie und kritische Forschung schon heraufbeschworen habe.

Ihre damaligen Andeutungen, daß im Kernforschungszentrum Karlsruhe eine Gruppe von Personen den Ton angebe, die einer früher in Deutschland vorherrschenden Geisteshaltung immer noch eng verbunden seien, habe ich später durch weitere Recherchen leider nur allzu bestätigt gefunden.

So erhielt ich in Grenoble am Forschungszentrum Max von Laue-Paul Langevon das Faksimile eines «Vermerks», den ein späterer Geschäftsführer des Zentrums Karlsruhe im Januar 1941 in seiner Eigenschaft als Mitglied der Pariser Militärregierung an den damaligen Polizeibeauftragten gerichtet hatte. Darin regte er an, Pariser Lokalbesitzer sollten ein Schild «Eintritt für Juden verboten» an ihren Türen anbringen. Eben dieser Herr hatte während seiner Tätigkeit in Karlsruhe die Anordnung gegeben – ich zitiere aus dem Schreiben seiner Kollegen –, «bei Ausländern möglichst Blonde aus Schweden und keine vom Balkan einzustellen». Gemeinsam mit Professor X läßt er einen weniger gefügigen Wissenschaftler von einem anderen bespitzeln und «ein Notizbuch über dessen Äußerungen führen . . .»

Wie der Nachwuchs in diesem Zentrum gelegentlich «erzogen» wurde, geht aus folgendem, mir anvertrautem Bericht hervor:

«Die Lehrlinge erhalten regelmäßig einen ausbildungsbegleitenden Unterricht durch Ing. Y., der von der Geschäftsführung bzw. der Personalabteilung dazu beauftragt ist. Dieser Ing. Y. habe kürzlich in seinem Unterricht eine SS-Rune an die Wand gemalt und habe gesagt, dieses Zeichen hätte er mal an seinem Rock getragen, und er hätte in dieser Uniform sehr zackig ausgesehen. Herr Y. fährt auch die Lehrlinge an mit: ‹Bleiben Sie mir drei Schritte vom Leib›, verbietet den Lehrlingen, sich während des Unterrichts anzulehnen und verlangt, daß sie mit steifem Rücken sitzen.»

8

Der dringende Appell der gegen befohlenes Schweigen und subalternes Verhalten ankämpfenden Karlsruher Wissenschaftler ging zumindest teilweise ins Leere. Denn auch heute noch bestehen an diesem und anderen deutschen Kernforschungseinrichtungen Zensurauflagen, die nicht allein durch technische Geheimhaltungsinteressen begründet sind, sondern prinzipiell kritische Stellungnahmen der «Insider» zu Atomfragen unterbinden sollen. Bei einer Pressekonferenz zum Problem der «Schnellen Brüter» am 19. Mai 1977, die im Anschluß an eine Expertendiskussion im Bonner Forschungsministerium stattfand, setzte sich daher SPD-Mitglied Professor Dieter von Ehrenstein dafür ein, daß zu der öffentlichen Debatte über die Zukunft der Atomentwicklung «vor allem auch solche Wissenschaftler hinzuzuziehen seien, die die bisherigen Entscheidungen auf diesem Gebiet kritisiert haben». Zusätzlich machte er dazu zwei Vorschläge: Erstens solle man «durch Bereitstellung einer materiellen Mindestausstattung» kritische Forschungsarbeit solcher Wissenschaftler ermöglichen. Zweitens, so führte er aus, dürften bei dieser wissenschaftlichen und öffentlichen Debatte «Angehörigen von staatlich finanzierten Forschungsinstituten nicht durch Publikationsanordnungen, die von vielen dieser Institute als Publikations*zensuren* – und ich sage überspitzt als *Maulkorb* – ausgelegt werden, eine offene Stellungnahme unmöglich gemacht werden».

Die Mitarbeiter des Kernforschungszentrums Karlsruhe stehen inzwischen sogar unter zweifacher Publikationszensur. Einmal ist das Zentrum durch einen Vertrag mit der Firma «Interatom» verbunden, die eine besonders scharfe und über die Geheimhaltung technischen Wissens hinausgehende Kontrolle der Meinung und des Verhaltens der ihr verbundenen Fachkräfte anstrebt. Zweitens haben nun außerdem seit Juli 1977 die für ihre strengen Informationskontrollen bekannten Instanzen der französischen Atomindustrie auch noch ein Wort mitzureden, das ihnen laut dem neuen Kooperationsvertrag mit den Deutschen zusteht. Sie haben das Recht, jede Publikation eines Institutsmitglieds vorher zu lesen und unter Umständen für Veröffentlichungen zu sperren.

9

Bei der Durchleuchtung dieser Vorgänge in Karlsruhe hat ein hervorragender französischer Physiker eine Schlüsselrolle gespielt, der bis vor kurzem im «Bureau des Mines» (Bergbau-Verwaltung), einem französischen Staatsinstitut, wichtige Forschungen über die Lagerung von Atommüll durchführte. Er war während seiner Anstellung in Karlsruhe denkbar schlecht behandelt worden. 1973 wurde entgegen den Versprechungen, die man ihm gemacht hatte, sein Vertrag durch die Geschäftsführung nicht verlängert.

Diesen Mann – er heißt Dr. Léon Grünbaum – habe ich in seiner Pariser Vorstadtwohnung aufgesucht, weil mir angedeutet worden war, daß er noch mehr und noch Grundsätzlicheres über die Vorgänge in Karlsruhe zu erzählen habe.

In der Tat: Dr. Grünbaum hat eine interessante These über die Entwicklungsgeschichte der Kernenergie in der Bundesrepublik aufgestellt und durch Nennung von Namen, Fakten und Ereignissen abgestützt. Seiner Ansicht nach ist es kein Zufall, daß Franz Josef Strauß, der bekanntlich Deutschlands erster Atomminister war und am 26. Januar 1955 die Gründungssitzung der deutschen Atomkommission persönlich leitete, zu diesem Aufgabenkreis so auffallend viele Persönlichkeiten heranzog, die bereits im Dritten Reich führende Positionen eingenommen hatten.

Eine These, die es verdient, gehört und debattiert zu werden, zu der ich aber zunächst den Einwand hatte: «Nun ja, man wird sagen – so hat es mir gegenüber einmal ein großindustrieller Mithelfer der braunen Massenmörder formuliert – das seien doch ‹gefrorene Posthorntöne›. Hat ihre Theorie dennoch für die heutige Situation noch eine Bedeutung?»

«Gewiß. Ich meine, es ist doch wohl kein Zufall, daß diese Männer sich gerade so sehr für die Atomindustrie interessiert haben. Sie müssen sich schon zu einem frühen Zeitpunkt gesagt haben, daß hier eine Schlüsselindustrie entsteht, die einmal alle anderen an Machtfülle und Einfluß überflügeln würde. Doch dann kommt vielleicht noch ein anderes Motiv dazu: der Wunsch der Deutschen, auch einmal Atombomben zu haben – oder zumindest die Verfügung über industrielle Kapazitäten, die eine Herstellung der ihnen verbotenen Waffengattung bei Bedarf ermöglichen.»

Ich habe auf diese Spekulationen zunächst einmal mit großer Skepsis reagiert, und ich weiß auch heute noch nicht, ob sie sich als haltbar erweisen. Aber es scheint mir besser, daß man diese nicht unbegründeten Vermutungen endlich offen ausspricht, als sie wie bisher nur gerüchteweise weiterzugeben. Immerhin hat Grünbaum für seine Behauptungen einige Anhaltspunkte: Da sind vor allem die engen Verbindungen zwischen dem Kernforschungszentrum Karlsruhe und mehreren totalitär regierten Staaten wie Argentinien, Südafrika und Brasilien zu nennen. Die 1969 in Karlsruhe und Jülich eingerichteten «Internationalen Büros» haben zum Beispiel einen wesentlichen Anteil daran gehabt, daß die wegen ihrer Rassenpolitik weltweit boykottierte Regierung von Pretoria das in Karlsruhe entwickelte Beckersche Trenndüsenverfahren zur Uran-Anreicherung geliefert erhielt. Und daß Brasilien neben Anreicherungsanlagen auch noch eine bei der Firma Hoechst und in Karlsruhe entwickelte Wiederaufarbeitungsanlage (nach dem von Leopold Küchler erfundenen Verfahren) bekommen soll.

Die amerikanische Regierung hat noch 1964 versucht, besonders die Entwicklung eines eigenen deutschen Wiederaufarbeitungsverfahrens zu verhindern. Denn sie befürchtete schon damals, daß durch den Bau und die weltweite Verbreitung von Aufarbeitungsanlagen das mit ihrer Hilfe herstellbare Bombenmaterial Plutonium einmal in falsche Hände geraten könnte. Bonn – beraten durch die früheren wirtschaftlichen Helfer Hitlers – hat aber durchgesetzt, daß es diese für die Herstellung von Plutoniumbomben unerläßliche Technologie weiter produzieren und exportieren könne. Mehr noch: durch die Erfindung eines indirekten technischen Kontrollsystems (instrumentierte Spalt- und Flußkontrolle), das in Karlsruhe entwickelt wurde, konnten die deutschen Unterhändler bei den Gesprächen über den Nichtweiterverbreitungsvertrag etwas für sie sehr Wichtiges erreichen: Die ursprünglichen Pläne, die im Rahmen einer internationalen Überwachung ein System direkter Kontrollen vorsahen und damit dem möglichen Mißbrauch von Plutonium vorbeugen wollten, kamen vor allem durch ihre Einwände zu Fall – eingestandenermaßen, weil sie in den deutschen Anlagen keine solche «Schnüffelei» haben wollten. Traf da nicht vielleicht zu, was Werner Heisenberg in seinen 1969 erschienenen Erinnerungen zu bedenken gegeben hatte: «. . . und ich machte mir Sorgen, ob das in Karlsruhe neu zu errichtende Zentrum für friedliche Atomtechnik sich auf die Dauer dem Zugriff derer würde entziehen können, die so große Mittel lieber für andere Zwecke verwenden wollten. Es beunruhigte mich, daß für die Menschen, die hier die wichtigsten Entscheidungen zu treffen hatten, die Grenzen zwischen friedlicher Atomtechnik und atomarer Waffentechnik ebenso fließend waren wie die zwischen Atomtechnik und atomarer Grundlagenforschung.»

«Erinnern Sie sich doch, wie das in den zwanziger Jahren gedeichselt wurde!» forderte mich Grünbaum heraus. «Die deutsche Reichswehr durfte damals nach dem Versailler Vertrag nur 100000 Mann haben. Gewisse Waffengattungen waren ihr ganz untersagt. Aber General Seeckt schloß nach der Rapallo-Konferenz einen Geheimvertrag mit den Russen und konnte so in der Sowjetunion deutsche Eliteeinheiten ausbilden. Ich habe präzise Hinweise, daß auf dem Gebiet der nuklearen Rüstung seit Jahren etwas Ähnliches in Argentinien, Brasilien und Südafrika vor sich geht.»

«Wenn das wirklich stimmt, dann wird man ihnen die Unterlagen abjagen und sie zum Schweigen bringen», sagte ich. «Sie haben vielleicht von Karen Silkwood gehört . . .»

Er zeigte auf die Stapel von Briefen, Dokumenten, Fotokopien, Ausschnitten, die Zeitungen, Zeitschriften und Bücher, die in seinem sonst fast leeren Arbeitszimmer herumlagen: «Was habe ich denn noch zu verlieren? Meine Stelle in Deutschland habe ich verloren, und auf Grund bestimmter Einflüsse jetzt auch meine Arbeit im französischen Staatsinstitut. Meine Frau hat mich vor ein paar Wochen verlassen. Sie versteht nicht, daß ich an nichts anderes mehr denken, an nichts anderem mehr arbeiten kann.»

Im Herbst 1977 bekam ich aus Paris einen Anruf von Yves Lenoir, einem jungen Forscher des «Bureau des Mines», der ehrenamtlich bei den «Amis de la Terre» (Freunde der Erde) arbeitet. «Wir müssen dringend etwas für Léon tun. Er wird verfolgt. Seine Post wird überwacht. Vor ein paar Tagen gab es da eine ganz merkwürdige Geschichte mit seinem Auto. Er hat schon zu viel von dem erzählt, was er weiß. Und noch dazu den falschen Leuten. Die sind doch zu allem fähig!»

Da war er wieder, dieser Satz, den ich erst ein paar Wochen zuvor von Lew Kowarski gehört hatte. Aus dem Munde eines Wissenschaftlers hätte er früher eine ganz andere Bedeutung gehabt. Er wäre Ausdruck der Hoffnung gewesen, daß die Menschen einmal fähig sein könnten, alle Erscheinungen der Natur zu ergründen.

Nun aber deutete dieser Satz auf Vorgänge und Ängste hin, die viele heutige Forscher wie dunkle Schatten begleiten.

Fünftes Kapitel

Die «Weiterverbreiter»

1

Mit der Explosion der ersten Atombombe über Hiroshima und Nagasaki im Jahre 1945 kam eine ganz neue Art von Angst über die Welt: die Angst vor dem plötzlichen Ende vieler. Wenige Jahre später ließen die Testexplosionen amerikanischer und sowjetischer Wasserstoffbomben die Angst noch wachsen – sie wurde zur Angst vor dem plötzlichen Untergang aller.

Auf die Dauer kann mit solchen Ängsten niemand leben. Also beruhigte man sich bald damit, daß die Angst, die jede der beiden mit allen Bombentypen ausgerüsteten Supermächte vor der anderen hatte, den Ausbruch eines Krieges verhindern werde. Das «Gleichgewicht des Schreckens» würde, so hofften die Strategen, die tatsächliche Anwendung der in den Arsenalen der Supermächte gehorteten Nuklearwaffen verbieten.

Doch diese Scheinberuhigung ist längst nicht mehr gerechtfertigt. In dem Vierteljahrhundert von 1949 bis 1974 wuchs die Zahl derjenigen Mächte, die gezeigt hatten, daß sie nukleare Explosionen auslösen konnten, von zwei (USA und UdSSR) auf sechs. Zu den Hauptrivalen kamen nacheinander England, Frankreich, China und Indien. Obwohl die am 18. Mai 1974 in der Rajasthan-Wüste erfolgreich erprobte indische Nuklear-Konstruktion (es handelte sich erst um die Vorform einer einsetzbaren Waffe) die schwächste Detonation erzeugte, hat gerade dieser Test bei den Experten mehr Sorge ausgelöst als alle Versuchsexplosionen von ungleich stärkeren Bomben. Denn der auf Befehl Indira Gandhis – entgegen allen Abmachungen und Versprechungen – mit dem Spaltstoff eines in Kanada erworbenen Versuchsreaktors und amerikanischem schweren Wasser erzwungene Eintritt des Entwicklungslandes Indien in den Kreis der Nuklearmächte kündigte eine Zäsur an: Die kurze Zeit, in der wenige Atommächte einander gegenseitig in Schach halten konnten, war zu Ende gegangen. Von nun an begann eine Ära des weltweiten, unberechenbaren nuklearen Rüstungswettlaufs. Die Wahrscheinlichkeit, daß noch vor Ende dieses Jahrhunderts Atombomben sogar in regionalen oder lokalen Konfliktsituationen eingesetzt werden könnten, war nahegerückt.

«Buddha lächelt», mit diesem zuvor vereinbarten Stichwort hatte der indische Versuchsleiter seinen Außenminister von dem gelungenen Test verständigt. Nicht einmal auf Blasphemien besitzt der Westen noch länger ein Monopol. «Als ich diese Nachricht hörte, war mir zumute wie jemandem, dem der Arzt gerade eröffnet hat, man habe bei ihm eine bösartige Geschwulst gefunden», sagte mir Professor Eugène Rabinowitch, einer der ersten Vorkämpfer für eine nukleare Rüstungskontrolle, als ich ihn im folgenden Jahr in der amerikanischen Universitätsstadt Urbana besuchte. «Man hofft in einer solchen Situation, daß es vielleicht doch irgendwie gelingen könne, das weitere Wuchern des Geschwürs zu verhindern, und weiß im Grunde ganz genau, daß das kaum mehr möglich sein wird.»

Rabinowitch war damals noch Chefredakteur des *Bulletin of the Atomic Scientists*, auf dessen Titelseite eine Uhr abgedruckt ist, deren Zeiger wenige Minuten vor Mitternacht stehen, dem letzten Stündlein nahe. Entspannt sich die atomare Situation, werden die Zeiger jeweils für die nächste Ausgabe zurückgestellt. Nach dem indischen Vertragsbruch mußte man sie vorrücken: Das «zweite Atomzeitalter» hatte angefangen – *«the Age of Proliferation»*.

2

Herbst 1953: bei einem Frühstück im Weißen Haus wurde die Idee einer großangelegten amerikanischen Kampagne unter dem Schlagwort «Atome für den Frieden» geboren und zunächst noch als Geheimsache unter dem Codewort «Operation Wheaties» behandelt, denn bei der ersten Besprechung hatte Präsident Eisenhower seine Lieblingsspeise, Haferflocken der Marke «Wheaties», gelöffelt. Auf Filzpantoffeln kam somit eine Seuche in die Welt, die den Namen «Proliferation» (Weiterverbreitung) trägt und den Politikern der Jahrtausendwende Kopfschmerzen wie kaum ein anderes Problem verursachen wird.

«Gedacht war das Ganze zunächst einmal vor allem als ‹Public Relations-Operation› im Kalten Krieg», erzählte mir Paul Leventhal, der 1976 im Auftrag des amerikanischen Senats ein umfangreiches Hearing über die bedrohliche Vermehrung und Ausbreitung des atomaren Waffenpotentials in der Welt organisiert. «Ike wollte nach dem Schreck, den die Explosion der ersten sowjetischen Wasserstoffbombe ausgelöst hatte, vor die Vereinten Nationen treten und ganz deutlich machen, daß die Amerikaner, als die *good guys* (die braven Jungen) bereit seien, ihr Wissen, ihr Können und noch dazu finanzielle Mittel allen denjenigen zur Verfügung zu stellen, die Kernenergie nur für friedliche Zwecke nutzen wollen.»

Gegen die Bedenken eigener Berater und einiger ausländischer Politiker (zu denen besonders auch die Russen gehörten) verkündete das amerikanische Staatsoberhaupt am 8. Dezember 1953 vor der UNO:

«Die Vereinigten Staaten sind davon überzeugt, daß die friedliche Nutzung der Atomenergie kein Zukunftstraum ist. Die bereits erprobten wissenschaftlichen Voraussetzungen sind vorhanden, hier, jetzt, heute. Wer kann daran zweifeln, daß dieses geistige Potential nicht schnell weltweit nutzbar gemacht werden könnte, wenn die Gesamtheit aller Naturwissenschaftler und Ingenieure auf der Erde genügend spaltbares Material in den Händen hätte, um Versuche durchzuführen und um ihre Ideen zu entwickeln? Um diesen Tag beschleunigt herbeizuführen, an dem die Furcht vor dem Atom aus den Gedanken der Völker und der Regierungen in Ost und West zu weichen beginnt, sind bestimmte Schritte notwendig, die jetzt getan werden können.»

Die naheliegende Befürchtung, daß Staaten, die eine eigentlich nur für den Zivilbedarf gedachte Kernkraftindustrie zur Herstellung von Atombomben mißbrauchen könnten, wurde zwar schon damals geäußert, aber von den Befürwortern dieser neuen Politik als «unbegründet» zurückgewiesen: Erstens werde die Internationale Atombehörde für Inspektionen und Kontrolle sorgen, zweitens sei das Spaltmaterial, das die USA liefern wollten, für Atomwaffen gar nicht geeignet. Nur durch «umständliche, schwierige und kostspielige Maßnahmen, die nicht unentdeckt bleiben könnten» (John Foster Dulles), wäre es möglich, die für den militärischen Gebrauch notwendigen nuklearen Explosivstoffe herzustellen. Daher seien alarmierende Gerüchte überflüssig und zu verurteilen.

Die Möglichkeiten einer Überwachung des atomaren Brennstoffkreislaufs sind damals aber gewaltig überschätzt, die Schwierigkeiten der Bombenherstellung dagegen entschieden unterschätzt worden. Heute meint einer der besten Kenner der Materie, Professor Albert Wohlstetter (Universität Chicago), daß es auf Grund genauer Recherchen neben den Atomgroßmächten jetzt schon weitere achtzehn Staaten gibt, die über genügend Plutonium für mehrere Bomben verfügen. Bis 1985 würden demnach sogar schon rund vierzig Länder imstande sein, Atombomben zu konstruieren. Die großen oder die mittleren Atommächte seien nach Wohlstetters Ansicht weniger zu fürchten als die kleinen, «die vielleicht höchstens fünfzehn Bomben besitzen werden». Gerade genug, um mit der Drohung eines Atomkriegs ihre Nachbarn unter Druck setzen zu können.

3

Tatsächlich wurde die Möglichkeit, daß durch bedenkenlose Verwendung der «friedlichen Kernenergie» auch die menschheitsgefährdende Weiterverbreitung von Kernwaffen gefördert wird, unterschätzt. Ein folgenschwerer Irrtum, dem bis in die jüngste Zeit hinein – und zum Teil sogar heute noch! – Politiker und andere Entscheidungsträger vieler Länder unterliegen. Er ist schuld daran, daß man anfangs die möglichen militärpolitischen Konsequenzen der Verbreitung von zivilen Kernkraftanlagen nicht sah, und beruht auf der inzwischen als unzutreffend erwiesenen Vorstellung, daß das sogenannte Reaktorplutonium, wie es in gewöhnlichen Kernreaktoren hergestellt wird, für Atombomben ganz ungeeignet sei. In der Tat kann eine mit solchem Plutonium ausgestattete Bombe nicht die volle Sprengkraft einer für militärische Zwecke mit speziell aufbereitetem Plutonium geladenen Waffe erreichen, weil in diesem weniger reinen Spaltstoff die Kettenreaktion zu früh abbricht. Aber auch eine solche viel primitivere Atomwaffe kann immerhin gewaltige Explosionen zwischen tausend und zwanzigtausend Tonnen Sprengkraft verursachen und würde, wenn man sie über dem Zentrum einer Stadt auslöste, etwa hunderttausend Menschen töten können.

Als die Amerikaner im Krieg an ihren ersten Atombomben arbeiteten, erwarteten sie davon Resultate, die genau in dieser Wirkungsspanne lagen. Sie dachten damals noch gar nicht an die hundert- und tausendfach stärkeren Bomben der Nachkriegsjahre. Wir haben am Untergang von Hiroshima und Nagasaki sehen können, wie entsetzlich «effektiv» selbst solche Bomben sein können, die von den heutigen Militärs als «klein» verniedlicht werden.

Erst seit der im September 1977 erfolgten Bekanntgabe, daß die Amerikaner Ende Juli auf dem Testgelände von Nevada erfolgreich eine Bombe gezündet hatten, die nur mit Plutonium «normaler Reaktorqualität» gefüllt war, ist jeder Zweifel an der militärischen Verwendbarkeit «gewöhnlichen» Reaktorplutoniums widerlegt worden. Solches Bombenplutonium entsteht unter anderem heute schon in Mühleberg (Schweiz), Biblis (Bundesrepublik Deutschland), Latina (Italien), Vandellos (Spanien), Barsebeck 1 (Schweden), Takahama 1 (Japan), Kanupp (Pakistan), Atucha (Argentinien) – also in «friedlichen» Kernkraftwerken von Ländern, die bisher noch keine Atomwaffen besitzen.*

Sollte jedoch die «zweite Stufe» der Reaktortechnologie, die sich bekanntlich vorwiegend auf den Bau von «Schnellen Brütern» stützen soll, Wirklichkeit werden, dann würde dabei Plutonium von einem noch höheren Wirkungsgrad entstehen und in Umlauf kommen. Wohlstetter betonte auf den öffentlichen Hearings über den Bau einer neuen Wiederaufarbeitungsanlage in dem englischen Seestädtchen Windscale (Transcript of Proceedings No. 58, p. 37) am 5. September 1977: «Diese Reaktoren werden bei ihrer Entladung Hunderte Kilogramm von ‹Waffenqualitäts›-Plutonium enthalten, und das wird zu 96 Prozent reines Plutonium 239 sein. Das ist bemerkenswert reiner als die 92 Prozent, die man als Norm für ‹Waffenqualitäts›-Plutonium ansetzt.»

Bei seinem Versuch, die Weltöffentlichkeit endlich über die auf Grund von «Falschinformationen» unterschätzte militärische Eignung und Gefährlichkeit des in den heutigen zivilen Leichtwasserreaktoren entstehenden Plutoniums aufzuklären, hob Wohlstetter einige Länder ganz speziell hervor. Er sagte (Transcript of Proceedings No. 58, p. 5 und 6): «Diese Falschinformation hat Wirkungen sowohl in meinem eigenen Land wie in England gehabt und vielleicht besonders in Ländern wie der Bundesrepublik Deutschland, die kein militärisches Kernenergieprogramm haben. Es gibt jetzt keine Entschuldigung mehr für weitere Konfusion über dieses Thema. Dennoch ist sie vorhanden . . . Es scheint mir, daß die Informationen, die Kanzler Schmidt von seinen technischen Fachleuten erhalten hat, manchmal absolut ungenügend (*seriously lacking*) gewesen sind, nicht nur was die militärischen Verflechtungen angeht, sondern auch in bezug auf die Entsorgung des radioaktiven Mülls sowie die Wirtschaftlichkeit von Plutonium und Uran.»

Wohlstetter ist seit vielen Jahren als Experte für seine Regierung tätig. Er gilt als einer der Hauptberater des Weißen Hauses in Nuklearfragen und dürfte entscheidenden Einfluß auf die in aller Welt mit so großer Überraschung aufgenommene ablehnende Stellungnahme des amerikanischen Staatsoberhaupts zur Entwicklung der «Schnellen Brüter» und der Errichtung sowie den Export von Wiederaufarbeitungsanlagen gehabt haben.

Bei meinen Besuchen in der «RAND Corporation» (Santa Monica), die als «Denkfabrik» der amerikanischen Luftwaffe lange Zeit

* Die Abtrennung des Plutoniums müßte allerdings dann noch in – notfalls primitiven – Wiederaufarbeitungsanlagen erfolgen.

nicht nur eine strategisch, sondern auch politisch wichtige Rolle spielte, wurde mir schon 1970 Wohlstetter als der interessanteste und einflußreichste Kopf dieser Sammlung «brillanter Hirne» geschildert, der viel ernster genommen werde als der berühmte Herman Kahn. Während seiner Zeit bei der «RAND-Corporation» hat Wohlstetter in den sechziger Jahren schon einmal eine wichtige Revision der amerikanischen Politik angeregt und schließlich durchgesetzt, nämlich den Verzicht auf zahlreiche Übersee-Stützpunkte der US Air-Force, die strategisch längst überholt, außenpolitisch belastend und immens kostspielig waren. Gerade weil er auf dem heutzutage so eminent wichtigen Gebiet der Beratung von Entscheidungsträgern so viel Erfahrung besitzt, sollte man beim Durchdenken nuklearer Entwicklungen und ihrer Folgen mit in Erwägung ziehen, was er zu dem Problem der wissenschaftlichen Beratung von ausschlaggebenden Politikern zu sagen hat:

«Die große Schwierigkeit, der sich politische Führer angesichts solcher Entscheidungen gegenübersehen, ist die Tatsache, daß die Probleme nicht nur kompliziert sind, sondern auch Kenntnisse und Erfahrungen auf vielen Wissensgebieten voraussetzen. Und zwar nicht etwa nur in Physik, Chemie, Atomtechnik, Waffenkonstruktion und Geologie, sondern auch in Wirtschaftswissenschaften, Verfahrensforschung, Systemanalyse und einem weiten Fächer von politisch-militärischen Überlegungen. Kein einzelner Mensch kann Fachmann auf allen diesen Gebieten sein . . . ein politischer Entscheidungsträger ist nur zu leicht auf die Urteile angewiesen, die weit über das Wissen und die Erfahrung derer hinausgehen, die ihn informieren . . . Dies gilt besonders für das Gebiet der Atomtechnik, weil Materialien und Machart der Atomwaffen ja geheimgehalten werden.» Als Beleg dafür kann eine andere bei gleicher Gelegenheit gemachte Mitteilung Wohlstetters dienen. Er macht nämlich die sensationelle Mitteilung, Robert Oppenheimer und sein Chef Leslie Groves hätten bereits bei Kriegsende in einem Memorandum darauf hingewiesen, daß nicht ganz reines Plutonium für eine zwar einfache, aber doch höchst wirksame Atombombe genüge. Hätte man diese geheimgehaltene Information Präsident Eisenhower im Jahre 1953 zur Kenntnis gebracht, so wäre seine Entscheidung für das «Atome für den Frieden»-Programm mit allen seinen gefährlichen Konsequenzen vielleicht nie gefallen.

Die Erkenntnis, daß die strikte Zweiteilung in eine für den Frieden und eine für den Krieg bestimmte Atomtechnik illusorisch ist, sollte von nun an für jede Debatte über die Einführung der Kernenergie von zentraler Bedeutung sein. Sie ist sehr spät – vielleicht sogar schon zu spät – durch Experimente erhärtet worden, ist aber bisher noch viel zu wenig verbreitet. Von nun an muß es sich jedes Land, das eine Atomindustrie aufbaut, gefallen lassen, daß es ganz anders als bisher beargwöhnt wird. Vermehrt trifft das für Nationen zu, die Wiederaufarbeitungsanlagen besitzen, ganz besonders aber für Völker, die auf Grund ihrer Geschichte als «kriegerisch und aggressiv» gelten.

Wenn Wohlstetter zum Beispiel ausdrücklich erwähnt, daß Japan und Deutschland, falls sie ihre Kernkraftindustrie wie geplant ausbauen, in den neunziger Jahren über genügend Plutonium verfügen werden, um je tausend Atomsprengköpfe herzustellen, so tut er das mit einer Absicht. Er will zweifellos heute schon davor warnen, daß gerade diese beiden, seit dem Ende des Zweiten Weltkriegs durch internationale Verträge zum Verzicht auf Atomwaffen verpflichteten Mächte, sich dieser Auflagen plötzlich einmal entledigen könnten.

Noch bedrohlichere Aspekte enthüllt dieses gezielt vorgebrachte «Denkspiel» durch andere Aussagen Wohlstetters und des amerikanischen Proliferationsexperten Thomas B. Cochran bei den Windscale-Hearings. Sie zeigen, daß ein atomar gerüstetes Land diesen Status bis zum letzten Augenblick glaubhaft leugnen kann, nämlich bis zu dem Zeitpunkt, in dem es zum erstenmal mit seiner Bombe droht oder sie vielleicht sogar einsetzt.

Länder wie Südafrika und Israel gehören – wie man in Fachkreisen annimmt – heute zu dieser Kategorie. Wenn Regierungschef Voster protestierte, man tue ihm und seinem Land unrecht, indem behauptet wird, Südafrika besitze Atomwaffen, so sagt er dem Buchstaben nach die Wahrheit. Sein Land – und vermutlich in naher Zukunft schon mehrere andere – hält wahrscheinlich «nur» alle Einzelteile und die Sprengladung aus Spaltstoffen bereit. Sie können aber bei Bedarf in einigen Tagen oder sogar nur Stunden zu einer funktionierenden nuklearen Waffe zusammengebaut werden.

Doch führt dieser Trick eigentlich niemanden, der auch nur ein wenig informiert ist, heute noch irre. Es wird zur Kennzeichnung solchen Vorgehens schon ein eigener «terminus technicus» verwendet: Man nennt die getrennte Lagerung von Teilen verbotener Waffen *binary operations* (zweigleisige Operationen). So wurde in diesem Zusammenhang kürzlich bei einer Expertenkonferenz internationaler Chemiker die Befürchtung vorgebracht, daß in künftigen Auseinandersetzungen chemische Waffen trotz aller offiziell ausgesprochener Ächtung wieder eine Rolle spielen könnten. Alle Länder, die eine chemische Industrie besitzen, wären imstande, Chemikalien herzustellen und zu horten, die ganz harmlos seien, solange man sie nicht miteinander in Verbindung brächte. Geschähe das aber «im Ernstfall», so würden daraus im Nu furchtbare Kampgase.

4

Im April 1975, über zwei Jahre, bevor er durch die Geiselbefreiung von Mogadischu weltberühmt wurde, erhielt Obersleutnant Ulrich Wegener, «Direktor» der deutschen Bundesgrenzschutztruppe GSG 9, einen begeisterten Brief. Er liest sich wie ein Vorbote all jener Lobspreisungen, mit denen diese Spezialeinheit im Oktober 1977 überschüttet wurde.

Der Schreiber war F. S. Bellingen, stellvertretender Militär-, Luftwaffen- und Marineattaché an der südafrikanischen Botschaft in Köln. Er wollte «noch einmal sehr für die Hilfe . . . danken, die Sie uns beim Transport unserer empfindlichen Gegenstände von Köln zu unserer neuen Botschaft nach Bad Godesberg gewährten».

Daß es sich dabei nicht um Porzellan handelte, wird klar, wenn man dieses Schreiben weiter liest: «Ich bin froh, daß es für Ihre Soldaten wenigstens eine Art ‹Übung› war. Da ich das Vorrecht hatte, mit Ihrem Zugführer zu fahren, hatte ich natürlich einen großartigen Überblick über den gesamten Vorgang, der übrigens sehr eindrucksvoll war und ohne irgendwelche Probleme verlief . . . Das, was ich gesehen habe, hat mich überzeugt, daß, wer immer auch in einem dringenden Fall um Ihre Hilfe bitten mag, sehr sicher sein kann, daß er mit diesen Soldaten die beste Hilfe und die sichersten Beschützer bekommt, die er überhaupt haben kann.»

Der Durchschlag dieses vertraulichen Schreibens geriet zusammen mit zahlreichen anderen Briefen und Memoranden in die Hände des «African National Congress», einer Organisation, die sich in den Dienst des Kampfes gegen die südafrikanische Rassenpolitik gestellt hat. Aus dieser Korrespondenz zwischen Regierungsvertretern Pretorias, verschiedenen hohen Beamten in Bonn sowie Managern westdeutscher Industrieunternehmen läßt sich die Geschichte einer jahrelangen, von beiden Seiten weitgehend geheimgehaltenen Zusammenarbeit auf dem Rüstungssektor rekonstruieren. Von besonderer Bedeutung ist aber in diesem Zusammenhang das Kapitel der Kooperation auf nuklearem Gebiet. Sie beginnt mit den ersten Kontakten, die der Chef des südafrikanischen «Atomic Energy Board» Dr. C. D. Roux, 1962 auf einer Informationsreise durch Westeuropa, aufnimmt und führt schließlich zu einer ständigen, engen Kooperation. Hauptergebnis dieser Zusammenarbeit ist eine auf dem modifizierten Trenndüsenverfahren von Professor E. Becker (Direktor des Instituts für Kernverfahrenstechnik im Kernforschungszentrum Karlsruhe) beruhende Großanlage zur Urananreicherung, die 1975 im südafrikanischen Atomzentrum Pelindaba in Betrieb gesetzt wurde. Nur auf Grund dieser, mit Hilfe deutscher Forscher und Techniker erworbenen nuklearen Kapazitäten konnte der damalige Premierminister Voster 1976 mehrfach erklären: «Wir sind zwar nur an der friedlichen Anwendung der Kernkraft interessiert. Aber wir können Uran anreichern . . . und wir haben den Nichtweiterverbreitungsvertrag für Kernwaffen nicht unterzeichnet.» Er legte zudem in einem Ende Oktober 1977 von der «Agence France Presse» veröffentlichten Interview ausdrücklich Wert darauf, er habe im Juni 1977 bei seinem Treffen mit Amerikas Vizepräsident Mondale in Wien «nie versprochen», Südafrika werde keine Atomwaffen entwickeln.

Hätte Bonn seine engen und zahlreichen Kontakte mit Südafrika nicht mit soviel Geheimnistuerei, Irreführung und Dementis umgeben, die später durch zum Vorschein gekommene Dokumente leicht widerlegt werden konnten, dann wären viele Mißverständnisse vermieden worden. So aber fand die 1975 von den Führern der afrikanischen Unabhängigkeitsbewegungen aufgestellte und 1977 von den in Schweden und England arbeitenden Politologen Zdenek Červenka und Barbara Rogers mit noch mehr Material abgestützte Behauptung ein weites Echo: es gebe eine «nukleare Verschwörung» und eine «nukleare Achse» zwischen beiden Ländern mit dem Ziel, der Bundesrepublik nicht nur den Zufluß von Kernbrennstoffen zu sichern, sondern ihr auch den Zugriff zu einer eigenen Bombe zu ermöglichen. Ein belastendes Moment ist jedenfalls, daß wechselseitige Besuche hoher Militärs, Ministerialbeamter und Wirtschaftsprüfer, bei denen regelmäßig Besichtigungen und Konferenzen in Atominstituten und -anlagen im Mittelpunkt standen, so lange wie möglich abgestritten wurden.

Besonders die Südafrikareisen führender deutscher Politiker erregten Aufsehen und Verdacht. Graf Lambsdorff (damals noch nicht Wirtschaftsminister, sondern wirtschaftspolitischer Sprecher seiner Partei) hielt sich im Februar 1975, laut Behauptung der Afrikaner «auf Kosten des südafrikanischen Regimes», in der Kaprepublik auf. Am 24. April des gleichen Jahres empfahl er dann in der 167. Sitzung des Bundestages, Deutschland solle sich am Uranprojekt Pretorias beteiligen. Gerhard Stoltenberg – seit seinem forschen Eingreifen in

Brokdorf für seine Kernkraftsympathien weit bekannt – flog sowohl im August 1973 wie im August 1975 an die Südspitze des schwarzen Kontinents. Beide Male hielt er sich einige Zeit im Reaktorzentrum Pelindaba auf.

Franz Josef Strauß, Deutschlands erster Atomminister und ab 1956 als Verteidigungsminister engagierter Vertreter einer atomaren Aufrüstung der Bundesrepublik, war seit 1971 mindestens viermal in Südafrika und hat die Herren der südafrikanischen Atombehörde mehrmals in München empfangen.

5

Verstärkt wurde der Verdacht, Deutschland könne vielleicht mit seiner Atomexportpolitik nicht ausschließlich kommerzielle Interessen verfolgen, durch die Tatsache, daß die deutsche Mitarbeit an einer Laboranlage zur Wiederaufarbeitung in Argentinien bis heute geheimgehalten wird. Es handelt sich dabei um die «Labex Milli»-Anlage, die vom Kernforschungszentrum Karlsruhe entwickelt worden ist. Sie kann laut einem Bericht von Professor Dr. Baumgärtner (Institut für heiße Chemie im KFK) pro Tag ein Kilo Brennstoff verarbeiten. In der angesehenen englischen Zeitschrift *Nuclear Engineering International* vom Februar 1976 wird in einer Auflistung der Wiederaufarbeitungsanlagen und -projekte der westlichen Welt die Jahresproduktion dieser Miniaufarbeitungsanlage mit zweihundert Kilo angegeben. Obwohl sie wie alle Wiederaufarbeitungsinstallationen häufig gestört war und oft Monate stillstehen mußte, kann angenommen werden, daß Argentinien auf diese Weise genügend Plutonium für mindestens zehn bis dreißig Atombomben herstellen konnte.

Diese Tatsache hat bei dem 1975 zwischen der Bundesrepublik Deutschland und Brasilien abgeschlossenen Vertrag über die Lieferung einer kompletten Atomindustrie – von der Urananreicherung über die Reaktoren bis zur Wiederaufarbeitung – zweifellos eine große Rolle gespielt, denn Brasilien und Argentinien sind scharfe Rivalen auf dem südamerikanischen Kontinent. Norman Gall schrieb darüber im Sommer 1976 in der US-Zeitschrift *Foreign Policy*: «Die indische Atomexplosion vom Mai 1974 machte auf Argentinien und Brasilien einen starken Eindruck. Schon seit einiger Zeit hatten beide ihre Aktivitäten auf dem Gebiet der Kernenergie mit Mißtrauen beobachtet. Nach dem Mai 1974 wurde es zum allgemeinen Tischgespräch der Eliten beider Länder, darüber zu spekulieren, welches der beiden Länder die Bombe zuerst haben würde.»

Nun waren in atomtechnischen Fragen die Beziehungen zwischen Brasilien und Deutschland seit langem besonders eng. Bereits 1953 war Admiral Alvaro Alberto, der Vorsitzende des brasilianischen Forschungsrats, bei einem Deutschlandbesuch mit Wilhelm Groth und Paul Harteck zusammengetroffen. Diese beiden Physiker hatten sich seinerzeit im Frühjahr 1939 brieflich an das Kriegsministerium des Dritten Reiches gewandt. «Sie machten», so berichtet Jost Herbig in seinem wichtigen Buch *Kettenraktion*, «auf die militärische Nutzanwendung der Atomspaltung aufmerksam.» Beide Forscher waren während des Krieges als Mitglieder des «Uranvereins» am deutschen Atomprojekt maßgeblich beteiligt und hatten dabei die Gaszentrifuge entwickelt, die das für eine Waffe unentbehrliche Uran 235 abtrennt. Groth soll bereits bei seinem Treffen mit Alberto, also wenige Jahre nach der Niederlage Hitlers, als den Deutschen noch jede eigene Atomtechnik untersagt war, dem Besucher aus Südamerika erklärt haben: «Geben Sie mir nur die notwendigen Mittel, und wir werden die Prototypen entwickeln. Dann werden wir alle nach Brasilien kommen und dort die Einrichtungen schaffen.»

Schon damals wurde ein Geheimvertrag zwischen Deutschen und den Vertretern einer auswärtigen Macht geschlossen. Er gab die Basis dafür ab, daß drei brasilianische Chemiker in Deutschland eine Spezialausbildung erhielten und die notwendigen Bestandteile bei vierzehn deutschen Unternehmen bestellt wurden.

Später – so berichtet Gall in dem bereits erwähnten Artikel – habe Alvaro Alberto vor einer parlamentarischen Untersuchungskommission seines Landes erklärt: «Deutschland ist ein von den Siegermächten besetztes Land. Wenn es herauskommt, daß Sie angereichertes Uran bestellen wollen, würde das eine internationale Krise herbeiführen.»

Zu dieser Krise kam es nicht: die Amerikaner fanden rechtzeitig heraus, daß die von Groth bestellten Bestandteile in einem deutschen Hafen schon zur Verschiffung nach Brasilien bereitlagen und beschlagnahmten sie im allerletzten Augenblick.

Es kann nicht überraschen, daß später das 1975 zustande gekommene Brasilien-Geschäft sofort den Verdacht erregte, Deutschland wolle sich auf dem Umweg über eine Macht der Dritten Welt eine eigene Atomwaffenkapazität schaffen. Man weiß, wie Bonn in diesem Fall alle Warnungen anderer Länder in den Wind schlug. Daß dahinter nur handelspolitische Interessen stünden, konnte man nicht glauben. In den Augen des Auslands schien sich vielmehr eine politische Linie zu bestätigen, die von Bonn als «Streben nach nuklearer Unabhängigkeit», von alten Freunden aber als machtpolitisch motiviertes, rücksichtsloses Vorgehen angesehen wurde. Es könne letztlich nur der Weiterverbreitung von Atomwaffen in Lateinamerika dienen.

6

Besondere Erregung löste Bonns Festhalten am Projekt des «Schnellen Brüters» in England und den USA aus. Großbritanniens Königliche Kommission – von der Regierung eingesetzt, um über «Kernkraft und Umwelt» nachzudenken – war 1976 unter Leitung des bekannten Physikers Brian Flowers zu dem Urteil gelangt, daß der geplante Bau des englischen Brüter-Prototyps CFR 1 ein «hochbedeutsamer erster Schritt wäre, der uns mit Befürchtungen erfüllt». Daraufhin war das Projekt verschoben worden. Auf der anderen Seite des Atlantik hatte Präsident Carter auf Grund einer ausführlichen Studie des MITRE-Instituts die Einstellung weiterer staatlicher Hilfen sowohl für den «Schnellen Brüter» in Clinch River wie für die Wiederaufarbeitungsanlage in Barnwell empfohlen. Erregt warnte er die Welt vor den friedensbedrohenden Gefahren, die durch den Export solcher Nukleartechniken entstehen könnten.

Trotz all dieser Bedenken hat sich die deutsche Regierung von ihrer «Brüter»-Politik nicht abbringen lassen. Gemeinsam mit den Franzosen, deren «Surgenerateur»-Entwicklung laut Vertrag vom 5. Juli 1977 über viele Jahre mit Milliarden Mark unterstützt werden soll, hat sie beschlossen, den Amerikanern eine «europäische Herausforderung» entgegenzustellen. Das konservative französische Nachrichtenmagazin *Le Point* interpretierte das als gemeinsames Streben der beiden großen kontinentaleuropäischen Partner (sonst allerdings scharfe Konkurrenten auf dem Atommarkt) nach der künftigen technologischen Führungsposition in der Welt.

Erinnert dieses Machtstreben nicht an die gefährliche deutsche Expansionspolitik früherer Zeiten? In den dreißiger Jahren wurde das deutsche Volk mit dem Slogan «Volk ohne Raum» für solches Vorgehen gewonnen. Heute macht man ihm Angst, es werde bald ein «Volk ohne Strom» sein. Damals hieß die Parole «Deutschland über alles». Heute lautet sie: «Plutonium über alles».

Als in der zweiten Oktoberhälfte 1977 vierzig Staaten ihre Vertreter nach Washington schickten, um wieder einmal über dringend notwendige Maßnahmen gegen die Weiterverbreitung zu beraten, appellierte Präsident Carter abermals an die verschiedenen Teilnehmerstaaten, auf die Entwicklung von «Schnellen Brütern» und von Wiederaufarbeitungsanlagen zu verzichten. Er bot ihnen statt dessen die sichere Belieferung mit nuklearen Brennstoffen durch eine international kontrollierte Zentrale, eine Art «Uran-Bank», an. Auch sollten sie ihre radioaktiven Abbrände zur Entsorgung an die USA loswerden können, statt sie wiederaufarbeiten zu lassen.

Die Bundesrepublik schwang sich auch bei dieser Gelegenheit gegen den vorsichtigen Carter zum Wortführer all derer auf, die keine Einschränkungen für die «Schnellen Brüter» wollen. Zufrieden schrieb die große deutsche Tageszeitung *Die Welt* (am 24. Oktober 1977): «Die Nuklearkonferenz verlief ganz im Sinne der Bundesrepublik. In Washington sprachen sich alle vierzig Teilnehmerländer dafür aus, ihre Optionen in der Nuklearpolitik offenzuhalten. Bis zur Fertigstellung der auf dem Londoner Wirtschaftsgipfel beschlossenen Evaluierungsstudie in etwa zwei Jahren tritt auch keine Pause in der Weiterentwicklung der Plutonium-Technologie mehr ein.»

Keine Beteuerungen Bonns, daß man seine hier wirtschaftlich zu begreifende Exportpolitik «falsch verstehe», keine Verketzerung von Kritikern und kein Dementi werden die öffentliche Meinung des Auslands von der Harmlosigkeit dieser deutschen Politik überzeugen. Das würde nur ein Moratorium für die Weiterentwicklung des Kernenergieprogramms und der radikale Verzicht auf die Belieferung der Welt mit Produkten deutscher Kerntechnik leisten können. Nur so ließen sich Befürchtungen vermindern, daß eine künftige deutsche Regierung unter dem Einfluß von Strauß das bestehende Kernkraftpotential für militärische Zwecke ausnützen könnte. Im Ausland werden diese Aspekte der deutschen Politik bald viel mehr zur Angst vor den Deutschen und zur Feindschaft gegen sie beitragen, als das Verhalten bei den Affären Kappler und Stammheim. «Aber wenn die Deutschen diesen Weg weitergehen, werden wir ihnen schließlich doch folgen müssen», sagte mir ein Amerikaner am Rande der Salzburger Atomkonferenz. «Noch versuchen wir, die Plutoniumwelt zu verhindern.

William Ramsey, ein führender Beamter des amerikanischen Außenministeriums, ging noch weiter. Er sprach gegenüber dem Korrespondenten der Londoner Wochenzeitschrift *New Statesman* die Vermutung aus, die Deutschen könnten wohl nur dann von ihrer friedensgefährdenden Nuklearexportpolitik abgebracht werden, wenn man ihnen ausdrücklich klarmachen könnte, daß sie sonst zum zweitenmal in einem Jahrhundert an einem Genozid schuldig würden!

Hält man deutschen Befürwortern der «Plutonium über alles»-Politik vor, sie führten die Menschheit in ein gefährliches, vielleicht sogar ihr allergefährlichstes Abenteuer hinein, so weisen sie darauf hin, daß die internationalen Abkommen über die «Safeguards» die Weiterverbreitung von Atomwaffen werde verhindern können. Mit diesem Argument hat mich Forschungsminister Matthöfer in einer Diskussion im Saarländischen Rundfunk zu beruhigen versucht, als ich auf die Gefahren des Brasilien-Vertrags hinwies.

Solche Befürwortung der internationalen Kontrollen zeichnete aber bislang die deutsche Atompolitik nicht aus. Im Gegenteil!

«Das Jahr 1967 begann nicht verheißungsvoll.» Mit diesem Stoßseufzer schildern Karl Winnacker und Karl Wirtz in ihrem Buch über die ‹*Kernenergie in Deutschland*› die erste bundesdeutsche Reaktion auf den Atomsperrvertrag, der ein internationales Sicherheitskontrollsystem für die Kernenergie garantieren sollte. Seit dem August 1965 hatten die USA und die UdSSR in den Vereinten Nationen um ein solches Abkommen gerungen. Das Ziel dieser Vereinbarung war es, die Nutzbarmachung der zivilen Atomindustrie für Rüstungszwecke zu verhindern. Als der erste Entwurf anderen Staaten mitgeteilt wurde, kritisierten fast alle Empfänger, daß sich zwar diejenigen Länder, die noch keine Atombomben besaßen, den regelmäßigen Inspektionen von Beamten der Internationalen Atombehörde unterwerfen sollten, die Mitglieder des «A-Bomben-Clubs», die nuklearen Großmächte, aber weiter unkontrolliert bleiben würden.

Die Bundesrepublik Deutschland leistete von Anfang an energischsten Widerstand gegen intensive Inspektionsmaßnahmen, wie sie vor allem Washington durchsetzen wollte. «Tief enttäuscht über die amerikanische Haltung grollte Altbundeskanzler Adenauer, in Genf sei ein ‹zweites Jalta› vorbereitet worden, und das böse Wort von der amerikanisch-sowjetischen Atomkomplizität machte die Runde», erinnern sich die beiden oben genannten Autoren. Der eine von ihnen, Karl Wirtz, beeilte sich, nach der «deprimierenden Lektüre» des Kontrollvertrag-Vorschlags gleich bei Bundeskanzler Kiesinger in Bonn vorzusprechen. Er wurde sofort zur Berichterstattung bei einer Sitzung des «Verteidigungskabinetts» gebeten, das sich, wie sein Name besagt, vor allem mit Fragen der militärischen Sicherheit zu beschäftigen hat. Gewiß ein ungewöhnliches Gremium, um Probleme der «friedlichen Atomenergie» zu besprechen.

Bei den kommenden internationalen Verhandlungen richteten die deutschen Unterhändler ihre Kritik vor allem gegen «eine Kontrollarmee unter Führung der Vereinten Nationen bzw. der Internationalen Atombehörde in Wien» (Winnacker/Wirtz). Schon wegen der hohen Kosten müsse man von einem solchen Plan Abstand nehmen, meinten sie und verschlossen sich dem Argument, daß diese Ausgaben noch nicht einmal den millionsten Teil der jährlichen Rüstungsbudgets erreichen würden. Glaubhafter war ihr anderer Einwand, «es würden auf diesem Weg der Werkspionage Tür und Tor geöffnet».

Als führende Industrienation ohne Atomwaffen konnten die Deutschen in der endgültigen Vertragsfassung durchsetzen, daß die Überwachung «wenn irgend möglich» nicht durch Menschen, sondern durch Kontroll- und Registriergeräte durchgeführt werden solle. So wurde erreicht, daß die Zahl der internationalen Kontrolleure auf ein Mindestmaß herabgesetzt und ihre Inspektionsrechte auf ein Minimum beschränkt wurden.

Durch Abschwächungen solcher Art ist der 1969 beschlossene «Nonproliferation Treaty» (NPT) zu einem Dokument der Ohnmacht geworden. Nur 95 von 155 Nationen haben ihn bisher überhaupt unterzeichnet. Drei von sechs Atommächten (Frankreich, China und Indien) ratifizierten ihn nicht. Nationen ohne Atomwaffen, die sich intensiv um die Entwicklung einer Kernkraftindustrie bemühen, wie Ägypten, Argentinien, Brasilien, Pakistan, Spanien, Südafrika und Taiwan, weigerten sich, dem Vertrag beizutreten, um sich «alle Möglichkeiten offenzuhalten», oder verschoben die Ratifizierung immer wieder, wie Israel, das vermutlich bereits einige in Bestandteilen gelagerte Atombomben besitzt.

Die Zahl der internationalen Inspektoren, die im Auftrag der Wiener Internationalen Atombehörde durch die Welt reisen, Teile von Reaktoren, Anreicherungsanlagen und Wiederaufarbeitungsfabriken mit ihren Kontrollsiegeln versehen, Fernsehbeobachtungsgeräte installieren und vor allem die Bücher über Ein- und Ausgänge an Spaltmaterial prüfen, beträgt zur Zeit etwa achtzig. Aber im Jahre 1976 waren, nach einer Aussage von Cochran, nur dreiundvierzig von ihnen wirklich eingesetzt. Sie sollten in den NPT-Ländern rund vierhundert Anlagen auf mehreren Erdteilen inspizieren und kontrollieren. Verstößen, die sie herausfinden, dürfen sie nicht selber nachspüren, sondern haben sie nur der Behörde des Landes zu melden, in dem die Unregelmäßigkeiten – möglicherweise mit Komplizität der gleichen Behörde! – stattgefunden haben. Solche Unregelmäßigkeiten werden dann zwar in Wien registriert, müssen aber geheimgehalten werden, so daß eine Bestrafung oder auch nur eine kritische Stellungnahme seitens der Weltöffentlichkeit nicht möglich ist.

Es kann also vorläufig kaum etwas Durchgreifendes gegen die heimliche Ausbreitung nuklearer Waffenkapazitäten getan werden. Um so mehr wird über das Problem theoretisiert, diskutiert und geschrieben. So unterscheidet man heute zwischen drei Arten der sich ausbreitenden atomaren Waffenpest:

- Als «vertikale Proliferation» wird die Weiterproduktion und Weiterentwicklung von Atomwaffen durch Staaten bezeichnet, die solche Waffen schon besitzen;
- «horizontale Proliferation» nennt man den Erwerb oder Bau von Atomwaffen durch Staaten, die sie bisher noch nicht besaßen;
- als «nichtstaatliche Proliferation» wird die Herstellung oder der Erwerb von Atomwaffen durch einzelne und durch Gruppen zum Zweck der Erpressung gekennzeichnet. Das ist sicherlich die unheimlichste und am schwersten zu kontrollierende Form der Weiterverbreitung von Atomwaffen.

Es ist das rapide, mit der Massenausbreitung von Atomanlagen unvermeidlich zusammenhängende Anwachsen immer unüberschaubarerer Mengen angereicherten Urans und Plutoniums, das Männer wie Frank Barnaby, Paul Leventhal, Joseph Rotblat und Walter C. Patterson – um nur vier aus der Schar warnender Fachleute zu nennen – tief beunruhigt und oft genug zur Verzweiflung bringt. Sie treten kurzfristig für energische Verstärkung aller Kontrollen, langfristig aber immer entschiedener für den Verzicht auf die «Schnellen Brüter» und die daraus erwachsende «Plutoniumwirtschaft» ein.

Wird in der Welt des Jahres 2000, in der – falls die heute geplanten Atomprogramme fortgesetzt werden – bereits genug nuklearer Sprengstoff für 1,1 Millionen Atombomben verschiedenster Größe über den Globus verteilt sein dürfte, überhaupt genügend fachkundiges, unbestechliches und dem Ideal der internationalen Sicherheit ergebenes Personal verfügbar sein, um diese Flut von Gift- und Explosivstoffen noch bändigen zu können?

Man versteht das Entsetzen David Lilienthals, des ersten Chefs der amerikanischen Atombehörde, angesichts der Situation zunehmender «nuklearer Anarchie» und weltwelt wachsender Ungewißheit. Von einer Untersuchungskommission des amerikanischen Senats über die «Proliferation der Atomwaffen» befragt, bekannte er: «Ich bin froh, daß ich kein junger Mann mehr bin. Und meine Enkel tun mir zutiefst leid.»

Sechstes Kapitel

Atomterroristen

1

Der Deutsche Bundestag in Bonn ist zur wichtigsten Sitzung des Jahres zusammengetreten. Heute wird die Regierung ihren großen Rechenschaftsbericht vorlegen und zur Debatte stellen. Die Abgeordnetenbänke, sonst oft halbleer, sind voll besetzt, ebenso die Tribünen. Auf der Ministerbank sind alle Regierungsmitglieder vollzählig versammelt. Wie bedeutsam diese Sitzung ist, läßt sich auch daran ablesen, daß die Bundesrichter, die Spitzen der Streitkräfte und der Bundespräsident geladen wurden.

Der Bundestagspräsident spricht die üblichen Eröffnungsworte und erteilt dann dem Bundeskanzler das Wort. Dieser streicht die Haare aus der Stirn, rückt seine Brille zurecht und setzt gerade zur Begrüßung an, als eine laute Detonation ihm das Wort abschneidet. In Bruchteilen von Sekunden stürzen die Mauern des Sitzungssaales unter gewaltigem Explosionsdruck ein und begraben alle Anwesenden unter sich . . .

Das ist, auf deutsche Verhältnisse übertragen, die furchtbare Vision, mit der einer der führenden Atomforscher der USA, Dr. Theodore B. Taylor, nun schon seit Jahren das Entsetzen der amerikanischen Öffentlichkeit hervorruft. Seine Schreckensvision sieht folgendermaßen aus: Falls Terroristen in Washington während der Verlesung der Jahresbotschaft des Präsidenten am Rande der um das Kapitol gezogenen Bannmeile eine Atombombe zündeten, die «nur» eine Kilotonne Sprengkraft besäße (ein Zwanzigstel der Hiroshima-Bombe), dann würden vermutlich alle, die sich zu diesem Zeitpunkt im Parlamentsgebäude befänden, durch einstürzende Wände, Feuer und radioaktive Strahlung getötet werden. Es lasse sich kaum ein anderes Terroristenziel von solcher Bedeutung vorstellen, meint Taylor. Denn auf einen einzigen Schlag könne so die gesamte Führungsmannschaft der USA durch «eine im Grunde lausige Spaltbombe» beseitigt werden.

Wenn «Ted» Taylor in diesem Zusammenhang das Wort *lousy* (lausig) verwendet, so will er damit keineswegs etwas über die Moral solch einer brutalen Waffe, sondern über den Grad ihrer technischen Vollkommenheit aussagen. Taylor gilt als der wahrscheinlich fähigste

Atombombenkonstrukteur der Nachkriegsgeneration. Sowohl die bisher kleinste und leichteste wie die an Explosionskraft stärkste Spaltbombe wurde in den Laboratorien von Los Alamos nach seinen Entwürfen gebaut. Aber sein heutiger Ruhm und – sein was bedeutsamer ist – sein Einfluß beruhen weniger auf seinem ungewöhnlichen technischen Sachverstand und seiner Brillanz, als vielmehr auf seinen von sozialer Verantwortung geleiteten Schreckensvorstellungen, mit denen er die Öffentlichkeit seit Jahren auf die Nerven geht. Er stellt die durchaus nicht unwahrscheinliche Hypothese auf, daß eine zwar simple, aber doch enorm wirkungsvolle Atombombe von jedem einigermaßen intelligenten Gewalttäter in irgendeinem Hinterhof oder Hinterzimmer gebaut werden könnte.

Lange Zeit hatte man für diesen Schwarzseher nur ein mitleidiges Lächeln übrig. Und ich muß gestehen, daß auch ich anfänglich zu denen gehört habe, die Ted Taylor für einen «Spinner» hielten. Sein Name sagte mir nichts, als er mich 1967 während seines zweijährigen Aufenthalts bei der Wiener Internationalen Atombehörde anrief, weil er «dringend und vertraulich» mit mir sprechen wollte. Während eines Spaziergangs durch die Gassen von Grinzing versuchte er dann, mir eindringlich klarzumachen, ich müsse die Öffentlichkeit unbedingt vor den Gefahren selbstgebastelter Atombomben warnen, die «Fanatiker, Verrückte oder eine Gruppe von politisch zu allem entschlossene Menschen» zünden könnten.

Damals, in den sechziger Jahren, als dieses Gespräch stattfand, galt der Bau von Atombomben aber noch als eine außerordentlich schwierige Angelegenheit, die nur technisch hochentwickelte Länder in großen Anlagen und mit Hilfe hochqualifizierter Fachleute leisten konnten. Auch war in diesen Jahren der Terrorismus noch nicht zum Tagesproblem geworden.

Taylor versuchte mir klarzumachen, daß die «nuklearen Übeltäter» ja nicht selber Riesenbetriebe zur Herstellung von nuklearem Sprengstoff aufbauen müßten. Sie bräuchten sich nur die erforderlichen Mengen durch Diebstahl, Bestechung, Raub oder Überfall zu beschaffen. Schließlich nähmen die zu militärischen und zivilien Zwecken erzeugten Vorräte an explosionsfähigem Spaltmaterial ständig zu und würden bis jetzt so schlecht bewacht, daß *diversions* (Abzweigungen) ein Kinderspiel seien. Wie man eine zwar nicht gerade perfekte, aber doch funktionierende Atombombe mit einer Sprengkraft bis zu zehn Kilotonnen konstruieren könne, das sei aus den seit langem von der amerikanischen Atombehörde veröffentlichten und seither tausendfach verbreiteten «Geheimnissen» der atomaren Kriegs- und ersten Nachkriegswaffen abzuleiten.

«Glauben Sie mir, ein einziges von diesen Dingern, in irgendeinem Stadtzentrum während der Hauptverkehrszeit gezündet, kann acht Häuserblöcke in die Luft jagen, Zehntausende von Menschen sofort oder in absehbarer Zeit zum Tode verurteilen und eine jahrelange Räumung der verseuchten Unfallzone erzwingen», erläuterte mir Taylor so ruhig und professoral, als halte er eine Vorlesung, während um uns herum lachende, angeregt miteinander redende Zecher ihren jungen Wein tranken und die Schrammeln die obligate Heurigenstimmung verbreiteten.

«Was Sie mir da erzählen, ist mir zu wild. Das kann ich mir nicht vorstellen, und ich will's mir auch nicht vorstellen», habe ich ihm damals geantwortet.

«Eben. Das ist es ja», sagte er resigniert. Sein Ton verriet, daß er es aufgegeben hatte, mich überzeugen zu wollen. Er hob sein Glas: «Gesundheit! Trotz allem. Und so lang's noch möglich ist!»

2

Noch heute sind manche Fachleute fest davon überzeugt, daß Taylors Ängste übertrieben sind. Sie meinen, die Atomindustrie habe sich so gut abgeschirmt, daß Eindringlinge, Diebe und Terroristen keine Chance hätten. Auch halten sie immer noch an der Vorstellung fest, daß «private Gruppen» es selbst bei technischer Qualifikation und guter Ausrüstung nie fertigbringen würden, Atombomben zu basteln, eine Illusion, die Amory Lovins in seinem ursprünglichen Beitrag der kritischen Experten beim «Gorleben-Hearing» (März/April 1979) so überzeugend widerlegte, daß Professor Beckurts ihn beschwor, diesen – möglicherweise von Terroristen mißbrauchbaren Teil – nicht zu veröffentlichen.

Aber diese Optimisten unter den Befürwortern der Atomenergie werden immer seltener, und Taylor kann inzwischen nicht nur weltweite Aufmerksamkeit verbuchen, sondern auch hohe Anerkennung. Seine Thesen über die Gefahren der *nuclear malevolence* (nukleare Böswilligkeit) werden als wichtiger neuer Beitrag zum Problem der Weiterverbreitung von Atomwaffen angesehen. Bereits seine erste Studie, die er 1971 (auf der Grundlage seiner bei der Wiener Atombehörde gemachten Erfahrungen) im Auftrag der «U.S. Atomic Energy Commission» über Sicherheitsvorkehrungen gegen die mißbräuchliche Anwendung von Spaltmaterial schrieb, fand intern starke Beachtung. Sie zog eine größere Untersuchung für die Ford-

Stiftung nach sich, die «der Pessimist vom Dienst» in Zusammenarbeit mit dem Juristen und Abrüstungsspezialisten Mason Willrich verfaßte.

Diese neue Arbeit, die den Titel: ‹*Nuclear Theft: Risks and Safeguards*› (Nuklear-Diebstahl: Risiken und Sicherungen) trug, schlug – selten paßte diese Redewendung so genau – besonders in den USA wie eine Bombe ein. Aus Furcht, die von Taylor und Willrich angestellten Überlegungen könnten potentielle Terroristen auf neue böse Ideen bringen, blieb die Arbeit zunächst unter Verschluß. Allerdings waren schon im Juli 1973 – durch möglicherweise gesteuerte Indiskretionen des bekannten Kolumnisten Anderson – Hinweise auf den sensationellen Charakter der Studie an die Öffentlichkeit gelangt. Im folgenden Jahr wurde dann die Publikation des Textes – vermutlich unter Weglassung einiger Details – gestattet. Taylor, inzwischen aus dem staatlichen Dienst ausgeschieden und Besitzer einer technischen Beratungsfirma, hatte alles darangesetzt, maßgebende Persönlichkeiten in Washington davon zu überzeugen, daß es viel gefährlicher sei, die bisher unbeachteten Gefahren des Atomzeitalters weiterhin zu verschweigen, als ihnen endlich die weiteste und intensivste Aufmerksamkeit zu schenken.

Typisches Beispiel für diesen Wandel in der Einschätzung Ted Taylors, den Kollegen bis dahin, trotz seiner unbestreitbaren technischen Kompetenz, wegen seiner «Spinnereien» verspottet hatten, ist die Vita, die ihm *Current Biography*, eine periodisch erscheinende Sammlung zeitgenössischer Lebensläufe, 1976 widmete. Dort heißt es, er werde von seinen wissenschaftlichen Kollegen als «einer der phantasievollsten und weitsichtigsten Physiker angesehen, die das Atomzeitalter hervorgebracht hat».

Bevor ihm solche Anerkennung zuteil wurde, mußte Taylor erst mehrere Hindernisse beseitigen, die seiner Glaubwürdigkeit im Wege standen. Gegen die bis dahin vorherrschende Meinung konnte er überzeugend darlegen, daß gewöhnliches Reaktorplutonium in verhältnismäßig kleinen Mengen von drei bis zehn Kilo genügen würde, eine einfache Atombombe herzustellen. Solche Einsichten gewann Taylor während seiner Zeit in Los Alamos, wo er Zugang zu Berechnungen gehabt hatte, die aus irgendeinem Grunde – möglicherweise um den Glauben an die «Sicherheit» der zivilen Kernkraft nicht zu erschüttern – geheimgehalten worden waren. Taylor versuchte nachzuweisen, daß die Herstellung einer primitiven Atombombe nicht unbedingt die Arbeit vieler hochqualifizierter Wissenschaftler und Ingenieure erfordere, sondern von einigen wenigen, einschlägig informierten, technisch durchschnittlich begabten Personen geleistet werden könnte, die das Risiko von Fehlkonstruktionen und Unfällen auf sich zu nehmen bereit wären. Er hatte zu beweisen, daß es höchst einfache «Rezepte» für den Bau einer solchen Bombe gebe. So verstand er es sehr bald, auch Experten wie Carl H. Builder, den Chef der Sicherheitsabteilung in der Atombehörde, von der Richtigkeit seiner Annahme zu überzeugen. Und schließlich konnte er aufzeigen, wie ungenügend bewacht Lagerhäuser mit Spaltstoffen, Reaktoranlagen und Spaltstofftransporte seien. Dieser Nachweis war zu Beginn der siebziger Jahre nur allzuleicht zu erbringen. Damals wäre es für entschlossene nukleare Erpresser noch ein Kinderspiel gewesen, an nukleares Sprengmaterial heranzukommen.

3

Als Taylor diese Beweise schwarz auf weiß präsentierte, fuhr den Verantwortlichen angesichts ihres bisherigen Leichtsinns noch nachträglich ein gewaltiger Schreck in die Glieder. Mit jener erstaunlichen Wendigkeit und Schnelligkeit, die so typisch amerikanisch ist, begannen sie sofort, sich auf die neuerkannte Problematik einzustellen. Die Entwicklung einer Strategie gegen CFE (Clandestine Fission Explosives), das heißt «heimliche Spalt-Explosivmittel», wurde ab 1973 zum Hauptanliegen einer eigenen Forschungsrichtung. Die «Rüstung» gegen den inneren Feind nahm mehr und mehr vom Charakter der «Rüstung gegen den äußeren Feind» an: intensive Stabsplanung, modernste technische Ausrüstung, elektronisch unterstützte Nachrichtendienste, Infiltration und «Kriegsspiele», die in diesem Falle wohl richtiger «Bürgerkriegsspiele» genannt werden sollten.

Nur daß man hier nicht mit dem Aufstand großer Massen, sondern mit «entschlossenen Gruppen» rechnete. Würden schon drei bis sechs Angreifer genügen, um in eine Atomanlage einzudringen und sich des gefährlichen SNM (Special Nuclear Material), des «speziellen nuklearen Materials» zu bemächtigen? Oder sei mit mindestens fünfzehn entschlossenen Terroristen zu rechnen? Wie würde ihre Taktik, wie ihre Bewaffnung sein? Solche und andere Fragen waren es, die staatliche Stellen nun von der «RAND Corporation» in Santa Monica, der «BDM Corporation» in Alexandria und einer Spezialabteilung des OTA (Office of Technology Assessment) in Washington untersuchen ließen.

Ausgangspunkt all dieser Katastrophenstudien war die Einsicht, daß der Fortschritt und die Zentralisierung der Technik die Gesellschaft in bisher kaum vorstellbarem Maße verwundbar gemacht haben. So wäre heute schon eine Handvoll von Revolutionären prinzipiell imstande, ganze Städte und Staaten zu lähmen, wenn sie die Nervenzentren der Produktion, der Energie, des Verkehrs zu treffen verstünde. Auf längere Sicht kommt noch erschwerend hinzu – so führt R.W. Mengel in einer vom amerikanischen Justizministerium bestellten Studie über ‹*Terrorism and the New Technologies of Destruction*› (Terrorismus und die neuen Technologien der Zerstörung) aus –, daß «in naher Zukunft Terroristen neue Technologien in Anwendung bringen und sich auf Waffen konzentrieren könnten, in denen nukleare, chemische oder biologische Stoffe verwendet würden, wie . . . hochenergetische Laser, Atomwaffen und andere». 4500 Terrorakte im Zeitraum eines Jahrzehnts (1965 bis 1975) hat Mengel ermittelt und archiviert. Obwohl in diesem Zusammmenhang ein ganzer Horror-Katalog von neuen und neuesten Sabotagemöglichkeiten vorgeführt wurde, steht doch der Atomterror deutlich im Vordergrund der Sorgen, weil die Drohung mit einer Atombombe in unserer Zeit ungleich größeren Schrecken auslösen würde als etwa die Ankündigung, man werde ins Trinkwasser Botulinsäure schütten, die noch giftiger ist als Plutonium und die vermutlich leichter zu beschaffen wäre.

4

Ted Taylor sprach 1945, als er durchs Radio vom Bombenabwurf über Hiroshima erfuhr, in einem erregten Brief an seine Eltern voreilig die Hoffnung aus, die Angst vor den unheimlichen atomaren Waffen werde künftig jeden Krieg sinnlos und daher unmöglich machen. Heute will er vor allem den nuklearen Bürgerkrieg verhindern helfen. Seine dringende Warnung vor Nuklearwaffen in der Hand von zu allem entschlossenen Einzelgängern oder politischen Minderheiten soll dazu beitragen, daß künftig durch erhöhte und viel strenger gehandhabte Sicherheitsmaßnahmen jede Möglichkeit einer Unterschlagung, des Diebstahls und des gewaltsamen Raubs von Spaltmaterial unterbunden wird. Tatsächlich hat der Schock, den seine Enthüllungen auslösten, dazu beigetragen, die «innere Aufrüstung» in den USA wesentlich anzukurbeln. Aber ebenso wie seine Hoffnung von 1945 auf die kriegsverhindernde Wirkung der großen Atombomben sich nicht erfüllte, so dürfte auch seine heutige Erwartung von der totalen Sicherung des «sozialen Friedens» ein frommer Wunsch bleiben. Denn die «innere Rüstung» garantiert trotz aller Anstrengungen auf längere Sicht so wenig zuverlässige Sicherheit wie die «äußere Rüstung». Die Spirale von Terrormöglichkeiten und Gegenmaßnahmen hat bereits begonnen, sich auch im Innern der Staaten immer schneller und schneller zu drehen. Sowohl Angriff wie Abwehr, Gegenangriff wie Gegenabwehr müssen zu immer rigoroseren Mitteln greifen. Jede raffinierte Verteidigungstechnik der staatlichen Sicherheitsorgane, jede noch schärfere Überwachungs- und Abwehrmaßnahme spornt die Gegner an, neue und immer brutalere Mittel zur Durchsetzung ihrer Ziele zu ersinnen.

Die Verteidiger der jeweils herrschenden Ordnung versuchen natürlich, alle nur denkbaren Pläne und Tricks terroristischer Gruppen gedanklich vorwegzunehmen, sie durchzuspielen und sich dagegen zu wappnen. Doch die verzweifelte Phantasie anderer Menschen ist stets nur bis zu einem gewissen Grad vorstellbar. Selbst wenn, wie es Taylor und Willrich vorgeschlagen haben, wirklich pro Jahr ein bis zwei Prozent des Gesamtaufwands für Kernenergie ausschließlich zur Verstärkung der Sicherungsmaßnahmen eingesetzt würden, müßte man dennoch ständig mit Gegenzügen rechnen, die nicht vorherzuberechnen sind.

Für die Atomindustrie besteht also nicht nur auf dem Gebiet der technischen Sicherung ein Unsicherheitsfaktor; sie hat sich in allen politischen und sozialen Spannungssituationen zusätzlich mit dem erheblichen Risikofaktor der möglichen «Einwirkungen von außen» auseinanderzusetzen. Es ist zu befürchten, daß besonders dieses Restrisiko in unruhigen Zeiten immer größer, daß es unkalkulierbar wird. Man stelle sich nur einmal vor, welch umstrittenes Faustpfand ein KKW in einer Revolution werden könnte. Gegen «soziale Erdbeben» ist keine Atomanlage sicher genug ausgelegt.

«Kriegsspiele» gehören – wie schon erwähnt – zu den Methoden der technischen und gesellschaftlichen Planer, um so das Unvorhersehbare in den Griff zu bekommen. Nun werden sie auch für den permanenten «inneren Krieg» verwendet, denn mit ihrer Hilfe hofft man, Aufschluß über «Sicherheitslücken» zu erlangen. Vor dem Ausschuß des amerikanischen Senats zur Kontrolle der Regierungstätigkeiten enthüllte am 28. Januar 1976 Orval E. Jones, Direktor des Instituts für nukleare Sicherheitssysteme der Sandia-Laboratorien (Albuquerque und Livermore), daß dort bereits seit einiger Zeit systematische *diversion games* durchgeführt würden. Bei diesen «Spielen» versuchen sogenannte *blackhat teams* (Schwarzhut-Teams) – ausgestattet mit vertraulichen Informationen über Atomanlagen – die bestehenden Schutzeinrichtungen als «Terroristen» zu überwinden, ins Innere dieser empfindlichen Installationen einzudringen und sie zu sabotieren oder Plutonium zu erbeuten. Das schafften sie bei solchen Manövern bisher ziemlich häufig.

Trotzdem sind bei den «Sicherheits-Fachleuten» Zweifel aufgetaucht, ob diese Terrorismus-Manöver auch realistisch genug seien. Manfred von Ehrenfried, ein Amerikaner deutscher Abstammung, holte sich für solche simulierten Attacken auf Kernkraftwerke ehemalige Mitglieder der für ihre Brutalität im Vietnam-Krieg bekannten Sondereinsatztruppe «Green Berets». Aber selbst das befriedigte den Chef einer für atomare Sicherheitsberatung (und Propagandabroschüren) spezialisierten Firma nicht. Charles Yulish schlug (laut *Nucleonics Week* vom 7. November 1974) vor, man solle doch für solche Zwecke entlassene Verbrecher einsetzen. Einen solchen Job könnten am besten solche Männer erledigen, die im gewaltsamen Einbrechen praktische Erfahrungen hätten.

5

Als besonderer Schwachpunkt des «Atom-Systems» in den USA haben die zahlreichen Atomtransporte zu gelten, die Tag für Tag über alle Straßen und Schienenwege rollen oder per Flugzeug befördert werden. Im Gegensatz zu den von Wassergräben, mehrfachen Zäunen, Mauern, Stacheldraht und elektronischen Alarmanlagen umgebenen Kernkraftfestungen sind sie nur schwer gegen Straßenüberfälle entschlossener Banden zu schützen. Alles, was bisher zu ihrer Sicherung getan werden konnte, war der Bau schwerbewaffneter, panzergeschützter Spezial-Lastwagen (Safe Security Trailers), die so getarnt wurden, daß sie wie gewöhnliche Wohnwagen aussehen. Angeblich sind sie «bombensicher» und können im Fall einer Attacke durch eine Wand von Rauch oder Gas eingenebelt und damit abgeschirmt werden. Fast wichtiger noch erschien es den Sicherheitsplanern in Sachen Atom, diese Transportwagen, die künftig nur noch im Konvoi fahren sollen, mit elektronischen Ortungs- und Alarmanlagen auszustatten, damit im Fall eines gelungenen Überfalls, bei dem SNM (Special Nuclear Material) geraubt werden könnte, möglichst schnell Straßensperren errichtet und Verfolgungsmaßnahmen eingeleitet werden. Zu diesem Zweck wurde in den USA eigens ein besonderes drahtloses Nachrichtennetz eingerichtet, über das die Fahrer und bewaffneten Begleiter der Konvois ständig in Kontakt mit bestimmten Leitstellen bleiben müssen. Diese Mannschaften gehören heute zu den am genauesten überprüften und überwachten Angestellten der amerikanischen Energiebehörde ERDA. «Ich kann nicht einmal am Straßenrand ein Geschäft verrichten, ohne daß die in der Zentrale sofort wissen, was ich tue», beklagte sich ein Fernfahrer.

Doch es gibt heute schon viel einfachere Methoden, sich gefährliches Spaltmaterial zu beschaffen, als Überfälle auf nukleare Anlagen oder Transporte. Der Politologe David Krieger, ehemaliger Direktor des «International Relations Center» der kalifornischen Staatsuniversität von San Franzisco, hat im März 1977 auf eine bisher unbeachtet gebliebene Quelle aufmerksam gemacht. In den angesehenen *Annals of the American Academy of Political and Social Science* warnte er: «Plutonium 238, das ungefähr 280mal giftiger als Plutonium 239 ist . . . verdient unsere Aufmerksamkeit, weil es dazu verwendet wird, Herzschrittmacher anzutreiben. Jeder Schrittmacher enthält etwa ein Viertelgramm Plutonium 238. Wenn wir die Berechnungen, die Willrich und Taylor (für Pu 239) gemacht haben, extrapolieren, könnte das Versprühen dieses Viertelgramms Plutonium 238 aus einem einzigen Schrittmacher tödliche Dosen über einen Innenraum von 37500 Quadratmetern ausstrahlen . . . Man wäre höchst unvorsichtig, wenn man die Möglichkeit ausschließen wollte, daß Terroristen sich durch die Entfernung eines in der Brust eines unglücklichen Opfers eingesetzten Schrittmachers eine solche bedeutsame radiologische Waffe beschaffen . . .»

6

Zur Zeit werden in den USA monatlich erst zwanzig Herzschrittmacher hergestellt, die mit Plutonium 238 angetrieben werden. Morgen könnten es Tausende und Zehntausende sein. Denn anders als bei batteriegetriebenen Modellen, die sich nach einiger Zeit erschöpfen, dürfen Träger eines PU-Schrittmachers auf die lebenslange Leistung ihres Herzhelfers rechnen und müssen sich deshalb nicht alle paar Jahre zur Erneuerung einem operativen Eingriff unterziehen.

Trotz solcher Vorteile wird vermutlich jedoch die Herstellung des mit Plutonium betriebenen Herzschrittmachers bald untersagt werden: spätestens seit Kriegers Veröffentlichung gilt er als besonders «terrorgefährdet». Und man darf wohl annehmen, daß die Betroffenen eine solche Maßnahme als im Interesse der Sicherheit verständlich und notwendig akzeptieren werden.

Eine ähnliche Einsicht sollte man eigentlich auch von den Befürwortern der Kernenergieanlagen erwarten dürfen. Wären sie vernünftig und nicht von sturem Durchsetzungswillen getrieben und ließen sich nicht von ihren Illusionen über die Effizienz von Sicherheitsmaßnahmen irreführen, so würden sie in der heutigen Weltlage auf Kernkraftwerke als «Herzschrittmacher» für ihre von Krisen befallene Großtechnik verzichten. Durch die Errichtung von Mauern, Zäunen und Gräben und die Verstärkung der Schutztruppen können vielleicht von außen kommende Gefahren sogar mit hoher Wahrscheinlichkeit abgewehrt werden. Aber schützt das auch gegen Feinde von innen? Wie viele Trutzburgen der Geschichte sind schon durch Verrat gefallen? Die Strategen der «inneren Rüstung» sind mit diesem Problem sehr wohl vertraut. Daher spielen in ihren «Konflikt-Szenarios» Abtrünnige und Mitglieder einer «fünften Kolonne», die mit Angreifern zusammenarbeiten könnten, eine wichtige Rolle.

Michael Flood, ein junger Engländer, der sich intensiv mit den Problemen der «Atomsabotage» beschäftigt hat, äußerte in einem Gespräch mir gegenüber die Sorge, daß bei Werkschutzgruppen – typischen Männergemeinschaften, die zum Teil aus beruflich oder anderweitig Gescheiterten oder Unzufriedenen bestehen – oft faschistische Tendenzen festzustellen seien. Er hält es nicht für undenkbar, daß besonders eifrige und «scharfe» Objektschützer einer Atomanlage eine Regierung, deren Vorgehen gegen «subversive Elemente» ihnen noch zu lasch erscheint, mit der Drohung unter Druck setzen könnten, sie würden die ganze von ihnen kontrollierte Anlage hochgehen lassen, falls nicht sofort gewisse Maßnahmen in punkto Zucht und Ordnung ergriffen würden. Bei internen Machtkämpfen in einem totalitären «Linksregime» könnte diejenige Gruppe, der die Sicherungstruppen für nukleare Einrichtungen unterstehen, versuchen, die Verfügungsgewalt über einen Reaktor als Waffe im ideologischen Kampf einzusetzen. Ein solcher Fall hätte in der Sowjetunion bereits Realität werden können, wenn Berija 1953 bei seiner Absetzung als Chef der Sicherungstruppen in den damals noch nicht so zahlreichen sowjetischen Atomanlagen diesen Trumpf ausgespielt hätte.

Mit Hunderten solch teils wahrscheinlicher, teils sicherlich zu abenteuerlicher Szenarios, in denen alle nur denkbaren Drohungen durchgespielt werden, haben sich die Strategen des «inneren Krieges» in den Atomstaaten aber nun einmal auseinanderzusetzen. Angesichts der immensen Gefahr, die durch nukleare Terrorakte heraufbeschworen wird, müssen sie einfach auf alles gefaßt sein. Denn die Zahl der «Geiseln», deren sich die Aggressoren in einem solchen Falle vielleicht bedienen würden, kann in die Tausende und aber Tausende gehen.

Wie solche Situationen im Zeichen des Atomterrors aussehen

könnten, hat Dr. Bernard T. Feld, Vorstand des Fachgebiets Atom- und Hochenergiephysik am M.I.T. (Massachusetts Institute of Technology) besonders eindrucksvoll ausgemalt: «Ich möchte Ihnen von einem Alptraum erzählen, den ich habe. Der Bürgermeister von Boston läßt mich zu einer dringenden Beratung rufen. Er hat eine Mitteilung von einer Terroristengruppe erhalten, daß irgendwo im Zentrum von Boston eine Atombombe gelegt würde. Der Bürgermeister hat sich bestätigen lassen, daß zwanzig Pfund Plutonium aus den Regierungsvorräten vermißt werden. Er zeigt mir eine grob skizzierte Blaupause und die empörenden Forderungen der Terroristen. Als jemand, der beim Bau der ersten Atombombe mitgearbeitet hat, weiß ich, daß dieses Ding funktionieren würde. Nicht einwandfrei zwar, aber nichtsdestoweniger mit furchtbaren Folgen. Was müßte ich ihm raten? Der Erpressung nachzugeben? Oder das Risiko einzugehen, daß die Stadt, in der ich lebe, zerstört wird? Ich müßte ihm zur Kapitulation raten.»

Der 1976 in Washington erschienene offizielle amerikanische Bericht über ‹*Discorders and Terrorism*› (Unruhen und Terrorismus) geht speziell auf die Frage nach der Glaubwürdigkeit solcher Botschaften ein, deren Verfasser behaupten, «nukleare Waffen, nukleare Materialien oder biochemische Vernichtungspotentiale einsetzen zu können». Wörtlich wird davor gewarnt, «sich trotz Science-fiction-Anklängen in solchen Drohungen . . . nicht darüber hinwegtäuschen zu lassen, daß sie vielleicht doch praktischer und ernsthafter Natur sein könnten . . . Drohungen mit neuen Massenzerstörungs-Technologien sollten als ernst zu nehmende Herausforderung für die dadurch ausgelösten polizeilichen Operationen angesehen werden. Die Ausweitung der möglichen Zerstörungen gestattet keine andere Handlungsweise».

7

Jeder nukleare Zwischenfall wird – so sehen das die heute in den Kernenergie-Staaten bereits ausgearbeiteten Pläne vor – eine Mobilmachung von Polizeieinheiten und Streitkräften in einem Umfang nach sich ziehen, wie sie bisher nur in revolutionären Situationen angeordnet wurde. Dabei spielt es keine Rolle, ob es sich um die maximale Drohung handelt, direkt nukleare Waffen einzusetzen, ob um ein Ultimatum, eine nukleare Anlage in die Luft zu jagen, oder um den Überfall auf einen nuklearen Transport. Schon wenn bei einer Lagerkontrolle das Fehlen einiger Kilogramm Plutonium festgestellt wird, reichte das aus, den Notstand auszurufen. Professor John H. Barton, Lehrstuhlinhaber für Jurisprudenz an der Stanford University (Kalifornien), hat in einer schon 1975 für die «Nucelar Regulatory Commission» vorbereiteten Studie ‹*Intensified Nuclear Safeguards and Civil Liberties*› deutlich ausgesprochen, daß bei einem solchen Zwischenfall ganze Regionen von ‹*response forces*› (reagierenden Streitkräften) besetzt werden müßten. Auf den Straßen würden Panzerwagen auffahren und am Himmel Hubschrauber lärmend ihre Kreise ziehen. Suchtrupps hätten auf Befehl ganze Stadtteile, Wohnung für Wohnung, zu «durchfilzen». Der amerikanische Rechtsgelehrte spricht die Hoffnung aus, daß Einschränkungen oder gar Verletzungen der bürgerlichen Freiheiten und Rechte nur bei extremen «Zwischenfällen», wie zum Beispiel der Evakuierung dichtbesiedelter Viertel nach Sabotage eines Kernkraftwerkes, notwendig würden. Er befürchtet jedoch, die eingesetzten Streitkräfte könnten bei der Bekämpfung terroristischer Gruppen auch die Rechte Unschuldiger und Unbeteiligter mißachten, «besonders durch die Anwendung tödlicher Machtmittel» – eine bürokratisch perfekte Umschreibung für «Mord».

Vor allem ‹*private guards*› (Werkschützer) sieht Barton in dieser Hinsicht als Risiko an: Sie seien erfahrungsgemäß weniger zurückhaltend als Berufspolizisten und Soldaten. Es wäre sogar denkbar, meint er, daß man in Notsituationen versuchen könnte, Geständnisse über den Verbleib verschwundenen Plutoniums durch Folter zu erpressen. Nachträglich würde man dieses Verhalten dann wohl bedauern und als in dieser Lage unverzichtbar rechtfertigen.

Der unheimlichste nukleare Zwischenfall überhaupt wäre eine Bombenexplosion ohne konkrete erpresserische Forderung und vorherige Warnung, wie sie Taylor als Horrorvision eines Attentats auf das Washingtoner Regierungsviertel ausgemalt hat. So eine Aktion würde seiner Ansicht nach nicht sinnlos sein, wie es zunächst erscheinen könnte, sondern hätte den ganz bestimmten Zweck, das anvisierte Gesellschaftssystem mit einem einzigen brutalen Schlag zu «enthaupten». Allgemeine Angst- und Panikstimmung wären die Folge. Die Attacke Unbekannter könnte aber auch – so die Theorie des kalifornischen Psychologen Douglas DeNike und anderer Terrorfachleute – eine besonders hinterhältige Form nuklearer Kriegführung sein. Sie hätte für die Angreifer – vor allem, wenn es sich um mehrere miteinander verschworene Staaten handelt – den Vorteil, daß die angegriffene Nation nicht einmal mit Bestimmtheit wissen könnte, gegen wen sie ihre Vergeltungsschritte richten solle. Damit wäre die Furcht vor einem atomaren Gegenschlag praktisch außer Kraft gesetzt.

Bei solchen, bisher nur angenommenen Zwischenfällen beginnen die ohnehin schon unscharf gewordenen Grenzen zwischen innerem und äußerem Krieg zu verfließen. David Krieger hat das in den folgenden «Kurz-Szenarios» gezeigt, die einige gegen die USA gerichtete Atomterrorakte beschreiben:

- Eine in Frankreich gelegene Fabrik, die einer amerikanischen Firma gehört, wird mit Plutonium-Oxid «verstrahlt». Die Terroristen drohen, man werde gegen andere amerikanische Firmen im Ausland ähnlich vorgehen, wenn die US-Regierung ihre bisherige Politik nicht entscheidend ändere.
- Japanische Kamikazeflieger lassen ihr Flugzeug über einem amerikanischen Atombrüter abstürzen und verursachen ein Schmelzen des Reaktorkerns.
- Eine deutsche Terroristengruppe droht, eine amerikanische Behörde in Europa mit Atomwaffen zu bombardieren, wenn die Niederlande nicht gewisse politische Gefangene freiläßt.
- Eine internationale Gruppe, die sich in den Besitz von Plutonium-Oxid gebracht hat, verseucht nordamerikanische Stützpunkte in Lateinamerika und Asien mit Plutonium. Sie droht, dies so lange fortzusetzen, bis die USA ihr Atomarsenal aus Europa abgezogen hätten.

8

Der Mitarbeiter eines Kernkraftwerkes von morgen wird am Eingang nicht mehr von menschlichen Kontrolleuren überprüft werden. Denn Menschen könnten nachlässig, korrupt oder die Gesinnungsgenossen eines Saboteurs sein. Er betritt statt dessen einen engen, leeren, neonbeleuchteten Raum, wo ihn drei Apparaturen erwarten. An der ersten Maschine muß er die vier Zahlen «seiner» Besucher- oder Identifikationsnummer eintasten und warten, bis ihm eine mechanische Stimme langsam vier Standardworte vorsagt. Diese Worte hat er laut zu wiederholen. Ihr Inhalt ist nicht wichtig, wohl aber das so entstandene «Stimmenmuster» des Sprechers. Es wird in Sekundenschnelle aufgezeichnet und mit dem bereits im Computer gespeicherten individuellen «Tonprofil» verglichen.

Ein metallisches *«Thank you»* bedeutet, daß diese erste Prüfung bestanden wurde. Als nächstes muß, wer das Kernkraftwerk betreten will, in einer offenen Kabine auf einer Unterlage, die an eine automatische Handschriften-Kontrollmaschine angeschlossen ist, seinen Namen signieren. Der Apparat registriert, ob der Druck auf die

Schreibfläche «wie üblich» ist und der Schreiber die Feder genauso oft wie sonst abhebt und wieder ansetzt. Wenn schließlich auch noch die Fingerabdruckmaschine ihr «Okay» gegeben hat, leuchten in grellem Gelb die Worte IDENTITY VERIFIED auf, und die Tür ins Innere öffnet sich.

An der «Pease Air Force Base» in der Nähe von Portsmouth (New Hampshire) wird dieser angeblich zu 98 Prozent zuverlässige «Türhüter» seit 1976 ausprobiert. Er soll künftig zur Standardausrüstung amerikanischer Atomanlagen gehören. Die Sicherheitsfachleute behaupten, er werde im Durchschnitt nur bei einem von 125000 Passanten versagen. Ein paar Kleinigkeiten gebe es allerdings noch auszubügeln. Vor allem Ausländer oder Amerikaner ausländischer Herkunft bereiteten Schwierigkeiten bei der Kontrolle, da sie manchmal unabsichtlich ihren Tonfall änderten. Aber auch auf Frauen sei kein Verlaß: ihre Unterschrift komme immer ein wenig anders heraus.

«Wir müssen in den Atomanlagen soviel wie möglich den nichtmenschlichen Mitarbeitern, das heißt den Apparten, überlassen. Das ist nicht nur zuverlässiger, sondern auch billiger», erklärte mir G. Robert Keepin, Nuclear-Safeguard-Program-Director des berühmten Laboratoriums Los Alamos. Er ist ein imposanter, Optimismus ausstrahlender Blondschopf, dem man anmerkt, welch kindlichen Spaß ihm das Spiel mit elektronischen Kontrollgeräten macht. Auf ihn setzen die Sicherheitsorgane zur Zeit große Hoffnungen, den sein berühmtes «Dymac System» (Dynamic Materials Control) faßt Dutzende von unterschiedlichen elektronischen Monitoren, die in einem Nuklearbetrieb installiert sind, zu einem Überwachungsnetz zusammen. Auf diese Weise sollen spezielle nukleare Materialien wie Uran und Plutonium in jeder Phase ihres Durchlaufs bis zu Bruchteilen von Grammen exakt erfaßt werden. Die derart gewonnenen Daten werden laufend an ein eigenes Computer-Zentrum übermittelt, das durch Vergleich und Prüfung aller aus dem ganzen Betrieb mitgeteilten Werte imstande sein soll, auch noch das letzte Stäubchen Plutonium permanent unter Kontrolle zu halten.

«Dymacs House», der Prototyp dieser Anlage in der Umgebung von Los Alamos, hat viele Millionen Dollar verschlungen. Es soll zunächst an Atomanlagen in den USA geliefert und danach in die ganze Welt exportiert werden. Den Zweck dieses wohl komplettesten aller Überwachungssysteme beschreibt Keepin folgendermaßen: «Wächter, spezielle Eintrittssicherungen und Waffen sind notwendig zum Schutz gegen offene Attacken von außen. Doch wir müssen uns auch gegen scharfsinnige Manöver schützen, wie zum Beispiel gegen Diebstähle eines in der Anlage Beschäftigten, der immerzu kleine Mengen von Material beiseiteschafft.»

Nun verschwindet aber Uran und Plutonium im Produktionsprozeß auch auf ganz natürliche Weise. Es bleibt einfach in den vielen Röhren und Kesseln hängen. Diese Rückstände summieren sich in Jahren und Monaten beträchtlich. So berichtete die amerikanische «Nuclear Regulatory Commission», daß von 1968 bis 1976 in den von ihr kontrollierten Anlagen 542 Kilogramm hochangereichertes Uran und 32,8 Kilogramm Plutonium verschwanden. Wie kann man herausfinden, ob das SNM (Special Nuclear Material) auf legitime Weise «verlorenging» oder ob es zumindest teilweise entwendet wurde? Das zu ermitteln, ist bei der potentiellen Gefährlichkeit der hier zu kontrollierenden Substanzen geradezu eine eigene Wissenschaft geworden, die man im Scherz «Muffologie» nennt. MUF (Material Unaccounted For) ist die Bezeichnung für Material, über dessen Verbleib bei der Bilanzierung von Spaltstoffen kein sicherer Nachweis zu erbringen ist. Als unverdächtig wird im allgemeinen ein Materialverlust bis zu einem Prozent betrachtet. Angesichts der zu erwartenden Steigerung der Produktionszahlen in allen Teilen des nuklearen Brennkreislaufs würde das aber bedeuten, daß in Zukunft Jahr für Jahr das Verbleiben vieler Kilogramm Plutonium nicht einwandfrei nachweisbar wäre. Möglicherweise werden sie irgendwo auf dem Plutonium-Schwarzmarkt gelandet sein; vielleicht liegen sie in den Safes irgendeines Staates, der noch keine Atombombe hat, aber sie bald herstellen wird; vielleicht geriet etwas vom «heißen Stoff» bereits in die Hände von Terroristen.

In dem 1977 vom «Office of Technology Assessment» (OTA) im Auftrag der amerikanischen Volksvertretung herausgegebenen Bericht ‹*Nuclear Proliferation and Safeguards*› werden diese von manchen Kritikern dieses Buches als «abenteuerlich» beschriebenen Möglichkeiten durchaus ernst genommen. Es heißt dort: «Ein Markt von mehreren hundert Pfund von Spaltmaterial, der jedes Jahr Millionen von Dollars bringen könnte, erscheint glaubhaft. Wenn auch unbedeutender als der Drogenhandel wäre er doch für Verbrecherbanden von Interesse und würde eine größere Bedeutung für die Weiterverbreitung haben.» Das OTA nimmt an, daß die Lieferanten eines solchen Marktes vor allem Angestellte von Wiederaufarbeitungsanlagen sein dürften. Es heißt in dem Bericht: «Wenn jeder nur ein Gramm Plutonium pro Tag herausschmuggeln würde (eine Menge, die wahrscheinlich zu gering ist, um entdeckt zu werden) könnte er pro Jahr 5000 Dollar verdienen, und vielleicht sogar ein Vielfaches.»

«Wenn wir irgendwann einmal erfahren, wo das verdammte Zeug wirklich geblieben ist, dann wird es vielleicht zu spät sein», sagte mir Paul Leventhal, der auf Grund seiner Vorbereitung der amerikanischen «Hearings» über die Gefahren der Proliferation besonders guten Einblick in diese vertrackte Problematik hat.

«Es ist doch eigentlich ein Unding, daß wir da eine Industrie aufbauen, die viele Tonnen eines hochempfindlichen und gefährlichen Materials erzeugt, von dem schon ein paar Kilogramm, ja unter Umständen sogar schon ein paar Gramm genügen, um entsetzliches Unheil anzurichten. Und selbst wenn es nie dazu kommen sollte – welche Fluten, welche Lawinen von Angst hat diese verdammte neue Technologie schon über die Welt gebracht!»

Der Pionier einer psychologischen Analyse des Terrorproblems, Friedrich Hacker, sagte zum Alptraum des von ihm als wahrscheinlich angenommenen Atomterrorismus, erstens müßten wir aufhören, mit der Idee des perfekten Polizeistaates zu spielen. Und zweitens sollten wir mit aller Energie versuchen, dem Terrorismus durch Abschaffung ungerechter sozialer Bedingungen den Boden zu entziehen. Dem würde ich als dritte Bedingung aber unbedingt noch hinzufügen: das auf der Erde erzeugte Spaltmaterial dürfte auf keinen Fall noch weiter zunehmen, denn mit jedem Kilogramm Plutonium wächst die entsetzliche Gefahr seines Mißbrauchs.

Siebtes Kapitel

Die Überwachten

1

«Nuklearzeitalter. Wir alle sitzen in diesem Zug. Er fährt. Wer steuert? Wer konzipiert, wer plant diese Fahrt? Sind es Experten? Sind es Technokraten? Expertokratie: eine gespenstische Vorstellung und bereits ein Teil unserer Wirklichkeit?» Das sind die bohrenden Fragen, die am Pfingstmontag 1977 der Schweizer Schriftsteller Otto F. Walter auf der Schlußdemonstration gegen das Kernkraftwerk Gösgen Tausenden von Menschen stellte. Sie waren gekommen, um im Schatten des grauen, einhundertfünf Meter hohen Beton-Kühlturms eine «Denkpause» in der Entwicklung von Kernkraftwerken zu verlangen.

Eine junge Frau, die zweiundzwanzigjährige Anna R., blieb zurück, nachdem die Scharen der Protestierenden schon abgezogen waren. Das Erlebnis der letzten Stunden hatte sie bewegt, und sie wollte jetzt allein und in Ruhe über das nachdenken, was sie gesehen und gehört hatte. Eine mit Aufräumungsarbeiten beschäftigte Polizeipatrouille fand, daß sei ein «bizarres Verhalten», zwang die Wehrlose mit Fußtritten in ein bereitstehendes vergittertes Lastauto und brachte sie – ohne vorher ihre Identität festgestellt zu haben (erster Rechtsverstoß) – zum nächsten Polizeiposten. Dort wird sie zur Leibesvisitation gezwungen und muß sich nackt ausziehen (zweiter Rechtsverstoß). Aus Protest rührt sie keinen Finger, um sich selber wieder anzuziehen. Daraufhin wird sie, ohne daß ihr irgendein Vergehen hätte vorgeworfen werden können, über Nacht in Gewahrsam gehalten (dritter Rechtsverstoß). Am nächsten Morgen schafft man «die Verrückte» – denn in den Augen der Schweizer Polizei würde doch kein «normaler» Mensch passiven Widerstand gegen ihre rüden Methoden riskieren – ohne Befragung und gegen ihren Willen in die Solothurner Nervenheilanstalt. Nachdem man ihre Identität genau festgestellt hat, wird Anna R. in ihren Heimatkanton Genf abgeschoben. Unter Bewachung bringt man sie in die «Clinique psychiatrique universitaire de Bel-Air». Der diensthabende Arzt unterschreibt den Aufnahmeschein, die Demonstrantin muß eine Zelle in der Nervenheilanstalt beziehen (vierter Verstoß: zuvor hätte sie ein von dieser Institution unabhängiger Arzt untersuchen und einweisen müssen!).

Tapfer versucht die ins Räderwerk der Repression Geratene passiven Widerstand zu leisten. Sie beginnt einen Schweige- und Hungerstreik, weist die Medikamente, die sie schlucken soll, zurück, zeigt sich gegenüber einem Psychiater, der mit ihr sprechen will, «verstockt».

Nach zwei Tagen beschließt der behandelnde Arzt, ein Doktor B., ihre «Renitenz zu brechen» und sie zur Mitarbeit zu zwingen. Ohne daß sie oder eine ihr nahestehende Person verständigt worden wäre (fünfter Rechtsverstoß), wird Anna R. gezwungen, sich einem der umstrittensten psychiatrischen Eingriffe zu unterziehen, dem Elektroschock. Unter Narkose legt man ihr Elektroden an und schickt einen starken Stromstoß durch ihr Gehirn, der den ganzen Körper in konvulsivische Zuckungen versetzt und sekundenlang den Atem unterbricht. Gedächtnisstörungen und Verhaltensänderungen sind die Folge dieser umstrittenen Therapie.

Inzwischen hat man in der Außenwelt Gerüchte über diese Vorgänge gehört. Anna R. darf eine Woche nach ihrer Verhaftung zum erstenmal wieder andere Menschen sehen und nicht nur mit Polizisten, Nervenärzten und Irrenwärtern reden.

Doktor B. untersagt jedoch sofort alle weiteren Besuche mit der Begründung, das rege seine Patientin zu sehr auf. Den Freunden wird versichert, es gehe Anna R. «viel besser». Gleichzeitig setzt der Arzt die Elektroschocktherapie fort. Zwischendurch übergibt er seiner Patientin, von der er doch angeblich alle Aufregungen fernhalten will, eine Vorladung zum Untersuchungsrichter. Doch jetzt regt sich innerhalb der Klinik selbst Kritik. Doktor Bierens de Hahn, ein Stationsarzt, nimmt (wie schon früher) auch in diesem Fall energisch gegen die Elektroschockbehandlung Stellung: er hält sie für brutal und therapeutisch unwirksam. Schon seit langem hat er sich darum bemüht, statt der autoritäten Methoden, wie sie der Klinikchef Professor René Tissot immer noch praktiziert, das moderne partizipatorische Konzept der «psychiatrischen Gemeinschaft» durchzusetzen. Nur ein einziger Kollege, Dr. Enckell, wagt es, ihm zuzustimmen.

Beide Ärzte, seit Jahren an der Klinik tätig, werden am 23. Juni 1977 zur Direktion gerufen. Man eröffnet ihnen, sie müßten innerhalb einer Woche ihre Arbeitsplätze verlassen. Professor Tissot begründet das mündlich, indem er den Kollegen vorwirft: «Sie haben sich offen gegen die Elektroschocks ausgesprochen und sich gegenüber den Mitarbeitern, die sie bei Anna R. angewandt haben, unsolidarisch verhalten.»

Später zeigt sich, daß der Direktor nur auf einen solchen Vorwand gewartet hat, um der neuen, nichtautoritären Behandlungsmethode endlich einen Riegel vorzuschieben.

Die staatlichen Stellen reagieren auf einen Protest der von den beiden gemaßregelten Ärzten behandelten Patienten ganz ähnlich wie auf die Proteste gegen Kernkraftwerke. Sie beharren gegenüber den Betroffenen ungerührt auf ihrem starren Standpunkt. Die vom Klinikchef angerufene Genfer Kantonsregierung, der «Conseil d'Etat», setzt sich sogar über den inzwischen erlassenen Bescheid der offiziellen Revisionsbehörde hinweg, die bei Arbeitskonflikten eingeschaltet wird. Diese Instanz schlägt vor, die Maßnahmen der Klinikleitung rückgängig zu machen, doch man weigert sich ganz einfach, das zu veranlassen. Im Gegenteil: der autoritäre Direktor wird von der autoritären Behörde voll und ganz bestätigt.

«Die Affäre ist nicht mehr medizinischer, noch weniger wissenschaftlicher Natur. Sie ist – sehr schnell übrigens – durch das autoritäre Eingreifen der Genfer Regierung politisch geworden», schrieb mir der mutige Doktor Bierens de Hahn, der versucht hatte, sein «Terrain zu halten, damit die Psychiatrie sich von Praktiken befreie, die ihrer nicht würdig sind und einen Skandal darstellen». Und Anna R.? Sie mußte auf Grund der Schädigung, die sie durch diese Erlebnisse erlitten hatte, noch längere Zeit in Behandlung bleiben. So behielt die Behörde also nachträglich doch noch «recht».

2

Die Verkettung von autoritärer Kerntechnik und autoritärer Psychiatrie, wie sie im Fall der Anna R. augenscheinlich wird, ist weder zufällig noch einmalig. Die Exekutive versucht, den Widerstand gegen das Atom auch psychologisch zu brechen. Und dazu sind ihr viele ungewöhnliche Mittel recht: von der heimlichen Verführung zur «Akzeptanz» der Kernkraft bis hin zum offenen Angriff auf Nervensystem und Gehirn reicht eine ganze Skala der Interventionen im Dienste der «Vernunft». Man schreckt nicht vor der Diffamierung der Gegner zurück, die als «irrational» und «geistig unzurechnungsfähig» bezeichnet werden. Und es scheint durchaus nicht mehr im Bereich des Unmöglichen zu liegen, daß auch nachgeholfen wird, wenn es gilt, allzu schwierige Bürger tatsächlich verrückt zu machen.

Nach Aussagen des Chemikers Dr. Bruno Ferrini wurde beim Polizeieinsatz gegen Demonstranten vor dem Kernkraftwerk Gösgen am 3. Juli 1977 nicht nur der bereits bekannte chemische Polizeikampfstoff CN (Chloracetonphenon) eingesetzt, sondern möglicherweise auch noch ein anderes Gas erprobt, das als Nebenwirkung Verhaltensveränderungen herbeiführen kann.

Genaue Analysen von Ablagerungen, die man auf Kirschen und Gerste gefunden hat, belegen diese Behauptungen. Daß die Polizei sie abstreiten würde, war nicht anders zu erwarten. So etwas gehört zu jeder üblichen Verharmlosungskampagne, und auf diese Weise sollte die Schweizer Öffentlichkeit erst einmal beruhigt werden. Später mußte man aber zugeben, daß diese giftigen Kampfstoffe «bei unsachgemäßer Handhabung tödliche Folgen haben» (*Neue Zürcher Zeitung*, 14. August 1977). Auch war nicht zu bestreiten, daß die Basler Polizei ihre eigenen Mannschaften in einem ihrer Ausbildungspapiere gewarnt hatte: «Im allgemeinen herrscht die Ansicht, die erwähnten Kampfstoffe seien wirkungsvoll, aber harmlos. Dies ist jedoch nicht der Fall. Wenn wir sie einsetzen, so müssen wir uns bewußt sein, daß die Betroffenen tödlich vergiftet werden können.»

Der nach Angaben der Polizei bei der Anti-Atomdemonstration von Gösgen verwendete Kampfstoff Chloracetonphenon (CN) gehört zur Gruppe der Weißkreuzkampfstoffe. Er wurde 1918 erstmals von den Amerikanern an der Westfront eingesetzt. Der Völkerbund hat die Verwendung dieses Gases bereits 1925 verurteilt, dennoch wurde es in jüngster Zeit immer wieder bei Demonstrationen verwendet, wie zum Beispiel 1977 bei den Protesten gegen Frankreichs «Schnellen Brüter» Super Phénix in Malville und bei verschiedenen Auseinandersetzungen in Nordirland.

Genauso, wie man ständig neue Waffensysteme für militärische Zwecke erprobt, werden heutzutage von den zuständigen Stellen immer neue Spezialwaffen für den Einsatz bei Unruhen entwickelt. Im Vorfeld solcher Ereignisse werden sie auch bereits erprobt. So experimentierten die Engländer, als sie ein besetztes Universitätsgebäude in Birmingham räumen wollten, «besonders zufriedenstellend» mit Ultraschallgeräten, deren durchdringende, wenn auch kaum hörbare Töne bei Betroffenen schwere Gleichgewichtsstörungen auslösten.

In den USA hat sich seit dem Vietnam-Krieg das «US Army Human Engineering Laboratory» in Aberdeen (Maryland) auf die Herstellung dieser sogenannten «nichttödlichen Waffen» spezialisiert. In einem Bericht der angesehenen «US National Science Foundation» (Washington) werden vierunddreißig dieser diabolischen Instrumente zur Disziplinierung widerspenstiger Bürger aufgeführt, unter anderen die folgenden:

- «Dart gun» (Pfeil-Kanone): Das Projektil enthält eine mit einer betäubenden Droge gefüllte Spritze, die beim Eindringen in den Körper den Getroffenen fast augenblicklich lähmt.
- «Instant banana» (Sofort-Banane): Eine chemische Flüssigkeit,

die den Boden so schlüpfrig macht, daß jedes damit besprühte Terrain für Fußgänger unpassierbar wird.

- «Teaser» (Reizer): Das Gerät feuert zwei mit Stacheln und langen Drähten versehene elektronische Kontakte ab, die in den Kleidern oder in der Haut stecken bleiben. Starke Stromstöße des angeschlossenen Generators verursachen bei den Getroffenen eine Ohnmacht.

3

Charakteristisch für alle diese Waffen, die ja nicht für einen Krieg bestimmt sind, sondern gegen die eigenen Bürger gerichtet werden, ist es, daß sie zwar behindern, lähmen und abschrecken, nicht aber töten sollen. Mit ihnen will man keine Schlachten gewinnen oder fremde Territorien erobern, man will damit «nur» Demonstratrionen und beginnende Rebellionen unterdrücken, ohne daß es gleich zu Blutvergießen und offenem Bürgerkrieg kommt.

Der Politologe Jonathan Rosenhead von der «London School of Economics», der mit drei Kollegen diese neuen Technologien der politischen Kontrolle untersucht hat, erzählte mir in seinem engen, nicht weit von der «Mutter der Parlamente» gelegenen Londoner Büro, daß er die zunehmende Bedeutung der «Aufrüstung für den inneren Krieg» zuerst bei den Auseinandersetzungen um Nordirland voll wahrgenommmen hätte. Als Marxist war ihm die Auffassung, daß jede Streitkraft nicht nur fremde Widersacher, sondern auch eigene Unruhestifter im Lande abschrecken soll, natürlich nicht neu. Doch überraschte auch ihn die Tatsache, daß diese Anstrengungen seit Ende der sechziger Jahre so weit über das bis dahin übliche Maß hinausgehen.

«Ich bin der Ansicht», sagte er mir, «daß die Staatsmänner und Wirtschaftsführer die immer deutlicher werdende Krise der bestehenden, auf hohe Produktivität und Gewinne zielenden Besitz- und Machtstrukturen durch *technological fixes* (technologische Maßnahmen), und wenn notwendig, auch durch Anwendung von Gewalt aufhalten wollen. Doch soll diese Gewalt von oben möglichst unauffällig ausgeübt werden. Amerikanische Politwissenschaftler, die auf dem gleichen Gebiet wie wir arbeiten, haben das sehr plastisch die ‹Politik der eisernen Faust in einem Samthandschuh› genannt.

Am liebsten ist es den Machthabern, möglichst unauffällig erreichen zu können, daß niemand mehr wagt, ihre Pläne zu stören. Daher bevorzugen sie die Ausnutzung der Abhängigkeit von Konsum und Arbeitsplatz oder präventive Kontrollen durch intensive Überwachung. Kommt es aber dennoch zu offenen Konflikten, will man durch ‹begrenzte Kampfmaßnahmen› wenigstens die weitere Aufschaukelung vermeiden.»

Die massive Einführung der Kernkraft zuerst ohne das Wissen und dann gegen den Willen einer wachsenden Zahl von Bürgern und die zu gleicher Zeit anlaufende Terrorwelle sind in der ganzen Welt zu einer Art Bewährungsprobe für die «innere Aufrüstung» geworden. Auch auf diesen besonderen Aspekt haben vor allem englische Sozialforscher mit großer Eindringlichkeit aufmerksam gemacht. Sie wiesen schon sehr früh darauf hin, daß es bei den Auseinandersetzungen um die Atomindustrie nicht nur um die biologische und ökologische Zukunft, sondern auch um Freiheit und Bürgerrechte geht.

Im Hause Poland Street Nummer 9, London W 1, haben eine Reihe von pazifistischen und gesellschaftskritischen Organisationen Unterschlupf gefunden, die der Hausbesitzer – der Quäker und Schokoladenfabrikant Rowntree – unterstützt. Dort saß ich Michael Flood und Robin Grove-White gegenüber. Sie sind tief beunruhigt über die vernachlässigten politischen und gesellschaftlichen Probleme, die eine Festlegung auf die Kernenergie mit sich bringen muß. Und sie fragen sich, ob die Einführung der «Plutoniumwirtschaft» den Weg zum totalen Staat, den ihr Landsmann George Orwell in seiner pessimistischen Utopie ‹*1984*› ausmalte, nicht unvermeidlich mache.

Die Broschüre, die sie 1976 zu diesem Problem veröffentlichten, fand sowohl im Parlament wie auch in den Medien ein starkes Echo. Überraschend war es für mich, daraus zu erfahren, daß gerade England, in der Welt als Hort demokratischer Rechte gerühmt, den «Atomstaat» stellenweise bereits eingeführt hat. Während man in anderen Industrieländern noch nicht zugeben will, daß ein Teil der in den Atomanlagen Beschäftigten politisch und charakterlich überprüft wird, erscheint es den Engländern fast als Selbstverständlichkeit, daß alle Mitarbeiter, die in der Verwaltung oder den Forschungsabteilungen der staatlichen «Atomic Energy Authority» (AEA) tätig sind, vor ihrer Anstellung *pisitiveley vetted* (positiv genau geprüft) sein müssen. Dabei werden sowohl politische wie charakterliche Kriterien angelegt. Auch zahlreiche Arbeiter, Mechaniker, Aufseher usw. müssen «sauber» sein, ehe sie in Reaktor- oder Wiederaufarbeitungsanlagen tätig werden können. In der besonders «empfindlichen» Wiederaufarbeitungsanlage Windscale werden heute schon durchweg alle Beschäftigten ständig auf das sorgfältigste überprüft.

Alle wichtigen Atomeinrichtungen Englands sind dem «Officials Secrets Act» unterworfen. Sie gelten, wie Militäranlagen, als «verbotene Plätze», und niemand, der dort arbeitet, darf etwas über seine Tätigkeit verlauten lassen, ohne dafür empfindlich bestraft zu werden. England hat als erstes Land seit 1976 durch Sondergesetz eine eigene der Atombehörde unterstellte Schutztruppe (*Special Constables*) zur Bewachung der Kernkraftanlagen und insbesondere des dort lagernden Plutoniums ins Leben gerufen, die in bezug auf das Tragen und die Anwendung von Waffen in England bisher nie gewährte Vorrechte besitzt. Genaue Einzelheiten, die für die AEA geschaffen wurden, dürfen öffentlich nicht einmal diskutiert werden. Das System der sogenannten «D Notices», das bisher die Pressefreiheit vor allem in Rüstungsangelegenheiten einschränkte, wurde auch auf das Gebiet der Information über zivile «nukleare Angelegenheiten» ausgedehnt und streng angewendet. So hat man bereits in den fünfziger Jahren den *Daily Express* daran gehindert, einen Bericht des Starkorrespondenten Chapman Pincher über Fehler und Versäumnisse beim Bau der Wiederaufarbeitungsanlage Windscale zu veröffentlichen. Flood und Grove-White führen aus, daß diese bereits bestehenden rigorosen Vorschriften nach und nach auch auf zahlreiche, gar nicht unmittelbar in der Atomindustrie Beschäftigte ausgedehnt würden. Mit dem geplanten Bau immer neuer Atomanlagen werde eine Vervielfachung der Sicherheitsmaßnahmen unvermeidbar werden und immer weitere Kriese der Bevölkerung davon betroffen sein.

«Mit solchen Überwachungsversuchen müßten besonders jene Bürger rechnen, die sich irgendwann einmal kritisch zu Fragen der Kernenergie geäußert haben», meinte der eine meiner beiden Gesprächspartner. «Schon die Furcht vor ‹zivilem Ungehorsam› könnte die ‹Security Services› dazu veranlassen, Verdächtige vorsorglich bis in ihr Privatleben hinein zu kontrollieren. Allein die bereits bestehende, für die Atomsicherung verantwortliche Spezialschutztruppe wird in Zukunft einen Bestand von mindestens 5000 Mann haben. Dazu käme zusätzlich noch eine hohe Zahl von Überwachern, alle ausgerüstet mit dem neuesten technischen Instrumentarium zur ‹Datenfindung› – eine verharmlosende Bezeichnung für Spionage, die in diesem Fall fast ausschließlich gegen die eigenen Bürger gerichtet ist.»

4

Der «Fall Traube» ließ die deutsche Öffentlichkeit zum erstenmal und für einen kurzen Moment eine Masche jenes dichten Netzes obrigkeitlicher Überwachung sehen, das im Zeichen der «inneren Aufrüstung» immer enger um immer mehr Menschen gezogen wird. Die ertappten Lauscher haben den Einblick, der durch eine Indiskretion möglich geworden war, sofort zu begrenzen versucht. Sie verstanden es, diese Aktion – eine unter zahllosen «Observationen» – wie sie in der Bundesrepublik Tag für Tag, Nacht für Nacht stattfinden – als Ausnahmefall hinzustellen.

Alle Kenner und Teilhaber der Geheimsphäre, die jedem technokratischen Staat gleich welcher politischen Observanz anhaftet, wissen, mit welcher Intensität die verschiedensten Ämter und Firmen sich bemühen, möglichst viele Daten über möglichst viele Menschen zu erfassen. Aber auch diese ein wenig genauer Informierten kennen selber nur ein paar Knoten eines der verschiedenen Netze. Es gibt nämlich mehrere geheime Informationsreiche. Wie weit reichen sie? Wie dicht sind sie ineinander verstrickt? Gibt es eine «Informationselite», die diese zweite Wirklichkeit hinter der Alltagsoberfläche in ihrer Ganzheit überblickt? Vermutlich nicht, weil Eifersucht und Kompetenzhochmut die einzelnen Geheimbereiche wie Schiffsschotten gegeneinander abdichten. Das mag auch erklären, weshalb selbst in den straff zentralistisch organisierten Staaten so widersprüchliche Entscheidungen getroffen werden. Im Zentrum der Zentren herrscht Leere. Immerhin gibt diese mangelnde Übersicht den Verantwortlichen, wenn sie in kritischen Situationen als Mitwisser verdächtigt werden, die Möglichkeit zu behaupten, «davon» wüßten sie nichts. Mindestens so wichtig wie das «Recht zur Kenntnisnahme», das den mit «geheimen Verschlußsachen» Betrauten zusteht, ist nämlich das «Recht auf Nichtkenntnis»: es erlaubt, Dunkles in oder unmittelbar neben dem eigenen Kompetenzbereich zu ignorieren.

Der Doppelantrieb von Terror- und Atomfurcht wird jedoch die Industriestaaten dazu veranlassen, alle «Erkenntnisse», die über ihre Bürger in den verschiedensten staatlichen und privaten Datenbanken gehortet sind, bei Bedarf zu einem einzigen Warn- und Kontrollsystem von nie zuvor gekannter Dichte zusammenzuschalten. Der ehemalige deutsche Innenminister Werner Maihofer hat das bereits angedeutet, als er bei der internen Debatte des parlamentarischen Innenausschusses seinen Kollegen erklärte, es sei «unsere technische Zivilisation in eine Dimension von Sicherheitsrisiken eskaliert, bei der wir etwa bei den Atomkraftwerken bundesweite Alarmsysteme brauchen . . . wo in erster Linie die Länder hinter dem Werkschutz und dann der Bund überall eingeschaltet werden müssen. Diese atomaren Risiken sind natürlich auch Risiken einer neuen atomaren Kriminalität.»

In welche Richtung die durch die Einführung der Kernkraftwerke mitverursachten Bemühungen um die Intensivierung, Erweiterung und Zentralisierung der staatlichen Überwachung gehen dürften, läßt sich wiederum am ehesten durch einen vergleichenden Blick in die angelsächsischen Länder erahnen. Dort diskutiert man auf Grund einer langen liberalen Tradition diese künftige Bedrohung der bürgerlichen Freiheiten etwas offener als in anderen Ländern.

So wurde in einem 661 Seiten starken, besonders im Hinblick auf die atomare Situation geschriebenen Bericht, den eine amerikanische Regierungskommission, das «National Advisory Committee on Criminal Justice», im März 1977 veröffentlichte, vorgeschlagen, daß angesichts der «hohen Empfindlichkeit der technischen Zivilisation» Notgesetze vorbereitet werden müßten. Mit ihrer Hilfe solle es dann möglich sein, ohne vorherige parlamentarische Debatte, ja sogar ohne Konsultation der Verfassungsrichter die Gesetze des demokratischen Rechtsstaates vorübergehend zu verletzen. Ferner sei es nötig – so fordert der Bericht –, Beamte und Polizisten, die bei solchen Aktionen zum Einsatz kämen, im vorhinein von «jeder zivilen oder kriminellen Verantwortlichkeit» freizusprechen, selbst dann, wenn durch das Vorgehen dieser im Auftrag des Staates handelnden und von ihm geschützten Rechtsbrecher einmal «Schäden entstehen» sollten.

Auf einer «Conference on the impact of intensified nuclear safeguards on civil liberties» (Konferenz über die Auswirkung verstärkter atomarer Sicherungen auf die bürgerlichen Freiheiten), die im Oktober 1975 an der Stanford University (Kalifornien), angeregt von der amerikanischen Atombehörde NRC, stattfand, wurde von Rechtsgelehrten und technischen Experten das ganze Spektrum der möglichen und wahrscheinlichen Einschränkungen oder Verletzungen der in der amerikanischen Verfassung festgelegten Rechte zum Schutz des Bürgers und seiner Privatsphäre aufgezeigt.

Besonders einer Beobachtung kam dabei Bedeutung zu. Sie erhellte nämlich schlagartig, welch bedeutsame gesellschaftliche Rolle die Kernkraft bei der Entwicklung vom Rechtsstaat zum totalitären Atomstaat spielt: die Konferenzteilnehmer stimmten allesamt darin überein, daß der «Faktor Pu» (Plutonium) «die erste gültige Rechtfertigung» für die «bereits bestehenden Überwachungsmaßnahmen der staatlichen Behörden» sei. Die Gefährlichkeit der nuklearen Entwicklung soll demnach zur Legitimierung eines längst in Gang gesetzten Prozesses dienen, soll die zunehmende Überwachung der Bürger durch den technokratischen Staat vom Odium der Willkür befreien. Indem nunmehr das Überschreiten verfassungsmäßig gesetzter Grenzen durch die Exekutive und ihre Vollzugsbehörden als unter den neuen technischen Gegebenheiten unverzichtbar entschuldigt werden kann, ist die Voraussetzung für eine zunehmende Erweiterung der Rechtlosigkeit im Rechtsstaat geschaffen. Solche Maßnahmen werden sich dann nicht länger nur auf eine vorübergehende Notlage – zum Beispiel einen aufsehenerregenden Terroranschlag – berufen müssen, sondern auf die ständige Schutzbedürftigkeit einer notwendigen, aber stets gefährdeten und als unentbehrlich erachteten Energiequelle hinweisen. Atomindustrie – das bedeutet permanenten Notstand unter Berufung auf permanente Bedrohung. Sie «erlaubt» scharfe Gesetze zum «Schutz der Bürger». Sie verlangt sogar die Bespitzelung von Atomgegnern und Naturschützern als «Präventivmaßnahme». Sie kann die Mobilisierung Zehntausender Polizisten gegen friedliche Demonstranten ebenso «rechtfertigen», wie deren im Umgang mit Verbrechern erlernte Leibesvisitation.

Angesichts solcher Aspekte liegt es fast nahe, polemisch zu fragen, ob nicht diese Machtaspekte der Atomindustrie sie gewissen Kreisen so attraktiv macht, obwohl die wirtschaftlichen Gewinnaussichten der «neuen Kraft» mehr als zweifelhaft geworden sind.

5

Dafür bescheren die sicherheitspolitischen Nebenwirkungen von Terrorismus und Kernenergie der Wirtschaft eine andere blühende Einnahme: das Geschäft mit der «inneren Rüstung». Neben der traditionellen Rüstungsindustrie, die die Streitkräfte mit immer neuen, immer besseren und immer teureren Waffen versorgt, hat sich da ein zweiter, nicht weniger lukrativer Markt aufgetan. Er stattet Polizei, Werkschutz und andere zur «Aufrechterhaltung des inneren Friedens» notwendige Spezialtruppen laufend mit hochmodernen Geräten, «mit dem Neuesten und Besten» aus. Der *Sicherheitsberater*, ein in Düsseldorf erscheinender Informationsdienst zu «Fragen der Sicherheit im Betrieb, Unternehmen und Verwaltung», schätzte Anfang 1977, daß die Ausgaben für den «Wachstumsmarkt Sicherheit» 1975 allein im «freien Europa» bereits zwei Milliarden Mark pro Jahr erreichten. Für die Zukunft werden dort sogar noch rosigere Prognosen gestellt: Bis 1980 «dürfte der Umsatz auf über drei Milliarden ansteigen. Bis 1985 wird ein Anstieg auf mehr als vier Milliarden in der Europäischen Gemeinschaft geschätzt . . . Langfristig gilt die Bundesrepublik als der Markt mit den größten Chancen. Nach einer Untersuchung des Marktforschungsunternehmens Frost & Sullivan wird der hochwertigen Technik auf dem Gebiet der Sicherheitsanlagen die größte Zukunft eingeräumt.»

Ein Blick ins Inhaltsregister des *Sicherheitsberaters* für den Jahrgang 1976 vermittelt einen ganz guten Eindruck von der technischen Vielfalt des «Sicherheitsangebots» allein auf dem Sektor «Privatindustrie»: «Laserstrahl erkennt Ausweise», «Außenbeleuchtung mit separaten Stromkreisen», «Infrarotmelder mit langem Wärmefühler», «Besucherkontrolle mit Kopierautomaten», «Neues Schließsystem Sphinx 2», «King-Pin-Lok Diebstahlsicherung», «Piktogramme als Basis für Gebäuderäumungspläne», «Kugelsichere Polycarbonatplatten», «Die chemische Keule – ein Selbstverteidigungsmittel für den Werkschutz?», «Neues intelligentes Identifikations- und Erfassungssystem». «Funk-Personen-Sicherungsanlage», «Infrarotdetektor mit größerem Überwachungsbereich», «Magnetkontakt mit erhöhter Sabotagesicherheit», «Kernkraftwerke sollen unter die Erde», «Nachweis des vollendeten Hörens mit Minispion schwierig».

Ungleich bedeutender noch ist selbstverständlich der «Rüstungsmarkt Polizei», wo nicht nur zahlreiche neuartige Waffen abgesetzt, sondern allein für neuartige Abhör- und Überwachungssysteme Millionensummen ausgegeben werden. Da gibt es «kalorische Sensoren», die – in die Zäune von Atomkraftwerken eingebaut – jeden «Warmblüter», der vorbeigeht, registrieren. Da sind Apparaturen, die Stimmen von Überwachten genau wie Fingerabdrücke analysieren, und wieder andere, die eigene Funksprüche durch ein «Sprachverschleierungsgerät» verfremden. Da findet man «mobile Befehlsstände» und vor allem Spezialfernsehkameras verschiedenster Typen, die in vielen Städten längst nicht mehr nur für die Beobachtung des Verkehrs, sondern auch für das «Observieren» von Menschen benutzt werden.

Wurde in den dreißiger Jahren das Spanien des Bürgerkriegs zum Experimentierfeld neuer Kriegsgeräte, so fiel in letzter Zeit Vietnam und Nordirland diese Funktion zu. Dort wurden neue Waffensysteme, Überwachungstechniken und Methoden zur Bekämpfung von «Banden», «Saboteuren», «Demonstranten», «Straßenkämpfern» an lebenden «Objekten» ausgiebig erprobt. Polizeitruppen und Werkschutzeinheiten vieler Länder haben von diesen Erfahrungen sehr profitiert. Die Technik der Menschenkontrolle hat damit einen neuen Grad von Effizienz erreicht.

Welche unvorstellbaren Veränderungen im politischen Denken sich anbahnen, läßt sich auch am Beispiel einer Glosse des Politologen Professor Saperstein von der Wayne University (Detroit) demonstrieren, die im *Bulletin of the Atomic Scientists* abgedruckt wurde. Man weiß nicht recht: handelt es sich um eine Satire oder ist dieser Beitrag ganz ernst gemeint? – auf jeden Fall wird darin dringlich auf Schaffung und Duldung einer «neuen Inquisition» zum Schutz der physischen Gesundheit des Menschen insistiert. Denn: eine solche Institution sei angesichts der mit der Kernenergie verbundenen Risiken einfach notwendig und absolut unerläßlich.

Auch über solche Tendenzen hat man sich auf der Stanford-Konferenz Gedanken gemacht. Besorgt wurde gefragt, ob «Pu-Nutzung wohl den Grad, in dem die Leute gegenüber behördlichen Eingriffen bereits unempfindlich geworden sind, vielleicht noch erhöhen würde». Und die Antwort war: Die Erfahrung zeige, daß die Öffentlichkeit schon jetzt bereit sei, eine «weniger absolute Privatheit» als eine der notwendigen Bedingungen des Lebens in einer gefährdeten, technisch komplexen Gesellschaft hinzunehmen.

In den letzten Jahrzehnten wurden in der Tat mehr und mehr Vorschriften und Verbote erlassen, die den Menschen vor Gefahren schützen sollen, in die er sich durch seinen oft unklugen Umgang mit der Technik selbst bringt. Diese Verordnungen sind nach und nach als selbstverständlich akzeptiert worden. Es begann noch recht harmlos mit der Einschränkung der Freiheit des Fußgängers gegenüber dem motorisierten Verkehr. Inzwischen ist sie zum widerstandslosen Hinnehmen der Durchsuchungen vor Besteigen eines Verkehrsflugzeugs eskaliert. Schon bald dürften solche tief eingreifende Überprüfungen in gewissen Situationen vor dem Betreten mancher Gebäude oder Stadtteile verlangt werden.

Man muß sich allerdings fragen, wann die noch zu erwartenden strengeren Freiheits- und Rechtseinschränkungen, die mit einer steigenden Zahl von Atomanlagen immer mehr Menschen zugemutet werden müssen, die Grenzen der Geduld und Anpassungsfähigkeit übersteigen werden. Die Sicherheitsanalytiker und Risikoforscher widmen möglichen «Störfällen» und «Explosionen» ihrer Technologie viel Aufmerksamkeit. Sie unterschätzen aber augenscheinlich die «Explosionen» sozialer Natur, die als Nebenergebnis ihrer Bemühungen fast unvermeidlich scheinen. Die inzwischen recht zahlreichen Studien über den GAU (größter annehmbarer Unfall) lassen außer acht, daß sich ein «GAGU» (größter annehmbarer gesellschaftlicher Unfall) vorbereitet, den der Druck des «Atomstaates» nicht verhindert, sondern täglich fördert.

«Die Hoffnung einer bessern Zukunft . . .

. . . ist allein das Element, in dem wir noch atmen können. Aber nur der Träumer kann diese Hoffnung auf etwas anderes gründen denn auf ein solches, das er selbst für die Entwicklung einer Zukunft in die Gegenwart zu legen vermag.» Johann Gottlieb Fichte, Reden an die deutsche Nation

Hoffnung allein ist nur eine Anleihe auf künftiges Glück, und ihre Zinsen sind ungewiß.

Ausblick

Der sanfte Weg

1

Es kommt nicht häufig vor, daß Angehörige eines Berufs die Öffentlichkeit vor ihren eigenen Kollegen warnen. Genau das geschah, als 28 hervorragende Physiker aus zwölf Ländern im August 1977 nach einem Kolloquium der «Scuola Internazionale Enrico Fermi» am Comer See gegen den Einfluß von Physikern in der Atomdebatte folgendermaßen Stellung nahmen:

«Am schwerwiegendsten ist es, daß die Diskussion über diese Probleme nicht wirklich unter Bürgern stattfindet, sondern durch eine Elite von Fachleuten beherrscht wird . . . Die Betreiber der Kernenergie suchen und akzeptieren nur diejenigen Wissenschaftler, die für das öffentliche Atomprogramm eintreten . . . Wir fordern die Öffentlichkeit auf, sich die Ansichten dieser Experten sehr kritisch anzusehen und nicht blindlings den Behauptungen aller jener zu folgen, die vorgeben, mehr zu wissen.»

Dieser Protest gegen den diensteifrigen «Klerus» einer oft zur «Kirche» erstarrten Wissenschaft ist eine der bezeichnendsten Manifestationen, die der Widerstand gegen die Kernkraftwerke hervorgebracht hat. Es wird daran deutlich, daß die Atomfrage zum auslösenden Moment einer Auseinandersetzung geworden ist, die über ihren unmittelbaren Anlaß weit hinausreicht. Zur Debatte steht nicht nur die künftige Form der Energieversorgung, sondern auch die der Herrschaft. Der Konflikt geht nicht nur um eine bestimmte Technik, sondern um alle Erscheinungsformen und Machteinflüsse der großindustriellen Technologie. Dahinter steht die noch umfassendere Frage, ob die bisherige, auf Unterwerfung und Ausbeutung zielende Richtung des wissenschaftlich-technischen Fortschritts für den Menschen noch länger taugen kann.

Aus diesem Unbehagen entstand innerhalb weniger Jahre eine weltweite Massenbewegung, eine neue Internationale, die keiner bisherigen Internationale gleicht. Ihre Anhänger rekrutieren sich aus den verschiedensten Weltanschauungen, Schichten und Nationen. Sie kommen ohne zentrale Führung, ohne formelle Programme, ja sogar weitgehend ohne feste organisatorische Strukturen aus. Nicht der «monolithische Block» symbolisiert ihren Zusammenhalt, sondern der Strom, der viele Quellen in sich aufnimmt und Hindernisse umfließt, auswäscht, überflutet.

Es wird zur Zeit noch bezweifelt, ob eine so spontan entstandene Strömung von Dauer sein, ob sie sich gegen die straff organisierten Institutionen des Staates, die mit reichen Geldmitteln ausgestattete Wirtschaft oder die seit langem funktionierenden Apparate der etablierten Großparteien durchsetzen könne. Dennoch wird niemand abstreiten, daß diese politische Kraft, die in keines der bisherigen Denkschemen paßt, überall dort, wo sie auftrat, schon starke Wirkungen erzielt hat.

Es ist ihr gelungen, die Berechnungen der behördlichen Planungsstäbe und des industriellen Managements empfindlich zu stören. Nirgends mehr können die Kernkraftprogramme im ursprünglichen Umfang und zum festgesetzten Zeitpunkt erfüllt werden. Nirgends mehr stimmen die Kostenberechnungen. Nirgends mehr herrscht der Fortschrittsoptimismus, der die Anfangsjahre der Atomindustrie prägte.

Dieser «Störwert» des Bürgerprotests darf nicht negativ gesehen werden. Er gleicht dem Schmerz im menschlichen Körper, der, richtig begriffen, den längst notwendigen Anstoß zu einer vernünftigeren Lebensführung geben kann. Wie diese menschenwürdige Existenz aussehen könnte, wird von vielen, die diesem losen Verbund angehören, in unaufhörlichen Gesprächen und immer neuen Versuchen erforscht. Und es sind daran nicht nur diejenigen beteiligt, die noch einen Platz in der Gesellschaft suchen, sondern auch Berufstätige, die über eine tiefere Sinngebung oder Erweiterung ihrer Tätigkeit nachdenken. Der Widerstand hat sie aus ihrer Isolation herausgebracht und ihre Alltagsroutine erschüttert. Über den Widerstand hinaus, der sie mit den anderen verbindet, geht es ihnen um ihre persönliche Existenz und um die Werte, an denen sie sich orientieren können.

2

Alle diejenigen, die mit der Bewegung gegen die Kernkraftwerke ausschließlich die Vorstellung von Protest oder gar Gewalt verbinden, sollten verstehen, daß diese Menschen nicht nur «Gegner» sind, sondern in erster Linie *für* etwas eintreten. Für die Erhaltung ihrer bedrohten Existenz haben die Bauern von Wyhl, Saint Laurent, Kalkar und Brokdorf demonstriert. Für ihre Gesundheit gingen die Arbeiter von La Hague auf die Straße. Für die Erhaltung der Umwelt wurde der Bauplatz von Seabrook (USA) besetzt, für ihre Nachkommen und die bedrohte Zukunft der Kommenden sind Japaner, Basken, Italiener und Holländer in Hungerstreik getreten, für die von

Uranabbau bedrohten Urbewohner ihres Landes traten die australischen Docker in den Ausstand. Für weiteste demokratische Mitbestimmung bei der Vorbereitung technischer Großprojekte, die zum Großteil aus Steuergeldern finanziert werden, kämpften Atomgegner in Gösgen, Barsebeck und Zwentendorf.

Viele der Vorstellungen stammen aus der Gegenkultur und der Studentenbewegung. Nun ist es ihnen gelungen, einen weiteren und wirklichkeitsnäheren Boden zu finden. In meinen Kontakten mit Anti-Atomgruppen in vielen Ländern der Welt habe ich zahlreiche Berufstätige kennengelernt, die sich heute schon zu ähnlichen Haltungen und Hoffnungen bekennen, wie sie vor ein paar Jahren fast nur von Außenseitern vertreten wurden. Immer stärker wird vor allem die Gruppe der skeptischen Fachleute.

Es ist einfach falsch, wenn immer wieder behauptet wird, die Aufbrüche der sechziger Jahre seien zu Ende, seien «tot». Sie sind in andere soziale Schichten eingedrungen und stellen sich daher zur Zeit nach außen hin weniger auffällig dar. Architekten, Anwälte, Ärzte, Bauarbeiter, Pfarrer, Bauern, Fischer, Apotheker, Buchhändler, Beamte, Kaufleute, Journalisten, Krankenschwestern, Lehrer, Monteure, Werbefachleute, Schauspieler und Drucker habe ich in dieser neuen Massenbewegung persönlich kennengelernt. Schon daß sie miteinander in Verbindung treten und so aus ihrer Isolation ausbrechen, ist ein Phänomen von Bedeutung. Wer, wie ich, zuhören konnte, wie ein Ingenieur und ein Orgelbauer, verbunden im gemeinsamen Kampf gegen das Kernkraftwerk Esenshamm, ihre Arbeitserfahrungen miteinander austauschten, wird nie mehr behaupten können, es sammelten sich in dieser Bewegung nur Schwärmer oder «destruktive Geister». Er wird begreifen, daß hier durch die zivilisatorische, und wirtschaftliche Entwicklung des letzten Jahrhunderts Getrenntes endlich wieder zusammenfindet.

Eindrucksvoll ist es auch zu erleben, wie ernsthaft und erfolgreich sich diese Menschen bemühen, schwierige wissenschaftliche, technische, wirtschaftliche und soziale Informationen über die Atomenergie und die Folgeprobleme aufzunehmen, sie kritisch abzuwägen und auf ihre eigene Situation anzuwenden. Zum Lernen sind sie viel stärker motiviert als der durchschnittliche Bürger, und sie arbeiten sich meist überraschend schnell in die für sie neue Materie ein. So kommt es, daß sie bei Diskussionen oft viel genauer, umfassender und vor allem kritischer informiert sind als die lokalen Politiker oder Sendboten der Industrie. Mit Schlagworten und Phrasen kann man sie nicht länger abspeisen.

Es ist übrigens aufschlußreich, bei solchen Konfrontationen zwischen Gegnern und Befürwortern einmal nicht allein auf das zu hören, was gesagt wird, sondern auch, wie es gesagt wird und sich dabei die Gesichter der Disputanten anzusehen. Auf der Seite der Verteidiger des Baus einer neuen Anlage fast durchweg Verdrossenheit, Langeweile, kalte Zurückweisung, Distanz, gequälte «Sachlichkeit», höhnisches Besserwissen, nicht eine Spur von Wärme oder Freundlichkeit. Auf der anderen Seite Gesichter voller Aufmerksamkeit und Lebendigkeit, intensiv, enthusiastisch und immer wieder zu einem Lachen bereit.

3

Ich habe versucht, aus vielen Gesprächen, Briefen und Erlebnissen einige Haltungen und Hoffnungen zu destillieren, die mir charakteristisch für die Denkweise der neuen Internationale zu sein scheinen.

Da ist vor allem das neue Bekenntnis zu einem bescheidenen Leben. Es ist gewachsen aus der Erkenntnis, daß die materiellen Grundlagen der Menschheit begrenzt sind und die bisherige Verschwendungswirtschaft der Industrienationen einem Ende zugehen muß. Nicht eine Zukunft unbegrenzten Reichtums steht uns bevor, sondern eine der Verknappungen. Die «Frugalen», die es rechtzeitig lernen, auf Überflüssiges zu verzichten, werden nach einer Studie des «Stanford Research Institute» zwar heute noch belächelt, spätestens um die Jahrtausendwende aber Vorbilder sein.

Eng verbunden damit ist das Streben nach Gerechtigkeit. Eine Internationale, die es mit der Solidarität ernst nimmt, muß die gewaltigen Unterschiede im Lebensniveau der «entwickelten» und «weniger entwickelten» Länder ernster nehmen als bisher. Sie kann die Ausbeutung der Dritten Welt ebensowenig dulden wie als «Geschenke» getarnte Geschäfte der eigenen Wirtschaft, die damit einen Lebensstil exportiert, den die Menschen der Industriegesellschaften selber schon als schwere Belastung erkannt haben.

Das seit langem gestörte Verhältnis technisch entwickelter Zivilisationen zur Natur wird als eine Wurzel dieser Unzufriedenheit erkannt. Die Zerstörung der Umwelt wurde zuerst mit einem Gefühl der Ohnmacht, dann auch mit dem Bewußtsein der Mitschuld erlebt. Das Anwachsen der Ökologiebewegung hat wesentlich zur Erweiterung und Vertiefung der Atomgegnerschaft geführt. Es ist den Betreibern trotz aller Anstrengungen nicht gelungen, die Umweltschützer zu überzeugen, Kernkraft sei umweltfreundlich. Die Verantwortung für den geschändeten «blauen Planeten» und – soweit das noch möglich ist – die Wiederherstellung gestörter natürlicher Regelkreise gehört zu den Hauptzielen der neuen Internationale. Diese Einstellung entspringt nicht, wie oft angenommen wird, einem verschwommenen «Idealismus», sondern wird als eines der Grundbedürfnisse erkannt, das von den früheren Internationalen vernachlässigt worden war.

Zu den Bedürfnissen, die erst in dieser Bewegung wieder zu einem Politikum wurden, gehört auch der Anspruch auf Vielfalt, Kreativität und Schönheit – Werte, die im Streben nach einer möglichst hohen industriellen Produktivität vernachlässigt wurden. Es ist kein Zufall, sondern Absicht, daß eigene Musik, eigene Malerei, eigenes Theaterspiel, eigene Dichtung und betont ästhetische Formen in der Selbstdarstellung der Gruppen so stark zur Geltung kommen. Hier ist eine eigene «Kultur» im Entstehen, die dort einsetzen kann, wo die «Arbeiterkultur» den Atem verlor und sich mit der Weitergabe von bürgerlichen «Bildungswerten» zu begnügen begann.

Dazu gehört, daß Gefühle als unverzichtbar für Menschlichkeit nicht mehr verschwiegen, unterdrückt oder verketzert werden, sondern endlich anerkannt offenen Ausdruck finden. Ich habe bei Manifestationen, an denen ich in früheren Jahren teilnahm, nie so viel spontane Herzlichkeit, brüderliche Verbundenheit, Freundschaft, Zärtlichkeit erlebt, wie bei den Demonstrationen der Atomgegner. Diese kleinen Gesten, diese Art, wie Fremde mit eben noch Fremden sprechen, dieses Abwerfen der Berührungsfurcht, dieses Lachen oder auch ungenierte Weinen in Trauer oder Wut hat meines Wissens noch kein Fernsehbericht gezeigt.

Zum Gefühl gehört Nähe. Daher wird die überschaubare Gruppe mit Streit und Spannung, die es dort immer geben wird, gesellschaftlichen Großinstitutionen und Großorganisationen vorgezogen, in denen die einzelnen oft ohne Beziehung zueinander bleiben. Diese neue Internationale setzt sich aus Tausenden von Gruppen und Grüppchen zusammen. Daß sie verschiedener Meinung sind und oft in Konflikt geraten, wird von ihnen nicht als Zeichen der Schwäche, sondern als Beweis der Lebendigkeit gewertet.

In der Gruppe wird echte Mitwirkung möglich, wie sie die Anti-Atombewegung im politischen Leben verlangt. Dazu gehört gegenseitiges Lernen, gründliches Aufeinanderhören und Zueinandersprechen. In Beruf und Politik wird der Entwurf eigener, nicht angelesener, sondern selbsterdachter Vorschläge ermutigt. Jedermann ist der unersetzliche «Experte» für eigene Nöte und Bedürfnisse. «Partizipation» versteht sich in diesem Kreis nicht nur als Mitsprache, sondern auch als Mitschöpfung. Das braucht Zeit, die in einer von der Uhr, der Rationalisierung, dem Streben nach Schnelligkeit und großen Mengen bestimmten Produktionsgesellschaft nicht mehr vorhanden ist.

Die Entdeckung und Betätigung der in jedem Menschen vorhandenen Kräfte der Phantasie gehört zu den hervorragendsten Hoffnungen der neuen Internationale. In ihr wird es keine dominierenden Meinungsführer und Meinungsbildner geben, die durch ihre Herrschaft die originale Kreativität der Mitstreiter zum Verschwinden bringen. Ein ständiger Energiestrom, aus vielen Köpfen und Herzen kommend, soll befreit werden: Menschliche Schöpferkraft statt Atomkraft.

4

Bescheidenheit, Gerechtigkeit, Naturverbundenheit, Schönheitsliebe, Gefühlsbejahung, Partizipation und Phantasiebefreiung, das sind einige der Werte, die in der angeblich «nur negativen» und «zerstörerischen» Bewegung gegen Atomindustrie und Atomstaat als Werte in einer menschlicheren Zukunft vertreten werden. Gibt es eine Hoffnung, diese Wünsche jemals in Wirklichkeit umzusetzen oder haben die «Realisten» recht, die der Ansicht sind, Sachzwänge machten es unmöglich, ihren «harten Weg» zu immer mehr Technologie und immer mehr Energie zu verlassen, weil sonst die Folge weltweite Not, Niedergang der Zivilisation und blutige Verteilungskämpfe sein müßten?

Diese Unfähigkeit der Anhänger des «harten Weges», radikal umzudisponieren, ist für ihre eingleisige Denkweise charakteristisch. Sie sind nicht imstande, frühere Entscheidungen als falsch zu erkennen und kleinere Verluste hinzunehmen, sondern riskieren durch ihr starres Beharren künftig ungleich größeres Verhängnis.

Hat der «sanfte Weg» demgegenüber eine Chance? Kann er vielleicht für erwartete Krisen oder Sackgassen heute schon Lösungen vorbereiten, die dann nicht mehr abgelehnt werden können? Wird er durch die Risse im Gefüge der heutigen Machtstrukturen dringen?

So gering im Augenblick auch noch die Chance für eine solche Wende scheint, sie ist vorhanden. Anzeichen dafür, daß es auch anders gehen könnte, bieten zum Beispiel die immer greifbareren Möglichkeiten, neue «sanfte Techniken» an die Stelle der «harten Technik» zu setzen. Bis vor kurzem wurden solche Alternativen nur von ein paar Außenseitern ernst genommen. Nun beginnt sich sogar das politische und wirtschaftliche «Establishment» für umweltfreundliche

Energien zu interessieren. Die Nutzbarmachung von Sonne, Wind, Gezeiten, Photosynthese, Wasserstoff-Erzeugung, Magnetohydrodynamik und einer ganzen Anzahl weiterer bisher übersehener, nicht geförderter, zu wenig gewinnbringender Stromquellen wird endlich energisch in Angriff genommen. Es ist in der Tat erstaunlich und kann zuversichtlich stimmen, wieviel schöpferisches Potential seit der Ölkrise von 1973 als Antwort auf die Herausforderung der Knappheit entwickelt wurde. Noch nie wurden in so kurzem Zeitraum derartig viele brauchbare Erfindungen auf dem Sektor der Energieversorgung gemacht und patentiert.

Die Kernkraftbetreiber behaupten allerdings, diese alternativen Energien könnten nicht rechtzeitig nutzbar gemacht werden, um die von ihnen für die Mitte oder spätestens das Ende der achtziger Jahre vorausgesagte «Lücke» zu füllen. Doch auch da öffnen sich Chancen zu einer Neuorientierung. Es mehren sich genauere und unabhängigere Energieprognosen, die nicht durch die Interessen der Industrie verzerrt sind. Zahlreiche neuere Arbeiten haben gezeigt, wie irreführend die Panikmache der Atombefürworter und ihrer politischen Helfer ist.

Ein weiteres Element der Hoffnung ist, daß Haltungen und Ziele, wie sie die Anhänger des «sanften Weges» vertreten, immer mehr Achtung und Beachtung finden. Eine entscheidende Rolle bei der Verstärkung dieser Tendenzen werden die elektronischen Medien spielen. Sie können, mit einer Schnelligkeit wie nie zuvor, neue Begriffe oder Werte ins Gespräch bringen und nicht mehr vertretbare Haltungen abbauen helfen. Ein Beispiel dafür ist das Entstehen eines Umweltbewußtseins in unseren Tagen. Es wurde in überraschend kurzer Zeit verbreitet und ist bereits zu einem wichtigen politischen Faktor geworden. Die neuen Vorstellungen sickern schon überall ein. Die Jugend trägt sie in die Zukunft hinüber, und die politischen Parteien wie die Gewerkschaften werden sich diesem Druck nur schwer entziehen können.

Neue selbständige und selbstverwaltete kooperative Formen der Erzeugung, die auf forciertes Wachstum und Profit verzichten, entstehen an vielen Orten, besonders dort, wo das versagende alte Wirtschaftssystem Arbeitslosigkeit bewirkt hat.

Es ist dennoch möglich, daß das Vordringen des Atomstaates die gewaltlose neue Internationale vorübergehend in die Katakomben zwingt. Aber die technologische Tyrannei ist zugleich mächtiger und verwundbarer als frühere Gewaltherrschaften. Letztlich wird das Wasser stärker sein als der Stein.

Nachwort

Bemerkungen nach Harrisburg: Die Gefahren steigen

«Falls sie es wirklich wagen sollten, TMI-2 wieder in Betrieb zu nehmen, sprengen wir die einzige Brücke, die hinüber zu der Insel führt.» Der Mann, der mir das Anfang Juni 1979, zwei Monate nach dem welterschütternden Ereignis von Harrisburg, mit ruhiger Stimme ankündigte, heißt Mickey Minnich und lebt nur wenige Meilen von den beiden dräuenden Kühltürmen der Reaktoranlage entfernt unweit der kleinen Ortschaft Etters in einem einfachen weißen Holzhaus. Als Football-Trainer der Steelton High School hat er sich Lokalruhm erworben. Die von ihm geschulte Mannschaft gewann letztes Jahr die Meisterschaft im sportverrückten Staat Pennsylvania.

Jene unvergeßliche Woche vom 28. März bis zum 3. April 1979, in der eine halbe Million Menschen, ohne einen Evakuationsbefehl abzuwarten, aus der Nähe des von einer Atomkatastrophe bedrohten Reaktors floh und weitere Millionen darauf warteten, daß der Gouverneur ihnen allen mitteilen würde, sie müßten ihre Heimat sofort verlassen, hat Mickeys Denken und Leben verändert. Jetzt gilt seine Aufmerksamkeit ganz anderen Schulungsaufgaben: er versucht den Widerstand seiner Nachbarn und Mitbürger gegen «das Monster» zu mobilisieren.

Fast jeden Abend trifft er sich mit verängstigten und verärgerten Bürgern, die genau wie er selber sich bisher nur wenig um Politik gekümmert hatten, nun aber fest entschlossen sind, «etwas zu tun». Einige von ihnen, aber das ist die Minderheit, haben schon Anfang der siebziger Jahre ihre Bedenken gehabt und sich in der «Environmental Coalition on Nuclear Power» zusammengefunden. Ihre beiden Hauptsprecher Dr. Judith Johnstrud und Dr. Chauncey Kepford vom Pennsylvania State College versuchten in zahlreichen Anhörungen und Gerichtssitzungen, den Bau des ersten Reaktors aufzuhalten und des zweiten zu verhindern. Obwohl sie in genau fundierten Beschwerden, gestützt auf unwiderlegte Gutachten, immer wieder auf die Unsicherheit der zum Teil ungeprüften Anlagen und die daraus resultierende Gefährdung der Bevölkerung hingewiesen hatten, gelang es den mächtigen Betreibern, alles durchzusetzen, was sie wollten.

Die Erfolglosigkeit dieser legalen Bemühungen, die offensichtliche

Vergeblichkeit der Opfer von Zeit und Geld, die von den ebenso engagierten wie jeder Gewalttat abgeneigten Kritikern in uneigennützigster Weise gebracht wurden, gibt nun, nachdem das eingetreten ist, was die Warner vorausgesagt hatten, den Befürwortern direkter Aktionen Oberwasser. Diese verzweifelte Entschlossenheit wird genährt von der Angst und dem Mißtrauen einer Bevölkerung, die erleben mußte, wie aus dem havarierten Reaktor in den ersten beiden Tagen, als noch nicht genügend Instrumente zur Messung der Strahlungen herangeschafft worden waren, auf Firmenbefehl beträchtliche Mengen radioaktiver Gifte in die Luft und ins Wasser ausgelassen wurden.

Wer es sich leisten kann, aber das sind nur wenige, zieht aus der Gegend weg. Besonders junge Ehepaare mit Kindern setzen sich ab. Ein Arzt, dem ich zuhörte, als er sich im simplen Rathaus von Newburry Township vom dortigen Registrierbeamten verabschiedete, gibt sogar seine mühsam aufgebaute Praxis auf, weil er meint, das seiner Frau und seinen kleinen Kindern schuldig zu sein.

Die Grundstückspreise fallen, die Handelskammer von Harrisburg weiß von Unternehmen, die umziehen wollen. Sogar bei Hershey, der führenden Schokoladenfabrik Amerikas, werden solche Pläne erwogen. Auch die «Stützen der Gesellschaft» beginnen zu murren; sie waren bisher so regierungstreu, daß man in den Zeiten der Vietnam-Proteste den Prozeß gegen den rebellischen katholischen Priester Father Berrigan nach Harrisburg legte in der Hoffnung, hier eine sichere konservative Geschworenenmehrheit für die Aburteilung solcher «Staatsfeinde» zu erhalten. Nur die Unterschichten, vor allem die Schwarzen, verhalten sich ruhig. Sie könnten es sich nicht leisten, «einfach abzuhauen», lassen sie ihre bessergestellten Mitbürger wissen, und ihr Protest würde ja doch nur gegen sie ausgenutzt werden.

«Die wahre Bedeutung des Unfalls von Harrisburg liegt in seiner Wirkung auf die Einstellung der Öffentlichkeit», sagte der Engländer Sir John Hill, Vorsitzender der «Atomic Energy Authority» des Vereinigten Königreiches, beim Abschluß der Europäischen Nuklearkonferenz, die im Juli 1979 in Hamburg stattfand. Nur ein paar Monate zuvor hatte Sir John bei einer Versammlung der Elektroingenieure in London behauptet, die Emotionen, die überall in der Öffentlichkeit durch die Einführung der Kernenergie ausgelöst werden, müßten «sich mit der Zeit legen, und das Publikum wird die gleiche Haltung einnehmen wie die strenge und objektive Untersuchungsbehörde für Atomenergie».

Dies scheint auch jetzt noch die Hoffnung der Betreiber und der sie unterstützenden Politiker zu sein. Sie schätzen die Sicherheit der sozialen Lage ebenso optimistisch – und daher falsch – ein wie die Sicherheit der von ihnen betriebenen Anlagen. Noch ist es nicht zu gesellschaftlichen Explosionen im Kampf gegen eine Entwicklung gekommen, die immer mehr Menschen unerträglich scheint. Aber wer kann mit Bestimmtheit voraussagen, daß dies so bleiben wird? Seit dem Unfall ist, wie Meinungsumfragen ergaben, die Zahl derer, die keine Atomindustrie wünschen, überall kräftig gestiegen. Würden nach Harrisburg Volksabstimmungen, wie schon in Österreich und der Schweiz, abgehalten werden, so käme es vermutlich zu antiatomaren Mehrheiten.

Ganz besonders stark ist der Widerstand in den Gemeinden, die unweit irgendeiner Anlage des nuklearen Brennstoffkreislaufs gelegen sind. In der Nähe jedes geplanten oder bereits gebauten Reaktors, jeder Anlage für Brennelemente-Herstellung, jedes projektierten atomaren Zwischenlagers oder jeder radioaktiven Giftmüllkippe schließen sich Menschen aller Berufe und Klassen zusammen, selbst wenn sie mit ihren Protesten – wie zum Beispiel in Bayern – gegen die offizielle Politik ihrer Parteien Stellung beziehen.

Dieser Widerstand der Nachbarn an vielen verschiedenen Orten wird immer bedeutsamer und es wird immer schwieriger. Der niedersächsische Ministerpräsident Ernst Albrecht, der in die zu allem entschlossenen Gesichter der Bauern des Wendlandes geblickt hatte, mußte Pläne für die bei Gorleben geplante gigantische Anlage zurückstecken, weil er es nicht riskieren wollte, auf die eigenen Landsleute schießen zu lassen.

Genau das haben allerdings die französischen «Ordnungskräfte» getan, als sie im Juli 1977 mit Waffen gegen die zum Protest aufmarschierten 60000 Demonstranten unweit des «Schnellen Brüters» bei Malville losschlugen. Es gelang ihnen auf diese Weise, die französische Anti-Atombewegung für eine Weile zu lähmen. Aber ohne dauernden Erfolg. Wie in den Zeiten des «Maquis» werden nun Monat um Monat Gewaltaktionen gegen die, unter Mißachtung demokratischer Spielregeln, im Hetztempo vorangetriebene Installation von Nuklearfabriken und -zentralen unternommen. In der Bretagne, im Elsaß, in Südfrankreich und immer wieder um La Hague wächst diese neue «Résistance». Giscard hat nur eine Schlacht gewonnen, den Krieg um die Atomkraft wird er verlieren.

Am meisten Aufsehen erregte die Tatsache, daß gegen einen besonders unbeliebten Ingenieur in La Hague ein in der Kriminalgeschichte neuartiges Verbrechen verübt wurde. Durch Zufall entdeckte er unter dem Führersitz seines Autos ein radioaktiv kontaminiertes Werkstück, das trotz aller Bewachung aus dem Betrieb herausgeschmuggelt worden war und seine Gesundheit bereits zu untergraben begonnen hatte.

Es sind derartige «von innen» kommende Gefährdungen der Sicherheit, die den Atombehörden und der Atomindustrie seit langem besondere Kopfschmerzen bereiten. Auch in Three Mile Island ist zumindest die Möglichkeit ernsthaft erwogen worden, daß der Unfall von Harrisburg vielleicht durch absichtlichen «Irrtum», «Vergeßlichkeit», wenn nicht sogar durch einen gezielten Sabotageakt eingeleitet worden sei. Die Tatsache, daß Theodore B. Taylor, der führende Experte für «nukleare Böswilligkeit», in die Untersuchungskommission von Präsident Carter berufen wurde, deutet darauf hin, daß man diese Hypothese genauer prüfen wollte.

Daß es in «TMI Unit Two» starke Spannungen gab, ist mir persönlich von einem Sicherheitswächter bestätigt worden, mit dem mich Mickey Minnich zusammenbrachte. Es waren nämlich in dem Betrieb zwei verschiedene Organisationen für die Aufrechterhaltung der Sicherheit verantwortlich, die ständig gegeneinander intrigierten, um die andere Truppe herauszudrängen. Daher ist es durchaus denkbar, daß jener kritische Hebel, der vierzehn Tage vor dem *incident* während eines Tests geschlossen und dann aus Versehen nicht wieder geöffnet worden war, absichtlich nicht bedient wurde, obwohl er deutlich den Vermerk trug *«Turn this on»* («Andrehen!»).

Die amerikanische Atombehörde NRC ist sich dieser Gefährdung der Nuklearindustrie «von innen» her durchaus bewußt und hat seit 1975 ihre Anstrengungen mehr und mehr auf die immer genauere Bewachung aller Beschäftigten gerichtet. Einige ihrer Anordnungen, wie die Aufforderung an die Firmen, bei Betreten und Verlassen der Anlagen genaue Leibesvisitationen der Beschäftigten anzuordnen und an besonders «sensitiven Stellen» das sogenannte *buddy system* einzuführen (bei dem sich zwei Personen, die mit der gleichen Arbeit beschäftigt werden, ständig gegenseitig kontrollieren sollen), wurden von den empörten Arbeitnehmern abgelehnt und – allerdings nur vorläufig – aufgeschoben.

Das hält L. D. Douglas DeNike von der USC (University of Southern California), der seinen akademischen Posten aufgab, um sich ganz dem Studium der Gefahren des Nuklearterrors zu widmen, für eine gefährliche Konzession. Obwohl er sich als entschiedenen Liberalen bezeichnet, der die weitgehende Wiederherstellung der bürgerlichen Freiheiten nur dann für möglich hält, wenn die Atomindustrie radikal abgeschafft wird, tritt er nach Harrisburg für eine Verstärkung der Überwachung ein.

Er gab mir seine vom 20. April 1979 datierte ‹*Perspektive zur nu-*

klearen Sabotage›, die er an Behörden und Atomgegner verschickt hatte. Darin heißt es:

«Es ist nicht unvorstellbar, daß eine desillusionierte Nuklearfirma oder eine Regierungsbehörde einen ‹Reichstagsbrand› veranstalten könnte ... Ultrarechte im CIA oder im Pentagon könnten eine Rechtfertigung für die Ausrufung des Kriegsrechts suchen und beginnen, ihre Gegner zu verhaften.»

In einem anderen Brief, den er kurz nach dem Unfall von Harrisburg an Dr. J. Hendrie, den Vorsitzenden der NRC, richtete, unterstützte der gleiche schon mehrfach in offiziellen «Hearings» aufgetretene Experte ausdrücklich die von dieser Behörde in ihrem letzten Sicherheitsprogramm vom Dezember 1978 vorgeschlagene Durchführung von strategischen Spielen, die mögliche Aktionen von Saboteuren simulieren, voraussagen und analysieren könnten. Er diskutierte darin kritisch die Möglichkeiten der Installation versteckter Mikrofone in den Nuklearanlagen und trat im Lichte der jüngsten Ereignisse für erheblich verstärkte Überwachung und möglicherweise Verdoppelung besonders sabotagegefährdeter Installationen ein – wie des Kontrollraums und der zu den Lagerbecken führenden Leitungen.

Am Ende seines Schreibens erwähnt DeNike einmal mehr, es sei unbedingt notwendig anzunehmen, daß auch interne Angreifer «in Zukunft über Nuklearwaffen verfügen könnten». Diese von Befürwortern der Kernenergie als unwahrscheinlich, ja als «Science-fiction» oder «Groschenromandenken» verharmlosten Gefahren hat Amory B. Lovins im Laufe des internationalen Expertengesprächs über Gorleben, das Ende März bis Anfang April – zufällig genau zum Zeitpunkt des Harrisburg-«Störfalls» – von der niedersächsischen Landesregierung in Hannover veranstaltet wurde, so genau und eindringlich geschildert, daß einer der befürwortenden Teilnehmer, Professor Beckurts, den Experten beschwor, diesen Teil seines Berichts nicht zu veröffentlichen, um einen Mißbrauch dieser Informationen zu verhindern.

Was Lovins ausführte, stützte sich ausschließlich auf die neuesten wissenschaftlichen Veröffentlichungen von Waffenexperten, die, wie er zugab, vielleicht nie hätten publiziert werden dürfen. Liest man das, was dieser nüchterne Berichterstatter über die «vier Niveaus illegaler nuklearer Waffentechnik» zusammengetragen hat, dann muß man sich fragen, woher die Befürworter der Kernenergie selbst jetzt den Mut nehmen, ihre Vorhaben immer noch weiterzutreiben. Denn Lovins zeigt mit genauen Daten und Berechnungen auf, daß die illegale Herstellung atomarer Waffen von primitiver bis zu höchst effizienter Konstruktion und Wirkung ungleich leichter zu bewerkstelligen ist, als man bisher annehmen mußte.

Das sind in der Tat schlimme Nachrichten, die von den Betreibern, wären sie selbstkritisch genug, eigentlich mit dem Entschluß beantwortet werden müßten, daß angesichts solcher enormen Gefährdungen die Durchsetzung der Kernenergie in sozialen Krisenzeiten wie den unseren nicht länger versucht werden sollte.

Das werden sie nicht tun. Denn der Vorfall von Harrisburg zeigt, daß sie aus einem Versagen stets nur die Lehre ziehen, man müsse es eben in Zukunft besser machen und dann das korrigieren, was sie als Schwäche verspätet bemerkt haben, ohne verbessern zu können, was dann erst beim nächsten Versagen als bis dahin nicht wahrgenommene Schwachstelle erkannt werden wird.

Solange technische Unfälle nicht die bei nuklearen Katastrophen möglichen übergroßen und langfristigen Folgen hatten, war die Gesellschaft bereit, sie zu ertragen. Nun aber scheint eine Grenze der Geduld erreicht zu sein, die tiefe Konflikte mit sich bringen muß.

Der innere und der äußere Frieden ist durch die hier angedeuteten Entwicklungen gefährdet. Die Schreckensträume, von denen die in der Nähe von Harrisburg lebenden Kinder gequält werden – wie mir Paul Cowan von der Wochenzeitung *Village Voice* erzählte – sind wirklichkeitsnäher als die beschwichtigenden Botschaften all jener, die behaupten, verantwortlich zu handeln, wenn sie die Kernenergie als «unverzichtbar» bezeichnen.

Ich befürchte, daß nach dem nächsten größeren «Zwischenfall», der nach Ansicht von Experten der Internationalen Atombehörde sich am wahrscheinlichsten in einem Land der Dritten Welt ereignen dürfte (weil dort die Ausbildung im allgemeinen zu schnell betrieben und die Sicherheitsauflagen oft zu lax behandelt werden), die Auseinandersetzung über die Nuklearenergie sich noch weiter verschärfen wird. Es wird dann auch zu vermehrtem Widerstand von seiten der viel zu gutgläubigen Beschäftigten in der Atomindustrie kommen. Es wird noch lauter als bisher die Forderung erhoben werden, daß prominente Betreiber sich wegen Verbrechens gegen jetziges und künftiges Leben gerichtlich verantworten sollten.

Auf einem Plakat, das ich in Uelzen auf dem Marsch der Bauern von Gorleben nach Hannover las, stand folgendes zu lesen:

Wenn Dich dann

im Jahr 1998

Dein mißgebildeter Enkel fragt, warum Du damals nicht geholfen hast, das Projekt

GORLEBEN

zu verhindern, wirst Du dann auch wie Dein Vater antworten: „Wir wußten doch damals alle nicht, wie gefährlich das alles wird....”

Es sind heute schon Millionen, die begriffen haben, «wie gefährlich das alles wird . . .», und ihr Kampf richtet sich nicht nur gegen die Atomindustrie, sondern gegen eine unser Leben immer stärker beherrschende Großtechnik. Der Kampf der Betroffenen gegen diese Entwicklung wird die nächsten Jahre und Jahrzehnte stärker bestimmen, als es der Klassenkampf je tat. Die Menschen haben begriffen, daß es um mehr als Energie, Konsum und Wachstum geht, nämlich um das Überleben in Würde gegen Bedrohungen, wie es sie nie zuvor gegeben hat.

R. J., Juli 1979

Glossar

Akzeptanz Bemühung von Behörden und Industrie, die Öffentlichkeit zur Annahme von Innovationen zu überreden. Besondes zur Beseitigung des Widerstands gegen Kernkraftwerke durch Einsatz sozialpsychologischer Techniken vervollkommnet.

Atom Kleinste Einheit chemischer Elemente. Besteht aus dem Atomkern, in dem fast die ganze Masse des Atoms konzentriert ist, und den Hüllenelektronen, die den Atomkern in einer oder mehreren Schalen umkreisen. Der Atomkern setzt sich aus zwei Arten von Kernteilchen von etwa gleicher Masse zusammen, den positiv geladenen Protonen und den ungeladenen Neutronen. Die Massezahl des Atoms entspricht der Zahl aller Kernteilchen, die Kernladung der Zahl der Protonen. In einem nicht ionisierten (elektrisch neutralen) Atom entspricht die Zahl der negativ geladenen Hüllenelektronen der Kernladung, also der Zahl der Protonen. Die Zahl und Anordnung der Hüllenelektronen bestimmt die chemischen Eigenschaften des Atoms.

Atomenergiekommission (AEC) 1946 geschaffene amerikanische Behörde, die für Kernforschung für militärische und friedliche Zwecke, für die Förderung der Anwendung von Kernenergie und die Kontrolle der Sicherheit und Umweltverträglichkeit nuklearer Anlagen zuständig war. Die Vereinigung miteinander in Konflikt stehender Aufgaben (Förderung-Kontrolle) in einer Behörde ist oft kritisiert worden. 1975 wurde die AEC aufgelöst, die Überwachungs- und Kontrollaufgaben wurden der Nuclear Regulatory Commission (NRC) übertragen, die übrigen Aufgaben der Energieforschungs- und Entwicklungsbehörde (ERDA), deren Agenden unterdessen vom Energieministerium übernommen worden sind.

Atomsperrvertrag (Non-Proliferations-Vertrag) Internationaler Vertrag, der die Weiterverbreitung von Atomwaffen im Gefolge der Verbreitung der Kernenergie verhindern soll. Die Überwachung der Einhaltung der Vertragsbestimmungen obliegt der Internationalen Atomenergiebehörde (IAEA, s. d.). Einige Länder, die über Kernwaffen verfügen oder Voraussetzungen zur Herstellung solcher Waffen besitzen, wie Frankreich, China, Indien, Pakistan, Südafrika, Argentinien, Brasilien, Israel, Ägypten und andere sind dem Atomsperrvertrag nicht beigetreten oder haben ihn nicht ratifiziert. Die dem Vertrag beigetreteen Atommächte (USA, UdSSR, England) sind von den Kontrollbestimmungen ausgenommen, sofern sie nicht einzelne Anlagen freiwillig der Überwachung der IAEA unterstellen. Exporte kerntechnischer Anlagen aus Unterzeichnerländern in Nicht-Mitgliedstaaten sind laut Vertrag nur zulässig, wenn durch entsprechende Kontrollvereinbarungen gesichert ist, daß kein in solchen Anlagen erzeugtes spaltbares Material für militärische Zwecke abgezweigt wird.

Brennstäbe Lange, dünne Metallhülsen, in die der in Tablettenform (Pellets) gepreßte und gesinterte Kernbrennstoff (Uran 235 oder Plutonium) eingefüllt wird.

Brennstoffkreislauf Kernbrennstoff durchläuft einen Kreislauf mit folgenden Hauptstationen: Abbau und Aufbereitung des Uranerzes, (meist) Anreicherung, Verarbeitung zu Brennstäben, aktive Zeit im Reaktor (sechs bis acht Monate, bei manchen Reaktortypen auch länger), Wiederaufarbeitung (Entfernung der Spaltprodukte), Rückführung des Urans in den Kreislauf. Das bei der Wiederaufarbeitung anfallende Plutonium kann ebenfalls als Kernbrennstoff oder auch als Atombombenrohstoff verwendet werden.

Core Aktive Zone im Inneren des Reaktors, in der die Kernspaltungsreaktionen vor sich gehen.

Coreschmelzen (Meltdown) Schwerer Reaktorunfall, bei dem Brennstäbe (s. d.) infolge Ausfalls der Kühlung und der Wärmeentwicklung der radioaktiven Spaltprodukte abschmelzen.

Entsorgung Entfernung der ausgebrannten Brennstäbe und Abtrennung und sichere Lagerung der im Reaktor entstandenen radioaktiven Substanzen (des «Atommülls»).

Euratom Die Atomenergieorganisation der Europäischen Gemeinschaft.

Gas-Graphit-Reaktor Vor allem in England und Frankreich verbreiteter Reaktortyp, bei dem ein Gas (Kohlendioxid, Helium) als Kühlmittel (Wärmeträger) und Graphit als Moderator (s. d.) dient. In einem solchen Reaktor kann natürliches (nicht angereichertes) Uran als Kernbrennstoff verwendet werden.

Gaszentrifugenverfahren In Deutschland und anderen europäischen Ländern entwickeltes Verfahren zur Urananreicherung (s. d.).

Geigerzähler Gerät zur Messung der radioaktiven Strahlung; besteht aus einem dünnen Metallzylinder, durch dessen Achse ein feiner Draht gespannt ist. Zwischen Draht und Zylinder besteht eine hohe elektrische Spannung. Wird die Luft im Inneren des Zylinders durch radioaktive Strahlung ionisiert (s. Ion) und dadurch elektrisch leitfähig, kommt es zu einem kurzen Stromstoß, der von einem Zählwerk registriert werden kann.

Genehmigungsverfahren Die Genehmigung von Kernkraftanlagen kann ohne Zustimmung der in der benachbarten Region Beheimateten nicht erfolgen. Einspruchsverfahren sind allerdings langwierig und kostspielig. Da die Anlagen meist auch Benutzern in anderen, weiter abgelegenen Gegenden dienen oder im Katastrophenfall die dort Lebenden belasten könnten, wird eine Erweiterung des Kreises der Einspruchsberechtigten angestrebt. Die Schweizer Kernkraftgegner haben nach jahrelangem Kampf im Oktober 1977 durchgesetzt, daß durch Teilrevision des Atomgesetzes eine Reihe von Möglichkeiten der Mitsprache geschaffen wurden.

Halbwertszeit Die für ein radioaktives Isotop charakteristische Zeit, in der die Hälfte seiner Atome zerfällt und sich in ein anderes Element oder ein anderes Isotop des gleichen Elements verwandelt und die Radioaktivität um die Hälfte abklingt. Halbwertszeitwerte liegen zwischen Sekundenbruchteilen und Millionen Jahren. Nach zehn Halbwertszeiten ist nur mehr ein Tausendstel (2^{10}) des radioaktiven Stoffes erhalten, nach zwanzig Halbwertszeiten nur mehr ein Millionstel usw.

Internationale Atomenergiebehörde (IAEA) Unterorganisation der UNO, die für Verbreitung der friedlichen Anwendung der Kernenergie und für die Überwachung der Einhaltung des Atomsperrvertrags zuständig ist; Sitz in Wien.

Internationales Institut für angewandte Systemanalyse (IIASA) Institut zur Erforschung wichtiger Weltprobleme mit Hilfe von mathematischen Modellen. Gemeinsame Gründung der Akademien der Wissenschaften einiger westlicher und östlicher Länder. Sitz in Laxenburg bei Wien.

Ion Elektrisch geladenes Atom oder Molekül.

Ionisierende Strahlung Strahlung, die durch ihre Energie einzelne Hüllenelektronen von einem Atom (s. d.) «herausschießt» und dieses dadurch elektrisch auflädt – radioaktive Strahlung, Röntgenstrahlung, auch energiereiche kurzwellige ultraviolette Strahlung.

Kernspaltung (Fission) Durch Einfangen eines Neutrons ausgelöster Zerfall bestimmter sehr großer Atomkerne (Uran 235, Plutonium) in zwei mittelschwere Atomkerne und zwei oder drei Neutronen. Die Masse aller Spaltprodukte ist geringer als die Masse des ursprünglichen Kerns, das Massedefizit wird im Spaltvorgang in Energie umgewandelt.

Kernverschmelzung (Fusion) Verschmelzung zweier leichter Atomkerne (meist Isotopen von Wasserstoff, Helium oder Lithium) zu einem schwereren Kern, wobei ein Teil ihrer Masse in Energie umgewandelt wird.

Kontamination (radioaktive) Verseuchung.

Leichtwasserreaktor Der in den USA, der Bundesrepublik und in vielen anderen Ländern vorherrschende Reaktortyp, bei dem gewöhnliches («leichtes») Wasser als Moderator und Kühlmittel (Wärmeträger) und angereichertes Uran als Kernbrennstoff dient.

Moderator Neutronenbremssubstanz, die die bei der Kernspaltung freigesetzten sehr schnellen Neutronen auf eine Geschwindigkeit bremst, bei der sie am leichtesten von spaltbaren Uran 235-Atomkernen eingefangen werden und neue Kernspaltungen auslösen können. Als Moderator werden zumeist Graphit, gewöhnliches («leichtes») oder «schweres» Wasser verwendet.

Neutron Elektrisch nicht geladenes (neutrales) Kernteilchen (s. Atom); kann in ein Proton und ein Elektron zerfallen.

Neutronenkorrosion Beschädigung von Reaktorbestandteilen durch ständige Neutroneneinwirkung. Ein Teil der bei den Kernspaltungsvorgängen freigesetzten Neutronen wird unvermeidlicherweise von verschiedenen Reaktorbestandteilen aufgenommen und löst in ihnen nukleare Vorgänge wie Umwandlung einzelner Atome in die anderer Elemente, radioaktiven Zerfall (s. d.), chemische Reaktionen der neu entstehenden Elemente usw. aus. Dadurch wird die Entstehung von Materialfehlern eingeleitet – um so mehr, da die Reaktorbauteile ja auch ständig radioaktiver Strahlung, hohem Druck und hoher Temperatur ausgesetzt sind.

Nuclear Regulatory Commission (NCR) Amerikanische Behörde, die seit der 1975 erfolgten Auflösung der amerikanischen Atomenergiekommisssion (s. d.) die Verantwortung für die Kontrolle und Überwachung der nuklearen Anlagen hat.

Nukleare Parks Konzentration von mehreren Großreaktoren und den dazugehörigen Urananreicherungs-, Brennstoff-Wiederaufarbeitungs- und Entsorgungsanlagen auf einen kleinen Raum, womöglich auf eine entlegene natürliche oder künstliche Insel im Ozean, um die Gefährdung der Bevölkerung bei Unfällen und den Transport hochradioaktiven Materials zu vermeiden und die Bewachung zu erleichtern. Das Endprodukt des Anlagenkomplexes kann mit Hilfe von Kernenergie hergestellter Wasserstoff sein, der an die Energieverbraucher geliefert wird.

Ökologie Wissenschaft von den Wechselbeziehungen verschiedener Arten von Lebewesen (Bakterien, Pflanzen, Tiere) untereinander und mit ihrer Umwelt in einem «Ökosystem», etwa einem Wald.

Plutonium (PU) Auf der Erde unter natürlichen Bedingungen nicht vorkommendes chemisches Element, das in Uranreaktoren durch Neutroneneinfang aus Uran 238 entsteht. Spaltbares Material, das als Kernbrennstoff oder Atombombenrohstoff verwendet werden kann. Äußerst gefährliches Strahlengift.

Plutonium-Wirtschaft (Plutonium-Ökonomie) Wirtschaft, in der «Schnelle Brüter» (s. d.) die hauptsächliche Energiequelle sind und Plutonium der wichtigste (Kern-)Brennstoff ist.

Proliferation Weiterverbreitung (von Kernwaffen); s. Atomsperrvertrag.

Radioaktivität Spontane Zerfallsreaktion eines unstabilen Atomkerns, bei der energiereiche Strahlung ausgesandt wird und sich der Kern in den Kern eines anderen Isotops oder Elements verwandelt. Alphastrahlen sind Heliumkerne (zwei Protonen und zwei Neutronen in fester Bindung), Betastrahlen sind Elektronen, die durch Zerfall eines Kern-Neutrons in ein Proton und ein Elektron entstehen, Gammastrahlen der Röntgenstrahlung ähnliche elektromagnetische

Wellen. Manche radioaktive Kerne stoßen auch Neutronen aus. Oft ist das Produkt des radioaktiven Zerfalls wiederum nicht stabil und es kommmt zu ganzen *Zerfallsketten*. Anders als bei der Kernspaltung lassen sich beim radioaktiven Zerfall die Zerfallsprodukte eines bestimmten Isotops und die statistische Häufigkeit der Zerfallsreaktion (s. Halbwertszeit) genau voraussagen.

Regelstäbe Aus Neutronen absorbierenden Stoffen (zum Beispiel Kadmium) hergestellte Stäbe, die mehr oder weniger tief in den Reaktor eingeschoben werden, um die Dichte des Neutronenflusses zu regulieren.

Risikoforschung Von Ch. Starr Anfang der siebziger Jahre begründet. Versucht mit Methoden der Wahrscheinlichkeitsrechnung die Unfallchancen technischer Systeme zu ermitteln. Ein gemeinsames Projekt der IIASA (Internationales Institut für angewandte Systemanalyse) in Laxenburg (Österreich) und der IAEA (International Atomic Energy Agency) in Wien unter H.J. Otway hat hier durch Einbeziehung psychologischer Parameter eine wichtige Erweiterung bewirkt.

Safeguards Auf Grund des Nonproliferations-Vertrags wurde beschlossen, die Verwendung von Kernbrennstoffen und Kernbrenntechnik international zu kontrollieren. «Safeguards» sind die dafür verwendeten Methoden der Absicherung und die für ihre Befolgung verantwortlichen Kontrolleure.

Schneller Brüter Reaktortyp, in dem mehr spaltbares Material entsteht als verbraucht wird. Als Kernbrennstoff dient Plutonium, als «Brutstoff» nicht spaltbares Uran 238 (der Hauptbestandteil des natürlichen Urans), aus dem durch Einfang schneller Neutronen Plutonium entsteht. Da auch Plutonium auf schnelle Neutronen anspricht, ist ein Moderator (s. d.) nicht erforderlich. Als Wärmeträger (Kühlsubstanz) dient in der Regel flüssiges Natrium. Der Schnelle Brüter arbeitet bei höherer Temperatur als ein Leichtwasserreaktor, hat einen sehr kompakten «Core» (s. d.) und ist schwerer zu regulieren als ein gewöhnlicher Reaktor. Die Unfallgefahr ist dementsprechend größer und wird noch dadurch verschärft, daß das als Kühlmittel verwendete Natrium mit Luft und Wasser sehr heftig reagiert. Beim Abschmelzen des «Cores» könnte sich so viel Plutonium in seiner kompakten Masse sammeln, daß es zu einer echten Kernexplosion (einer kleinen Atombombenexplosion) kommt – was bei einem Uranreaktor nicht möglich ist.

Spaltbares Material Isotope, bei denen (unter auf der Erde herrschenden Umweltbedingungen) durch Neutroneneinfang eine Kernspaltung (s. d.) ausgelöst wird, vor allem Uran 235 und Plutonium (mehrere Isotope); kann als Reaktorbrennstoff oder als Kernwaffenrohstoff verwendet werden.

Spaltprodukte Die bei der Kernspaltung (s. d.) entstehenden mittelschweren Atomkerne, die in der Regel stark radioaktiv sind und sich in längeren Zerfallsreihen (s. Radioaktivität) nach und nach in langlebige radioaktive und schließlich in stabile (nicht mehr radioaktive) Substanzen verwandeln.

Strahlenschutzkleidung Schutzkleidung, die vor allem das Eindringen radioaktiver Substanzen in den Körper (durch Einatmen, Verschlucken, Aufnahme durch die Haut) verhindern soll. Schützt außerdem vor von außen kommender Alphastrahlung und weitgehend auch vor Betastrahlung (s. Radioaktivität), kann aber Gamma- und Neutronenstrahlung nur sehr unvollkommen abschirmen.

Technokratie Herrschaft, gestützt auf das Primat technischer «Sachzwänge» und Verfügungsgewalt, denen demokratische Institutionen dienen.

Transurane Im Reaktor oder Teilchenbeschleuniger geschaffene, normalerweise auf der Erde nicht vorkommende Elemente mit höherer Kernladung (größerer Protonenzahl) als das Uran – zum Beispiel Neptunium, Plutonium, Curium usw.

Trenndüsenverfahren In Deutschland entwickeltes Verfahren zur Urananreicherung (s. d.)

Tritium Radioaktives Isotop des Wasserstoffs mit einem Proton und zwei Neutronen im Kern («überschwerer Wasserstoff»). Entsteht in kleinen Mengen durch Neutroneneinfang bei Verwendung von Wasser als Reaktorkühlmittel.

Urananreicherung Vermehrung des Gehalts von spaltbarem Uran 235, der im natürlichen Uran nur 0,7 Prozent beträgt. In Leichtwasserreaktoren werden Brennstäbe mit einem Gehalt von etwa 3 Prozent Uran 235 verwendet. Im ursprünglichen amerikanischen Verfahren wird eine gasförmige Uranverbindung (Uranhexafluorid) durch poröse Rohre gepumpt, wobei Moleküle mit dem etwas beweglicheren Uran 235 die Rohrwände leichter durchdringen. Der Vorgang muß etwa zweitausendmal wiederholt werden, bis eine Anreicherung auf 3 Prozent erreicht ist. Beim Trenndüsen- und beim Gaszentrifugenverfahren wird die Tatsache ausgenutzt, daß Moleküle mit Uran 238 etwas schwerer sind als solche mit Uran 235 und daß daher die Zentrifugalkraft auf die beiden Arten von Molekülen mit unterschiedlicher Stärke einwirkt. Beim Trenndüsenverfahren sind einige hundert, beim Gaszentrifugenverfahren etwa zehn bis dreißig einzelne Trennschritte notwendig, um die für Leichtwasserreaktoren erforderliche Anreicherung zu erzielen. Durch weitere Anreicherung kann man schließlich spaltbares Uran 235 von einem Reinheitsgrad erhalten, wie er für die Herstellung von Kernwaffen erforderlich ist.

Wiederaufarbeitung Verarbeitung der «ausgebrannten» Brennstäbe. Die radioaktiven Spaltprodukte, von denen einige Neutronen schlucken und den Reaktorbetrieb stören, werden abgetrennt, konzentriert und sollen als «Atommüll» sicher gelagert werden. Das Uran wird in den Brennstoffkreislauf zurückgeführt. Das ebenfalls anfallende Plutonium kann als Kernbrennstoff oder Atombombenrohstoff verwendet werden.

Literaturverzeichnis

Allgemeine Literatur

Autorengruppe Projekt SAU, Zum richtigen Verständnis der Kernindustrie – 66 Erwiderungen, Oberbaum-Verlag, Berlin 1975
Bruckmann, G. (Hg.), Langfristige Prognosen, Würzburg und Wien 1977
CFDT, Les dégâts du progres, Paris 1977
Gofman, John W., und Tamplin, Arthur, Poisoned Power, Pa., 1971
Hayes, Denis, The Fifth Horseman, Worldwatch Institute, 1977, Washington D.C.
Mez, L., und Wilke, M., Der Atomfilz, Gewerkschaften und Atomkraft, Berlin 1977
Michaelis, Hans, Kernenergie, Deutscher Taschenbuchverlag, München, 1977
Nader, Ralph, und Abotts, John I., The Menace of Atomic Energy, D.W. Norton, New York 1977; deutsch: Tödlicher Fortschritt, München 1979
National Council of Churches (NW), The Plutonium Economy: A Statement of Concern, September 1975
Olson, C., Unacceptable Risk, McKinley, New York 1976
Patterson, W.C., Nuclear Power, Penguin, Harmondsworth 1976
Strohm, Holger (Hg.), Schnelle Brüter und Wiederaufbereitungsanlagen, Hamburg 1977
The Nuclear Policy Study Group, Nuclear Power, Issues and Choices, Ford Foundation, Mitre Corporation, Cambridge (Mass.) 1977
Weizsäcker, C.F. von, Wege in der Gefahr, München 1977

Zeitschriften

«Atomwirtschaft», Düsseldorf, 1974–1979
«The Bulletin of the Atomic Scientists», Chicago, 1970–1979
«Intern», Kraftwerke Union, Erlangen 1976–1979
«Jahrbuch der Atomwirtschaft», Düsseldorf, 1976–1979
«Nucleonics Week», New York, 1974–1979
«Revue de l'Energie», Paris, 1976–1977
Informationsdienst zur Verbreitung unterbliebener Nachrichten, Frankfurt a. M. 1977

Vervielfältigt

Public Local Inquiry into an Application by British Nuclear Fuels, Windscale Transcripts 1–70, Harpham Ltd., 55 Queen Street, Sheffield

Vorwort (Der harte Weg)

Benthall, Jonathan, The Body Electric, Thames and Hudson, London 1976
Bundesministerium für Forschung und Technologie, Über die Entwicklung des natriumgekühlten Schnellbrutreaktors, September 1977
Camilleri, J. A., Civilization in Crisis, Cambridge University Press, Cambridge (England) 1976
Commoner, Barry, The Poverty of Power, Jonathan Cape, London 1976
Guttman, Daniel, und Willner, Barry, The Shadow Government, Random House, New York 1976
Heilbronner, Robert L., An Inquiry into the Human Prospect, W. W. Norton, New York 1974
Hauff, Volker, «Abschied vom blanken Fortschrittsglauben». In: Vorwärts, Bonn, 26. 5. 1977
Lovins, Amory, Soft Energy Paths, Cambridge/Mass. 1977
Mumford, Lewis, The Myth of the Machine, Harcourt Brace Jovanovich, New York, 1966/1967
Mumford, Lewis, The Pentagon of Power, Harcourt Brace Jovanovich, New York 1970
Schumm-Garling, Ursula, Herrschaft in der industriellen Arbeitsorganisation, Suhrkamp, Frankfurt a. M. 1972
Technologie und Politik, Nr. 1–7, (rororo aktuell), Reinbek 1975–1977
Ullrich, Otto, Technik und Herrschaft, Frankfurt a. M. 1976

Erstes Kapitel

Arbeitsgruppe «Wiederaufbereitung» WAA, Atommüll oder Der Abschied von einem teuren Traum (rororo aktuell 4117), Reinbek 1977
Barrier-Lynn, Christiane, Le combat ouvrier dans une entreprise de pointe, Paris 1975
Syndicat CFDT de L'Energie Atomique, L'Electronucléaire en France, Editions du Seuil, Paris 1977
CFDT, Condamnés á Reussir, Editions du Seuil, Paris 1977
CDFT, L'Usine de la Hague, Situation Industrielle, Conditions der Travail, Sécurité, Paris, Juli 1976
Comité contre la pollution atomique, La Belle Vacherie de la Hague, Cherbourg 1977
Commissariat á l'Energie Atomique, Centre La Hague, Paris 1970
Gauvenet, M., «Les Residus Radioactifs». In: Revue de l'Energie, Paris, Januar 1977
International Atomic Energy Agency, Radiation Safety in Hot Facilities, Wien 1970
International Atomic Energy Agency, Management of Radioactive Wastes from the Nuclear Fuel Cycle, Wien 1976, Vol. 2
Kaper, R., «Lethal Seepage of Nuclear Waste». In: The Nation, New York, März 1977

Medvedev, Z., «Die Hintergründe der sowjetischen Atomkatastrophe». In: New Scientist, London, Juli 1977 (deutsch in «Der Atomfilz», Berlin 1977, S. 46)
Medvedev, Z., Bericht und Analyse der bisher geheimgehaltenen Atomkatastrophe in der UdSSR, Hamburg 1979
Schach, Gunther, «Kapazitäten am Cap». In: Deutsche Zeitung, Bonn, 17. 7. 1977
Rochlin,, Gene I., «Nuclear Waste Disposal: Two Social Criteria». In: Science, Washington D.C., 7. Januar 1977
Rudzinski, Kurt, «Uran-Wiederaufbereitung technisch ungelöst». In: Frankfurter Allgemeine Zeitung, Frankfurt a. M., 23. März 1977
Spilker, Reinhard, Radiointerview mit B. Laponche, Westdeutscher Rundfunk, Köln, Februar 1977

Zeitschriften und Zeitungen

«L'Envers de la Manche», Cherbourg, 1976/1977
«Le Petit Cafard des Failaises», Coutances, 1976/1977
«Ouest France», Cherbourg, September 1976–August 1977
«Libération», Paris, 1976/1977
GSIEN, La Gazette Nucléaire, Orsay, Nr. 1–7, 1976–1977

Zweites Kapitel

Bachner/Holm/Meltzer/Morlock/Neußer/Urbahn, Untersuchungen zum Vergleich größtmöglicher Störfolgen in einer Wiederaufarbeitungsanlage und in einem Kernkraftwerk, Institut für Reaktorsicherheit, Köln, August 1976
Commitee on Science and Astronautics US House of Representatives, Investigation into Apollo 204 Accident, Government Printing Office, Washington 1967
Dickson, Paul, Think Tanks, Ballantine Books, New York 1971
Diepold, W., und Krebsbach, C., Untersuchungen über technische, organisatorische und gesellschaftliche Voraussetzungen für Risikostrategien im Bereich technologischer Entwicklungen, Teilbericht 100/2 Versuch zur Erfassung von Risikomaßstäben und Definitionen, Battelle-Institut, Frankfurt a. M. Januar 1977
Ford, F. Daniel, Union of Concerned Scientists, A History of Federal Nuclear Safety Assessments: From Wash – 740 through the Reactor Safety Study, Cambridge (Mass.) 1977
Grosser, George H. (Hg.), The Threat of Impending Disaster, MIT Press, Cambridge (Mass.) 1971
Häfele, W., Hypothecality and the New Challenges: The Pathfinder Role of Nuclear Energy IIASA RR – 73 – 14, Laxenburg 1973
Häfele, W., Energy Strategies and the Case of Nuclear Power, IIASA, Laxenburg, Mai 1976

Häfele, W. et al, Second Status Report on the IIASA Project on Energy Systems RR – 76 – 1, Laxenburg 1976
Hippel, Frank v., «Looking Back on the Rasmussen Report». In: Bulletin of the Atomic Scientists, Chicago, Februar 1977
Knight, Jeff, «Swords of Damocles». In: ECO (Konferenzausgabe), Salzburg, 10. Mai 1977, Friends of the Earth (Berkeley)
Lovins, Amory, «Weinberg's Numbers». In: ECO (Konferenzausgabe), 10. Mai 1977, Salzburg
Moss, Norman, Men Who Play God, Harper and Row, New York 1968
Otway, Harry J., und Pahner, Philip D., «Risk Assessment». In: Futures, Guilford 1976
Pahner, Philip D., A Psychological Perspective of the Nuclear Energy Controversy RM 76–67 IIASA, Laxenburg, August 1976
Proceedings of the IIASA Conference on Energy Systems Juli 17 – 20 1973, Laxenburg
Richter, Gerolf, Die Berechnung der Zuverlässigkeit großer komplexer Systeme nach der Methode der relevanten Pfade (Manuskript), Institut f. Kerntechnik TU Berlin, Berlin, März 1975
Shapley, Deborah, «Reactor Study: Independence of Rasmussen Study Doubted». In: Science, Washington, 1. 7. 1977
Tversky, Amos, und Kahneman, Daniel, «Judgement under Uncertainty: Heuristics and Biases». In: Science, Washington, 27. 9. 1974
US Atomic Energy Commission, Reactor Safety Study: An Assessment of Accident Risks in US Commercial Nuclear Power Plants WASH – 1400, Washington, 1974 Government Printing Office
Weinberg, Alvin M., «Nuclear Energy at the Turning Point» (Vortrag), Salzburg, 5. 5. 1977, Konferenz der Internationalen Atomenergiebehörde

Drittes Kapitel

Beker/Coenen/Frederichs, Interner Arbeitsbericht der Abteilung für angewandte Systemanalyse, Projekt Nukleare Sicherheit, Karlsruhe, Januar 1977
Bylinski, G., «A Preview of the ‹Choose Your Mood Society›». In: Fortune, New York, März 1977
Bundesministerium des Inneren, Bericht über den Störfall am 13. 1. 1977 im Kernkraftwerk Gundremmingen, Bonn, März 1977
Bulletin of the Atomic Scientists, Spezialheft über «Reactor Safety», September 1975, Chicago
Ervin, Frank, «Biological Intervention Technologies and Social Control». In: American Behavioral Scientist, Los Angeles, Mai 1975
Frantzen, D., und Schmid-Jörg, I., Battelle-Institut, Sozialwissenschaftliche Untersuchungen über das Wahrnehmungsfeld der Bevölkerung im Bereich technologischer Risiken (hier Kernkraftwerke) Zwischenbericht 400/1, Frankfurt a. M., März 1976
Fuller, John, We Allmost Lost Detroit, New York 1975

Grätz, Frank, «Einstellungstests: Um Kopf und Kragen». In: Wirtschaftswoche, Düsseldorf, 4. 3. 1977
Hardin, Garrett, «Living with the Faustian Bargain». In: Bulletin of Atomic Scientists, Chicago, November 1976
Hilts, Philip J., Behavior Mod, Harper and Row, New York 1974
A. H. und T. K., «Violence Center: Psychotechnology for Repression». In: Science for the People, Jamaica Plain, Mass., Mai 1974
International Atomic Energy Agency, Nuclear Power and Public Opinion 5 Papers, Wien, Mai 1977
Institut für Reaktorsicherheit, Betriebserfahrungen mit Kernkraftwerken (11. IRS Fachgespräch), Köln, 30./31. 10. 1975
Institut für Konfliktforschung, Exposé einer Conflict-Study über die Einstellung der Bevölkerung zu Atomkraftwerken in Österreich, Wien, Januar 1977
Kinnerslay, Patrick, The Hazards of Work, London 1973 Pluto Editions
Levi, H. W., «Nutzen und Risiko der Kernenergie vernünftig abwägen». In: Atomwirtschaft – Atomtechnik, Düsseldorf, Mai 1977
Linnerooth, J., «Methods for Evaluating Mortality Risk». In: Futures, Guilford, August 1976
Otway, Harry J., und Fishbein, Martin, The Determinants of Attitude Formation: An Application to Nuclear Power IIASA RM – 76 – 80, Laxenburg, Dezember 1976
Röglin, H.-Ch., «Sozialpsychologische Aspekte der Kernenergie». In: Atomwirtschaft – Atomtechnik, Düsseldorf, Januar 1977
Institut für Reaktorsicherheit, 10 Jahre IRS, Köln 1975
Rudzinski, K., «Wie sicher sind sichere Atomkraftwerke». In: Frankfurter Allgemeine Zeitung, Frankfurt a. M., 23. August 1975
Scharioth, J. (Battelle-Institut), «Die nukleare Kontroverse aus gesellschaftlicher und psychologischer Sicht» (Vortrag), Mannheim, März 1977
Schluchter, Wolf, «Polizei und Wissenschaft vereint gegen Bürgerinitiativen». In: Psychologie heute, Weinheim, Juli 1977
«Mit Faktor ‹Q 1› gegen Radikale». In: Der Spiegel, Hamburg, 5. 11. 1975
Webb, Richard, E., The Accident Hazards of Nuclear Power Plants, MIT Press, Cambridge (Mass.) 1976
Weinberg, Alvin M., «Is Nuclear Energy Acceptable?. In: Bulletin of the Atomic Scientists, Chicago, April 1977
Hamburgische Elektrizitäts-Werke, Abenteuer Elektrizität, Hamburg, November 1976

Viertes Kapitel

Burnham, David, «Hearing on Plutonium Plant is told of conflict over health reports». In: New York Times, New York, 27. 4. 1976
Chargaff, Erwin, «Man braucht kritische Naturwissenschaft». In: Chemie und Technik, 1977, Band 25, Heft 1
W. Heisenberg: Der Teil und das Ganze, München 1969

Hülsmann, Heinz, «Verantwortung von Wissenschaft – von Manhattan nach Wyhl», Meisenheim 1977
Kater, Dr. H., «Widersprüchliche Äußerungen des ärztlichen Experten Professor Graul». In: Atomkraftwerksgefahren aus ärztlicher Sicht, Hameln 1976
Kohn, Howard, «Malignant Giant: The Nuclear industry's terrible power and how it silenced Karen Silkwood», Rolling Stone, New York, 27. 3. 1975
Kohn, Howard, «Shutdown at Oklahomas Kerr McGee», Rolling Stone, 4. 12. 1975
Philips, B. J., New York «The Case of Karen Silkwood», «MS», New York, April 1975
Pollard, D. Robert, «Letter to William A. Anders», 6. 2. 1976 (Mitteilung)
Rudzinski, Kurt, Berichte über das natriumgekühlte Schnellbrüterprojekt. In: Frankfurter Allgemeine Zeitung, 1965–1977 (Fotokopie)
Sundermann, H., «Rede auf der Jahrestagung des Verbands der Wissenschaftler», Hannover, 9. 2. 1973 (Mitteilung)

Fünftes Kapitel

African national congress (South-Africa), «Conspiracy to arm apartheid continues», Lusaka 1977
Bundesminister für Forschung und Technologie, Über die Entwicklung des natriumgekühlten Schnellbrutreaktors, September 1977
Červenka, Zdenek u. Rogers, Barbara, The Nuclear Axis, London 1977
Cochran, T. B., «Aussagen bei der ‹Windscale Enquiry›», 12. 9. 1977
Commitee on Government Operations, US Senate, «Hearings on Export Reorganization Act of 1976 (Proliferation)», Washington, Januar und März 1976, Government Printing Office
Deubner, Christian, «Neues Spaltmaterial», Die Nuklearpolitik der Europäischen Gemeinschaft, Konstanz 1976
Gall, Norman, «Atoms for Brazil – Dangers for All», Foreign Policy, New York 1976
Herbig, Jost, Kettenreaktion, München 1976
International Atomic Energy Agency, Safeguarding Nuclear Materials, Wien, 2 Bände, 1976
Jacobs, Paul, «What you don't know may hurt you: the dangerous business of nuclear exports». In: Mother Jones Magazine, San Francisco, Februar 1976
Library of Congress, Nuclear Weapons Proliferation and the International Atomic Energy Agency, Washington, Government Printing Office, 1976
Ostrowska, J., «Militärische Kooperation Bundesrepublik–Südafrika». In: Blätter für deutsche und internationale Politik, Köln, Mai 1977
Prüß, K.: Kernforschungspolitik in der Bundesrepublik Deutschland, Suhrkamp, Frankfurt 1974
Winnacker, K., u. Wirtz, K., Das unverstandene Wunder, Düsseldorf
Wohlstetter, A., Moving in a nuclear crowd, Chicago 1977
Wohlstetter, A., Aussagen bei der «Windscale Enquiry», 5./6. September 1977

Yergin, Daniel, «The terrifiying prospect: Atomic bombs everywhere». In: Atlantic Monthly, Boston, April 1977

Sechstes Kapitel

DeNike, L. Douglas, «Nuclear Terror». In: Sierra Club Bulletin, San Francisco, November 1975
DeNike, L. Douglas, «Radioactive malevolence». In: Science and Public Affairs, Februar 1974
Feld, Bernard T., «Making the world safe for plutonium». In: Bull. of the Atomic Scientists, Chicago, Mai 1975
Flowers, Brian, «Nuclear Power and the Environment. In: Royal Comission on the Environment Sixth Report, London 1975
Foote, Joseph, «Disorders and Terrorism», Report of the Task Force on Disorders and Terrorism, Washington, Dezember 1976
Joslin, Ch., «Nuclear hijacking», Barrons's, New York, 23. 9. 1973
Karber, P., Mengel, R., W., Novotny, E., J., «A Behavioral Analysis of the Terrorist Threat to Nuclear Installations, Sandia, (New Mexico), Juli 1974
Krieger, David, «What happens if . . .». In: The Annals, Philadelphia, März 1977
Krieger, David, «Terrorists and Nuclear Technology». In: Bulletin of the Atomic Scientists, Chicago, Juni 1975
Lapp, Ralph, E., «The ultimate blackmail». In: New York Times Magazine, 4. 2. 1973
McPhee, John, The Curve of binding energy, New York 1974
Mullen, R., K., The international clandestine nuclear threat, Santa Barbara 1975
Office of Technology Assessment: Nuclear Proliferatron and Safeguards, New York 1977
Rosenbaum, David M., «A Special Safegards Study», Congressional Record, Washington, 30. 4. 1974
Sceptic, «Sondernummer über Terrorismus», Santa Barbara, Januar 1976
Wilrich, Mason, u. Taylor, Theodore, B., Nuclear Theft, Ballinger, New York 1974
Hoffmann, G.E., Tietze, B., Podlech, A., Numerierte Bürger, Wuppertal 1975
Kitson, Frank, Im Vorfeld des Krieges. Abwehr von Subversion und Aufruhr, Stuttgart 1974
Krauch, Helmut (Hg.), Erfassungsschutz – Der Bürger in der Datenbank, Stuttgart 1975
Maissen, Toya, «Die Weißwäscher». In: Basler AZ, Basel, 15. 7. 1977
Miller, Arthur R., Der Einbruch in die Privatsphäre: Datenbänke und Dossiers, Neuwied 1973
Narr, Wolf-Dieter (Hg.), Wir Bürger als Sicherheitsrisiko, (rororo aktuell 4181), Reinbek 1977
Reents, J., et al: Brokdorf ein Exempel – Zur Strategie und Taktik des Polizeieinsatzes, Hamburg 1977

Rothkegel, C., Materialien zum «einheitlichen Polizeigesetz und zur Praxis und Aufrüstung der Polizei, Berlin 1977
Scoville jr., H., «The Technology of Surveillance». In: Society, New Brunswick, New York, März 1975
Sicherheitsberater, Informationsdienst zu Problemen der Sicherheit in Betrieb, Unternehmen und Verwaltung, Inhaltsregister, Düsseldorf 1976
«Innere Sicherheit minus innere Freiheit». In: «vorgänge» (Sondernummer), Weinheim 1973, Heft 2
P. Sieghart: Aussage beim Gorleben-Hearing, März 1979 (vervielfältigt), Hannover
Steinmüller, W., Computer in öffentlichen Verwaltungen, Leviathan 4/75, Opladen
Weizenbaum, J., Die Macht der Computer und die Ohnmacht der Vernunft, Suhrkamp, Frankfurt a. M. 1977

Siebtes Kapitel

Ackroyd, C., Margolis, K., Rosenhead, J., Shallice, T., The Technology of Political Control, Penguin Books, Harmondsworth 1977
American Civil Liberties Union, Special Commitee on Nuclear and Other Energy Programs Affecting Civil Liberties, Final Report, 20. März 1976
Ayres, R., «Policing Plutonium: The Civil Liberties Fallout». In: Harvard Civil Rights – Civil Liberties Law Review, Frühjahr 1975
Bartkus, R., und Block, G., Rapporteurs Report: Conference on the impact of Intensified Nuclear Safeguards on Civil Liberties, 17./18. Oktober 1975
Bernstein, S., et al, The Iron Fist and the Velvet Glove, by the Center for Research on Criminal Justice, Berkeley 1977
Biermann, W., Plutonium und Polizeistaat, Berlin 1977
Bundesministerium des Inneren, Innere Sicherheit im freiheitlichen Rechtsstaat, Bonn 1975
Caille, Marcel, Les Truands du Patronat, Paris 1977
Cobler, Sebastian, Die Gefahr geht von den Menschen aus: Der vorverlegte Staatsschutz, Berlin 1976
Comité «Nous ne Serons Plus Seuls Dans la Ville». De la Police Soleuroise à la Psychiatrie Genevoise. La Psychiatrie reveillera-t-elle une Geneve somnolente, vervielfältigt, Juni 1977, Genf
Floot, Michael, und Grove-White, Robin, Nuclear Prospects, A Comment on the State and Nuclear Power, London, Oktober 1976
Funk, A., und Werkentin, F., «Materialien zur Entwicklung des innerstaatlichen Gewaltapparats». In: links, Offenbach, Januar 1976
Jungk, Robert, Der innere Krieg (Interview), Kritisches Tagebuch, Tübingen 1977, Heft 1

Ausblick (Der sanfte Weg)

Adler-Karlsson, G., «Förer atomkraften til diktatur?». In: Öjvind Kyrö (Hg.), Med fremtiden som indsats. En kritisk bog om atomkraft, Kopenhagen 1975
Augstein, R., «Atomstaat oder Rechtsstaat». In: Der Spiegel, Hamburg 1977, Nr. 10
Battelle-Institut, Bürgerinitiativen im Bereich von Kernkraftwerken, Frankfurt 1975
Besetzerzeitung, Was wir wollen, Wyhl 1974
Bock, P., «Demontage des Rechtsstaates? Der Kampf der Wyhler gegen Regierung und Industrie». In: forum E Atomenergie – Fortschritt in die Katastrophe, Bochum, Mai 1975
Buchholtz, H.-C., Mez, L., Zabern, Th. v., Beer, W., und Freudenthal, M., Widerstand gegen Atomkraftwerke, Manuskript, Berghof-Stiftung, Berlin 1977
Ebbin, S., und Kasper, R., Citizen Groups and the Nuclear Power Controversy, MIT Press, Cambridge (Mass.) 1974
Ebert, Th., «Bürgerinitiativen». In: Pehnt, W. (Hg.), Die Stadt in der Bundesrepublik Deutschland, Reclam, Stuttgart 1974
Eppler, E., Ende oder Wende, Kohlhammer, Stuttgart 1975
Gronemeyer, R., Integration durch Partizipation?, Frankfurt a. M. 1973
Harman, W. W., An Incomplete Guide to the Future, San Francisco 1976
Kitzmüller, E., «Basisbewegungen und die Veränderungen der Machtstrukturen in Westeuropa – Ist Basisdemokratie möglich ohne einen westeuropäischen Bundesstaat?». In: Jahrbuch für Friedens- und Konfliktforschung, Bd. VII
Kursbuch: Bürgerinitiativen – Bürgerprotest – eine neue Vierte Gewalt? Berlin, Dezember 1977
A. B. Lovins: Sanfte Energie, Reinbek 1978
Lutz, W.-R., Dezentrale Planung, Diplomarbeit, Berlin 1977
Mayer-Tasch und Cornelius, P., Die Bürgerinitiativbewegung, Rowohlt, Reinbek 1976
L. Metz (Hg.): Der Atomkonflikt, Berlin 1979
Moldenbauer, B., «Politische und ökonomische Entstehungsbedingungen der zivilen Atomindustrie». In: Blätter für deutsche und internationale Politik, Köln 1975, H. 7
Mossmann, W., «Volkshochschule Wyhler Wald». In: Dauber, H., und Verne, E. (Hg.), Freiheit zum Lernen (rororo sachbuch 6959), Reinbek 1976
Mossmann, W., «Die Bevölkerung ist hellwach». In: Kursbuch 39, Berlin 1975
Müller, S., «Vor Ort» – Zur Diskussion von Programmauftrag und Programmwirklichkeit im Fernsehen, unveröffentlichte Magisterarbeit, Berlin, September 1976
Negt, O., und Kluge, A., Öffentlichkeit und Erfahrung. Zur Organisationsanalyse von bürgerlicher und proletarischer Öffentlichkeit, Suhrkamp, Frankfurt a. M. 1972

Prokol-Gruppe Berlin, Der sanfte Weg, Deutsche Verlagsanstalt, Stuttgart 1976
Rinsche, Günther, «Struktur der Bürgerinitiativen». In: Kommunalpolitische Blätter, Recklinghausen 1974, H. 2
Rodenstein, M., «Bürgerinitiativen – ein neues Phänomen politischer Beteiligung». In: Archt *, 1975, H. 28
Roszak, Th., Gegenkultur, Düsseldorf 1973
Sternstein, W., «Die Grenzen der Macht. Das Lehrstück Wyhl». In: Gewerkschaftliche Monatshefte, Köln 1976, H. 2
Wiegand, H.-G., «Öffentlich-rechtliche Massenmedien im Dienst von Bürgerinitiativen – Thesen», Vortrag an der Steirischen Akademie, 5.–9. 11. 1976
Wüstenhagen, H. H., Bürger gegen Kernkraftwerke (rororo aktuell 1949), Reinbek 1976

Namen- und Sachregister

Robert Jungk

Der Atom-Staat

Vom Fortschritt in die Unmenschlichkeit

Jungks Thema ist die Deformierung des Menschen durch Einschränkung der persönlichen Freiheit durch Repressionen, Ängste, gegenseitige Bespitzelung als Folge der staatlichen Überwachungsmaßnahmen zur Verhinderung von «Atomterrorismus». rororo Band 7288

Die Zukunft hat schon begonnen

Amerikas Allmacht und Ohnmacht

National-Zeitung, Basel: «Ein atemberaubendes Drama der Wirklichkeit, dem die Menschheit von heute entgegenstrebt, eine Reportage der wissenschaftlichen Hybris, die sich selbst übersteigert.»
rororo Band 6653

Heller als tausend Sonnen

Das Schicksal der Atomforscher

Carl Friedrich v. Weizsäcker in einem Brief an den Autor: «Das historische Verdienst besteht darin, daß Sie viel intensiver als irgendein anderer Autor versucht haben, die Geschichte der Atombombe als eine Geschichte wirklicher Menschen zu schreiben. In gewissem Sinne haben Sie damit erst das Niveau betreten, von dem aus man von so etwas wie einer Geschichtsbeschreibung der atomaren Technik reden kann.» rororo Band 6629

Der Jahrtausendmensch

Berichte aus den Werkstätten der neuen Gesellschaft

Die Zahl der Außenseiter, die Alternativmodelle entwerfen und erproben, wächst rasch. Robert Jungk setzt auf sie die Hoffnung für eine menschlichere Gesellschaft. Ihre verstreuten Aktivitäten und Teilerfolge faßt dieses Buch zu einem packenden und ermutigenden Bericht zusammen, der zeigt, wieviel konkrete Utopie bereits in unserer Gegenwart steckt. rororo Band 6967

Strahlen aus der Asche

Geschichte einer Wiedergeburt. Aktualisierte Neuausgabe

1957 besucht Robert Jungk die wiederaufgebaute Stadt Hiroshima; sein Buch erscheint 1963, ein auch heute noch erschütternd aktueller Appell an menschliche Vernunft und Einsicht. rororo Band 7349

296/12

Carl Amery

Natur als Politik

Die ökologische Chance des Menschen

«Amery macht vernünftige Vorschläge für den Aufbau einer weitgehend dezentralisierten und dem Einzelmenschen zugewandten Gesellschaft. Es macht Spaß, dieses Buch zu lesen.» Deutsche Zeitung

Der Ausgangspunkt des neuen Buches von Carl Amery ist die zentrale These: «Bisher hat sich der Materialismus damit begnügt, die Welt zu verändern; jetzt kommt es darauf an, sie zu erhalten.» Eine vehemente Attacke gegen die Ökonomie als Leitwissenschaft der Politik und gegen die Techno-Diktatur des Industriesystems.

rororo sachbuch 7146

Das Ende der Vorsehung

Die gnadenlosen Folgen des Christentums

«Macht euch die Erde untertan!» In dieser Aufforderung zur totalen Unterwerfung der Natur hat sich das Christentum weit über die kirchlichen Grenzen hinaus manifestiert. Die Vernichtung der Natur durch den Menschen läßt die Möglichkeit auftauchen, daß die «Geschichte des Heils» in eine Geschichte des endgültigen Schreckens umschlägt. Carl Amery sieht die heutige Krise der menschlichen Gesellschaft als eine gnadenlose Folge christlicher Geschichte.

Carl Amery: «Nicht die erbitterten Querelen zwischen Römischen und Protestanten, zwischen Stalinisten und Trotzkisten verändern das Leben der Welt, sondern ihre Gemeinsamkeiten; nicht die Gegner oder Anhänger der einen oder anderen Konfession haben den Traktor, die Stechuhr und den Röntgenschirm erfunden, sondern die Erben und Akteure einer gemeinsamen Erfolgsgeschichte, die heute, auf dem Höhepunkt ihrer Triumphe, in die totale Katastrophe abzukippen droht.»

rororo sachbuch 6874

775/4